D0588740
Le
Livre
de
Poche
Jeunesse

# EVIL STAR

ANTHONY HOROWITZ

# EVIL STAR

## LE POUVOIR DES CINQ

## TOME 2

Traduit de l'anglais
par Annick Le Goyat

L'édition originale de cet ouvrage a paru en langue anglaise
chez Walker Books (Londres)
sous le titre :
*EVIL STAR*

*La lueur rougeoyante des flammes se reflétait dans les yeux du vieil homme. Le soleil se couchait et les ombres se resserraient. Dans le lointain, un condor tournoya paresseusement avant de plonger vers le sol. Alors, tout devint paisible. La nuit n'était plus qu'à un souffle.*

*« Il viendra », assura le vieillard. Il s'exprimait dans une langue étrange, connue seulement de rares personnes dans le monde. « Inutile de l'envoyer chercher. Il viendra de lui-même. »*

*Le vieil homme se releva, s'aidant d'une canne taillée dans une branche, et s'approcha du bord de la plateforme rocheuse. De ce promontoire, il dominait un canyon qui semblait descendre jusqu'à l'infini, ligne de faille dans l'écorce terrestre qui s'était formée un million d'années auparavant. Pendant un instant, le vieillard demeura silencieux. Une douzaine d'hommes se tenaient derrière lui, guettant ses paroles. Aucun d'eux ne bougeait. Aucun n'osait l'interrompre dans ses pensées.*

*Enfin il se retourna et dit :*

*« Ce garçon vit à l'autre bout du monde. En Angleterre. »*

*L'un des hommes se trémoussa, mal à l'aise. Il savait qu'il était mal vu de poser des questions mais il ne put s'en empêcher. « Allons-nous nous contenter de l'attendre ? Le temps presse. Même s'il vient, comment pourra-t-il nous aider ? Un enfant !*

*— Tu ne comprends pas, Atoc », répondit le vieil homme. S'il était en colère, il n'en laissait rien paraître. Il savait qu'Atoc n'avait que vingt ans et était lui-même à peine plus qu'un enfant. « Ce garçon détient un pouvoir dont il ne soupçonne même pas la force. Il viendra et il arrivera à temps. Son pouvoir le mènera jusqu'à nous.*

*— Qui est-ce ? » demanda un autre.*

*Le vieil homme contempla le soleil qui reposait, dans un équilibre parfait, sur la cime de la plus haute montagne. Cette montagne s'appelait Mandango... le Dieu endormi.*

*« Il se nomme Matthew Freeman. Il est le premier des Cinq. »*

# 1

# La Grande Roue

Il se passait quelque chose de bizarre dans la maison de Eastfield Terrace. Quelque chose de déplaisant.

Toutes les maisons de la rue se ressemblaient plus ou moins : façade en brique rouge début XX^e, deux chambres au premier étage et un bow-window au rez-de-chaussée, à droite ou à gauche de la porte d'entrée. Certaines possédaient une antenne parabolique, d'autres des jardinières aux fenêtres, garnies de fleurs aux couleurs vives. Pourtant, lorsqu'on regardait la rue qui tournait autour de l'église Saint-Patrick puis descendait vers le garage Esso et la supérette, on remarquait qu'une maison se distinguait des autres. Le numéro 27 semblait incongru, plus à sa place, atteint d'une maladie nécessitant son transfert immédiat dans un autre quartier.

Le jardinet de devant était jonché de détritus et, comme à l'accoutumée, la poubelle à roulettes, à côté de la grille, débordait, cernée de sacs noirs qu'on n'avait pas réussi à fourrer à l'intérieur. Ceci n'était pas inhabituel. Les rideaux étaient tirés en permanence sur les fenêtres et, à la connaissance des voisins, les lumières n'étaient jamais allumées. Ceci non plus n'avait rien de très étrange. Ce qui l'était, en revanche, c'était la puanteur. La maison empestait. Depuis plusieurs semaines, se dégageait une odeur de pourri, d'égout, qui avait d'abord semblé provenir d'une canalisation bouchée mais qui avait rapidement empiré et obligeait désormais les passants à changer de trottoir. Quelle que fût l'origine de cette infection, elle paraissait affecter la maison entière. Le carré de pelouse commençait à crever. Les fleurs avaient fané, envahies de mauvaises herbes. Les briques elles-mêmes donnaient l'impression de perdre leur couleur.

Les voisins avaient tenté de se plaindre. Ils avaient tambouriné à la porte, mais personne n'avait ouvert. Ils avaient téléphoné, mais personne n'avait répondu. Finalement, ils avaient alerté les services municipaux d'Ipswich, mais il faudrait évidemment des semaines avant qu'une action fût entreprise. La maison n'était pas vide. Cela, ils le savaient. Ils avaient plusieurs fois entr'aperçu la propriétaire, Gwenda Davis, faisant les cent pas derrière ses rideaux. Une fois – plus d'une semaine auparavant –, on l'avait vue rentrant précipitamment chez elle après avoir fait ses courses. Autre preuve de présence au numéro 27 : chaque soir, la télévision était allumée.

Gwenda Davis était bien connue dans la rue.

Elle avait vécu là presque toute sa vie d'adulte, d'abord seule, ensuite avec son compagnon, Brian Conran, qui travaillait à l'occasion comme laitier. Mais ce qui avait vraiment déclenché l'intérêt et les bavardages des voisins, c'était l'adoption inexplicable par Gwenda Davis, six ans plus tôt, de son neveu de huit ans. Tout le monde s'accordait pour dire que Gwenda et Brian n'étaient pas précisément les parents idéals. Brian buvait. Ils se disputaient et, à en croire les commérages, c'est à peine s'ils connaissaient ce neveu dont les parents avaient péri dans un accident de voiture.

Ainsi donc, personne ne s'était étonné quand les choses avaient mal tourné. Ce n'était pas vraiment la faute du jeune garçon. À son arrivée, Matthew Freeman était, de l'avis général, un enfant assez gentil. Mais, très vite, la situation s'était détériorée. Il avait commencé à manquer l'école, à traîner et à avoir de mauvaises fréquentations. Puis il s'était rendu coupable de toute une série de délits mineurs qui, inévitablement, lui avaient attiré des ennuis avec la police. Pour finir, il y avait eu ce cambriolage dans un entrepôt proche de la gare d'Ipswich, où un vigile avait failli perdre la vie. Le juge avait décidé de placer

Matthew dans une famille d'accueil quelque part dans le Yorkshire, dans le cadre d'un programme gouvernemental contre la délinquance. Bon débarras ! avaient conclu les voisins.

L'affaire remontait à trois mois. Depuis, Gwenda avait peu à peu disparu de la circulation. Quant à Brian, personne ne l'avait aperçu depuis des semaines. La maison était silencieuse et négligée. Il allait bientôt falloir prendre des mesures radicales. Tout le monde s'accordait sur ce point.

C'était la première semaine de juin. Il était dix-neuf heures trente. Les jours s'allongeaient autant qu'ils le pouvaient. Les habitants de Eastfield Terrace étaient écrasés de chaleur, fatigués et irritables. La puanteur du numéro 27 devenait insupportable.

Gwenda Davis se préparait à dîner dans la cuisine. Gwenda n'avait jamais été une jolie femme : petite, vulgaire, un regard morne, des lèvres pincées qui ne souriaient jamais. Mais, depuis le départ de Matt, son aspect avait rapidement empiré. Ses cheveux étaient hirsutes, elle portait une robe à fleurs et un gilet qui, comme elle, n'avaient pas été lavés depuis longtemps et pendaient comme un sac. Elle avait développé un tic nerveux qui ne la quittait plus : elle se frottait en permanence les bras comme si elle avait froid ou, peut-être, peur de quelque chose.

— Tu as faim ? lança-t-elle d'une voix aiguë.

Brian l'attendait dans le salon, mais elle savait qu'il ne mangerait rien. Elle regrettait le temps où il travaillait comme laitier. Il s'était fait licencier à la suite d'une bagarre avec un des patrons du dépôt, juste après le départ de Matthew. Après son emploi, c'est l'appétit qu'il avait perdu.

Gwenda regarda sa montre. Bientôt l'heure de *La Grande Roue*, son programme hebdomadaire de télé préféré. En fait, grâce aux innombrables chaînes par satellite, elle pouvait regarder *La Grande Roue* tous les soirs. Mais, le jeudi, c'était spécial. Le jeudi, c'était une émission nouvelle, pas une rediffusion.

Gwenda était une droguée de *La Grande Roue*. Elle adorait les lumières éclatantes du studio, les prix mystères, les concurrents qui pouvaient gagner un million de livres sterling s'ils donnaient assez de bonnes réponses et osaient tourner la roue. Mais, surtout, Gwenda raffolait du présentateur, Rex McKenna, avec son bronzage inaltérable, ses plaisanteries, son sourire éblouissant. À cinquante ans, Rex avait toujours des cheveux noirs de jais, un regard luisant, et une démarche sautillante qui le rajeunissait. Il animait deux autres émissions du même genre et un concours de danse sur la BBC, mais c'était dans *La Grande Roue* que Gwenda le préférait.

— Ça a commencé ? cria-t-elle de la cuisine.

Brian ne répondit pas. De toute façon, ces derniers temps, il ne desserrait plus les dents.

Gwenda ouvrit un placard et en sortit une boîte de haricots blancs. Ce n'était pas ce qu'on pouvait appeler un festin, mais il y avait déjà longtemps qu'ils ne gagnaient plus d'argent et leur budget devenait très serré. Elle chercha une assiette propre d'un regard circulaire mais n'en vit aucune. Toutes les surfaces étaient jonchées de vaisselle sale. Une pile d'assiettes et de bols souillés s'élevait dans l'évier. Elle plongea la main dans l'eau brunâtre et répugnante, parvint à y pêcher une fourchette dont elle essuya sommairement la graisse sur sa robe, et sortit rapidement de la cuisine.

Le salon n'était pas allumé mais la lueur de la télévision suffisait à éclairer le désordre qui régnait dans la pièce. De vieux journaux étaient éparpillés sur le tapis, les cendriers regorgeaient de mégots, des assiettes sales se mêlaient à de vieilles chaussettes et des sous-vêtements. Brian était assis sur un canapé qui avait dû paraître déjà laid et fatigué à peine sorti du magasin. Une vilaine tache sombre maculait la housse de nylon. Gwenda l'ignora et s'assit à côté de Brian.

L'odeur, déjà infecte dans la maison, était ici pestilentielle. Gwenda l'ignora également.

Il lui semblait que tout allait de travers depuis le départ de Matthew. Et elle ne comprenait pas pourquoi. Ce n'était pas comme si elle avait eu de l'affection pour lui. Au contraire, elle avait toujours su qu'il y avait quelque chose de bizarre chez ce garçon. N'avait-il pas pressenti la mort de ses parents la veille de l'accident ? Elle l'avait adopté uniquement parce que Brian l'en avait persuadée. Et, bien sûr, Brian ne cherchait qu'à mettre la main sur l'héritage laissé par les Freeman à leur fils. Malheureusement, l'argent avait trop vite fondu. Ensuite, les autorités leur avaient retiré la garde de Matthew. C'était lui le délinquant juvénile, pourtant tout le blâme était retombé sur elle.

Ce n'était tout de même pas sa faute ! Elle avait généreusement recueilli Matt. Jamais elle n'oublierait le regard du policier. On aurait dit que c'était elle la criminelle ! Aujourd'hui, elle regrettait d'avoir fait entrer Matthew dans sa vie. À cause de lui, tout était allé de travers.

« Et maintenant, sur ITV, voici venu le moment de tenter votre chance et de faire tourner… la Grande Roue ! »

Gwenda était à peine installée que débutait le générique. Cinquante billets de banque voltigèrent sur l'écran. Le public applaudit. Puis McKenna apparut, descendant l'escalier scintillant au bras de deux filles superbes. Il portait une veste pailletée de couleur vive et il souriait en agitant la main, toujours aussi heureux d'être là.

« Bonsoir à tous ! cria-t-il. Qui va gagner le gros lot ce soir ? Seule la Grande Roue le sait ! » Le public se déchaîna comme s'il entendait ces mots pour la première fois. Alors que, bien sûr, l'annonce de Rex était toujours la même. « Seule la Grande Roue le sait ! » était son éternelle accroche. Gwenda avait un petit doute sur la véracité de cette affirmation. La roue n'était qu'un grand rond de bois et de plastique. Comme pouvait-elle savoir quoi que ce soit ?

Rex s'arrêta et les applaudissements se turent. Gwenda fixait l'écran dans une sorte de transe. Elle avait déjà oublié ses haricots. Quelque part, à l'arrière de son cerveau, une question flottait : comment la télévision pouvait-elle fonctionner alors qu'on leur avait coupé l'électricité depuis deux mois pour cause de non-paiement de factures ? Mais l'arrière de son cerveau était bien loin et, au fond, ça n'avait guère d'importance. C'était une bénédiction. Comment aurait-elle supporté les soirées sans *La Grande Roue* ?

« Ce soir encore, *La Grande Roue* peut vous faire gagner un million de livres… ou bien un billet de retour chez vous avec les poches vides ! s'exclama Rex. Si vous saviez quelle semaine agitée j'ai eue ! Hier matin, ma femme m'a réveillé à six heures pour me rappeler de mettre mon réveil à sonner. Le réveil a démarré à sept heures… et il n'est toujours pas revenu ! »

Le public hurla de rire. Gwenda aussi.

« Ce soir, un grand spectacle nous attend. Dans un instant, nous allons faire connaissance avec nos trois heureux candidats. N'oubliez pas. Si vous voulez gagner un million de livres, que devez-vous faire ?

— Tourner la Grande Roue ! » beugla le public.

Brian ne disait rien. Et sa façon de rester assis là sans un mot commençait à agacer Gwenda.

« Avant d'entrer dans le vif du sujet, poursuivit

Rex, je tiens à dire deux mots à une dame très chère à mon cœur… » Il s'approcha de la caméra et son visage envahit l'écran. Gwenda eut l'impression qu'il la regardait droit dans les yeux.

« Bonsoir, Gwenda, dit Rex.

— Bonsoir, Rex », murmura-t-elle.

Elle avait du mal à croire qu'il s'adressait vraiment à elle. Comme toujours.

« Comment allez-vous, ce soir, ma chère ?

— Bien… » Elle se mordilla la lèvre et croisa ses mains sur ses genoux.

« Parfait, écoutez-moi, Gwenda chérie. Avez-vous un peu réfléchi à ce dont nous avons discuté ? Avez-vous décidé ce que vous allez faire de ce petit vaurien de Matthew Freeman ? »

Cela faisait deux mois que Rex McKenna s'adressait ainsi à Gwenda. Au début, ça l'avait intriguée. Comment l'animateur pouvait-il interrompre l'émission, regardée par dix millions de téléspectateurs, juste pour lui parler ? Parfois, il réussissait même à le faire pendant des rediffusions, ce qui paraissait encore plus impossible puisque certaines avaient été enregistrées des années auparavant. Gwenda s'en était inquiétée. Elle en avait parlé à Brian, qui avait éclaté de rire et l'avait traitée de folle. Rex avait très vite mis les choses au point, concernant Brian. Maintenant, Gwenda ne s'inquiétait plus du tout. Elle trouvait la chose un peu bizarre mais s'y était habituée. Et puis, pour être sincère, ça la flattait. Gwenda vénérait Rex

McKenna et, visiblement, celui-ci l'aimait aussi beaucoup.

« Matthew Freeman s'est moqué de vous, Gwenda, poursuivit Rex. Il est venu sous votre toit, il a gâché votre relation avec Brian, puis il s'est attiré des problèmes et c'est vous que tout le monde a accusée. Et maintenant, regardez-vous ! Pas d'argent. Pas de travail. Vous n'êtes pas présentable, Gwenda.

— Ce n'est pas de ma faute, marmonna Gwenda.

— Je sais que ce n'est pas de votre faute, ma pauvre chérie. » Un bref instant, la caméra cadra le public du studio qui s'impatientait. « Vous avez veillé sur ce garçon. Vous l'avez traité comme un fils. Mais il a fichu le camp sans même demander la permission. Aucune gratitude, évidemment. Ah, les jeunes d'aujourd'hui ! Il est devenu vaniteux comme un paon. Et si vous saviez les horreurs qu'il raconte sur vous ! J'y ai pas mal réfléchi et je pense... que ce garçon mérite une punition.

— Une punition... », répéta Gwenda à mi-voix, avec un sentiment d'effroi.

— Comme vous avez puni Brian parce qu'il était grossier et brutal. » Rex secoua la tête. Peut-être était-ce une illusion d'optique due à l'éclairage du studio, mais il se penchait vers l'écran comme s'il allait pénétrer dans le salon de Gwenda. « Le fait est que Matt est un individu détestable. Partout où il va, il cause des problèmes. Rappelez-vous ce qui est arrivé à ses parents.

— Ils sont morts.

— Par sa faute. Il aurait pu les sauver. Et il y a d'autres choses que vous ignorez. Matthew a fortement contrarié plusieurs de mes amis, ces derniers temps. En réalité, il a fait beaucoup plus que les contrarier. Il les a tués. Incroyable, non ? Il les a massacrés. À mon avis, il n'y a pas à hésiter. Matthew Freeman mérite une punition très sévère.

— Je ne sais pas où il est, objecta Gwenda.

— Je peux vous le dire. Il va dans un collège appelé Forrest Hill. C'est dans le Yorkshire, juste à côté de York. Ce n'est pas très loin.

— Qu'attendez-vous de moi ? » s'enquit Gwenda, la bouche sèche.

La boîte de haricots s'était renversée et de la sauce tomate froide dégoulinait sur ses genoux.

« Vous avez de l'affection pour moi, n'est-ce pas, ma chère Gwenda ? reprit l'animateur, la gratifiant d'un de ses fameux sourires qui plissaient si plaisamment le coin de ses yeux. « Vous voulez m'aider. Vous savez ce qu'il faut faire. »

Gwenda hocha la tête et se mit à pleurer. Sans raison précise. Elle se demanda si c'était la dernière fois que Rex McKenna s'adressait à elle. Elle pressentait qu'elle ne reviendrait pas de York.

« Allez à York en train, ma chère Gwenda. Trouvez Matt et arrangez-vous pour qu'il ne fasse plus jamais de mal à quiconque. Vous le devez à vous-même. Et à tout le monde. Vous ne croyez pas ? »

Gwenda était incapable de parler. Elle hocha la tête pour la seconde fois et ses larmes redoublèrent.

Rex recula.

« Mesdames et messieurs, je vous demande d'applaudir bien fort Gwenda Davis. C'est une femme adorable qui mérite une chaleureuse ovation. »

Les spectateurs s'exécutèrent. Ils applaudirent et acclamèrent Gwenda jusqu'à ce qu'elle quitte le salon et monte à l'étage.

Brian resta où il était, assis sur le canapé, les jambes légèrement écartées, la bouche ouverte. Il n'avait pas changé de position depuis que Gwenda lui avait planté son couteau de cuisine dans la poitrine. Brian s'était moqué d'elle, l'avait traitée de folle. Elle lui avait donné une leçon qu'il n'était pas près d'oublier. C'était Rex qui lui avait conseillé de le punir ainsi.

Quelques minutes plus tard, Gwenda sortit de la maison. Elle avait eu l'intention de prendre quelques affaires, mais rien ne méritait d'être emporté, hormis la hache qu'elle utilisait autrefois pour couper du bois. Elle l'avait fourrée dans un sac qu'elle tenait en bandoulière.

Gwenda verrouilla la porte et s'éloigna. Elle connaissait sa destination : Forrest Hill, un collège du Yorkshire.

Pas de doute, Matt allait avoir un choc.

# 2

# Le nouveau

C'était toujours le même rêve.

Matt Freeman se tenait sur un îlot rocheux qui semblait avoir jailli du sol comme une plante vénéneuse. Il était cerné par une mer morte. Au sens propre du terme. Les vagues roulaient, épaisses et huileuses, et malgré le vent qui hurlait et les embruns qui le fouettaient, il ne sentait rien. Pas même le froid. Il devinait que c'était un lieu où le soleil ne se levait ni ne se couchait jamais, et il se demandait s'il était mort, lui aussi.

Il se tourna vers le rivage, certain d'apercevoir au loin les quatre adolescents qui l'attendaient, séparés de lui par un bras d'eau de huit cents mètres de large et d'une profondeur insondable. Ils étaient toujours là. Trois garçons et une fille, tous à peu près de son âge.

Pourtant, cette fois, il y avait quelque chose de différent. L'un des garçons avait réussi à trouver une embarcation pour le rejoindre. C'était une longue barque étroite, faite de roseaux entrelacés. La proue avait la forme d'une tête de chat sauvage. La barque semblait fragile. Les vagues la malmenaient, cherchant à la repousser. Mais le garçon pagayait vigoureusement et en rythme. Il fendait les flots, se rapprochant de plus en plus, et Matt parvenait maintenant à distinguer ses traits : le teint mat, les yeux sombres, de longs cheveux noirs et raides tombant dans sa nuque. Il portait un jean déchiré et une chemise large, trouée à un coude.

Un espoir fou s'empara de Matt. Dans quelques minutes, l'embarcation aurait atteint l'îlot et, s'il réussissait à trouver un chemin pour descendre, il pourrait enfin s'évader. Il courut au bord du rocher et c'est alors qu'il le vit, se reflétant dans l'eau d'encre. Un oiseau. Un oiseau d'une espèce indéfinie. Sa silhouette ondulait, déformée par les vagues. Il était impossible de l'identifier. Des ailes immenses, des plumes blanches et un long cou sinueux pareil à un serpent. Un cygne ! Hormis les trois garçons et la fille, c'était la seule créature vivante dans cet univers cauchemardesque. Matt suivit des yeux l'oiseau qui volait vers la terre ferme, s'attendant à le voir raser le piton rocheux.

C'était un cygne monstrueux, de la taille d'un avion. Ses yeux brillaient d'une lueur jaune, ses serres s'ouvraient pour saisir l'eau et la tirer derrière lui à la manière d'un rideau. Soudain, son bec orange vif s'ouvrit et il poussa un cri assourdissant. En réponse, un coup de tonnerre éclata. L'oiseau passa au-dessus de Matt, qui tomba à genoux, et le martela de ses ailes. Son cri explosa dans ses oreilles. La masse d'eau s'abattit : un raz de marée qui recouvrit l'îlot rocheux, le rivage, la mer tout entière. Au moment où il allait être englouti, Matt ouvrit la bouche pour hurler…

… et se réveilla dans son lit, haletant, dans sa petite chambre sous les toits, où les premières lueurs de l'aube filtraient par la fenêtre.

Matt fit ce qu'il faisait toujours lorsque la journée débutait ainsi. Il vérifia l'heure à la pendulette de sa table de nuit : six heures et demie. Puis il jeta un regard circulaire pour s'assurer qu'il était bien dans sa chambre mansardée de l'appartement de York. Il vivait là depuis cinq semaines. Un à un, il détailla les objets familiers : les livres de classe empilés sur le bureau, l'uniforme de collégien accroché sur le dossier d'une chaise, les affiches punaisées aux murs : des joueurs d'Arsenal et le film *La Guerre des Mondes*, la Playstation posée par terre dans un coin. La pièce était en désordre. Exactement comme elle devait l'être. Tout allait bien. Il était de retour.

Matt était allongé sur son lit, entre veille et sommeil, attentif aux bruits de la circulation matinale : d'abord la voiture du laitier qui passait devant la porte, puis les camions de livraison et les premiers trains de banlieue. À sept heures, le réveil de Richard sonna dans la chambre du bas. Richard Cole était le journaliste qui l'avait recueilli. Matt l'entendit sortir de son lit et se diriger à pas de loup vers la salle de bains. Puis l'eau de la douche coula. C'était le signal pour Matt. Il rejeta ses couvertures et se leva.

Pendant un instant, il entrevit son reflet dans le miroir. Un adolescent de quatorze ans en caleçon et T-shirt. Des cheveux noirs, qu'il avait eu l'habitude de porter court mais qu'il laissait maintenant pousser librement. Des yeux bleus. Matt était bien bâti, avec des épaules carrées et des muscles déliés. Il grandissait vite. Richard avait pris la précaution de lui acheter des vêtements d'une taille de plus mais il les remplissait déjà et ceux-ci ne tarderaient pas à être trop justes.

Une demi-heure plus tard, revêtu de son uniforme et son sac à la main, Matt entrait dans la cuisine. Richard empilait les assiettes sales du dîner de la veille. Il avait l'air de quelqu'un qui n'a pas fermé l'œil de la nuit. Ses vêtements étaient froissés. Il avait pris une douche mais ne s'était pas encore rasé. Ses cheveux blonds étaient mouillés et ses yeux encore à moitié fermés.

— Que veux-tu pour ton petit déjeuner ?

— Qu'est-ce qu'il y a ?

Richard étouffa un bâillement.

— Heu… Il n'y a pas de pain et pas d'œufs. (Il ouvrit un placard et l'inspecta.) Nous avons un reste de corn-flakes mais ça ne sert pas à grand-chose.

— On n'a pas de lait ?

Richard sortit une brique de lait du réfrigérateur, la renifla et la vida dans l'évier.

— Imbuvable, annonça-t-il en levant les mains d'un geste d'excuse. Je sais, je sais. J'avais promis d'en acheter. J'ai oublié.

— Ce n'est pas grave.

— Bien sûr que c'est grave ! s'emporta Richard en claquant la porte du réfrigérateur. Il était en colère contre lui-même. Je suis censé m'occuper de toi...

Matt s'assit devant la table.

— Ce n'est pas ta faute. C'est la mienne.

— Matt...

— Non. Autant l'admettre. Notre cohabitation ne marche pas très bien.

— Ce n'est pas vrai.

— Mais si. Tu n'as pas spécialement envie de m'avoir chez toi. En réalité, tu n'as pas non plus envie de vivre à York. Je te comprends, Richard. À ta place, ça ne m'emballerait pas d'avoir un garçon de mon âge dans les pattes.

Richard regarda sa montre.

— Ce n'est pas le moment de discuter de ça, Matt. Tu vas arriver en retard en classe.

— Je ne veux plus aller au collège. J'ai bien réfléchi. (Il respira à fond.) Je veux être réintégré dans le programme LEFA et aller dans une famille d'accueil.

— Tu es fou ?

LEFA, Liberté et Éducation en Famille d'Accueil, était un projet gouvernemental destiné aux délinquants juvéniles, auquel Matt était assigné lorsque Richard l'avait rencontré.

— Je pense simplement que ce serait plus facile.

— La dernière fois, LEFA t'a expédié dans une assemblée de sorcières. Qu'est-ce que ce sera, la prochaine fois ? Un repaire de vampires ? Ou alors tu finiras chez des cannibales.

— Pourquoi pas dans une famille normale, qui s'occupera de moi ?

— Moi, je peux m'occuper de toi.

— Tu n'arrives même pas à t'occuper de toi-même !

Matt regretta ses paroles. Elles lui avaient échappé.

— Tu travailles à Leeds, maintenant. Tu passes ton temps en voiture. C'est pour ça qu'il n'y a jamais rien à manger dans la maison. Et tu es épuisé. Tu restes à York uniquement à cause de moi. Ce n'est pas juste.

C'était vrai. Richard avait perdu son emploi de reporter à *La Gazette de Greater Malling*, et en avait retrouvé un autre la semaine suivante, à *L'Écho de Gipton*, dont le siège se trouvait dans la banlieue de Leeds. Ce n'était guère mieux. Richard traitait toujours les faits divers. La veille, il avait écrit un article sur un nouveau restaurant de poisson, une déchetterie et un hôpital gériatrique menacé de fermeture. Il appelait ça la rubrique des chiens écrasés. Parallèlement, il travaillait sur un livre retraçant les aventures de Matt et les événements qui avaient conduit à la destruction de l'ancienne centrale nucléaire connue sous le nom de Omega Un, et à la disparition d'un village entier du Yorkshire. Mais si Richard n'avait pas réussi à vendre son histoire à la presse, pourquoi les éditeurs se montreraient-ils plus enthousiastes ?

— Je ne tiens pas à avoir cette conversation maintenant, dit Richard. Il est trop tôt. Remettons ça à ce soir. Pour une fois, je rentrerai tôt. Nous irons dîner dehors, si ça te dit. Ou bien je passerai chez le traiteur.

— Bon. D'accord. Comme tu voudras, acquiesça Matt en prenant ses affaires.

— Et pour le petit déjeuner ?

— Je m'arrêterai au McDo.

Forrest Hill était un collège privé, perdu au milieu de nulle part, à mi-distance entre York et Harrogate. Bien que Matt n'en ait pas parlé à Richard, il détestait ce collège et n'était pas certain d'avoir la patience d'attendre les prochaines vacances d'été. C'était la raison principale qui le poussait à quitter la région.

De l'extérieur, Forrest Hill avait assez belle allure. Il y avait une cour ancienne, avec des arcades et des escaliers extérieurs, et, à côté, une chapelle avec des vitraux et des gargouilles. Certaines parties de l'école dataient de trois cents ans et faisaient leur âge. Mais, depuis trois ans, le conseil d'administration avait collecté davantage d'argent et investi dans de nouveaux bâtiments. Il y avait un théâtre, un pavillon des sciences et une immense bibliothèque sur deux étages.

Le collège possédait ses propres courts de tennis, sa piscine, ses terrains de sport. Il était situé en pleine campagne, au creux d'une cuvette où les routes convergeaient de toutes parts en pente raide. En arrivant la première fois, Matt avait eu l'impression d'entrer dans un campus universitaire. Or il s'agissait simplement d'un établissement secondaire, qui accueillait des garçons de treize à dix-huit ans, tenus d'arborer l'uniforme de rigueur : pantalon gris et veste bleu marine.

C'était évidemment bien différent de Saint-Edmund, le collège polyvalent d'Ipswich. Ça n'avait même rien à voir. Ici, tout était propre et net. Pas d'odeur de chips, pas de graffitis, pas de peinture écaillée ni de filet en lambeaux dans les buts de football. La bibliothèque comptait plus de deux mille ouvrages, et tous les ordinateurs du pavillon informatique étaient ce qu'il y avait de mieux. Même l'uniforme faisait la différence. En le revêtant pour la première fois, Matt avait eu l'impression de n'être plus lui-même. La veste lui pesait sur les épaules et le gênait aux emmanchures. Avec ses rayures grises et vertes, la cravate était ridicule. Il ne voulait pas devenir un businessman, alors pourquoi en adopter déjà le déguisement ? Quand il se regardait dans le miroir, il avait l'impression de voir un inconnu.

L'idée de l'inscrire à Forrest Hill ne venait pas de Richard mais de Nexus, la mystérieuse organisation qui avait pris le contrôle de sa vie. Au cours des deux dernières années, Matt avait très peu travaillé en classe. Il était en retard dans toutes les matières. L'envoyer dans une nouvelle école au milieu du troisième trimestre aurait causé des problèmes partout ailleurs. Mais un collège privé ne poserait pas trop de questions et prendrait en charge son retard scolaire. Aux frais de Nexus. L'idée avait paru bonne.

Pourtant, dès le début, tout était allé de travers.

Si la plupart des professeurs de Forrest Hill étaient corrects et équitables, ceux qui ne l'étaient pas étaient les plus voyants. Il n'avait fallu que quelques jours à Matt pour se faire des ennemis : M. King, le professeur d'anglais, et M. O'Shaughnessy, le professeur de français et proviseur adjoint. Tous deux avaient une trentaine d'années mais se comportaient comme s'ils en avaient le double. Le premier jour, M. King avait passé un savon à Matt parce qu'il mâchait du chewing-gum dans la cour. Le lendemain, M. O'Shaughnessy l'avait sermonné pendant dix minutes de sa voix haut perchée parce qu'un pan de sa chemise sortait de son pantalon. Ensuite, ils n'avaient pas cessé de chercher toutes les occasions de le brimer.

Toutefois c'étaient plutôt les autres garçons de l'école qui posaient problème. Matt était coriace. Il avait rencontré quelques vraies brutes à Saint-Edmund, y compris un ou deux qui prenaient un réel plaisir à maltraiter les petits, les bûcheurs, ou tous ceux qui étaient simplement différents d'eux. Il savait qu'il fallait du temps pour se faire des amis dans un nouveau collège, surtout avec des garçons aussi éloignés de lui. Pourtant il avait été surpris de constater à quel point peu étaient prêts à lui laisser une chance.

Bien entendu, ils se connaissaient tous. Les élèves

de quatorze ans achevaient leur deuxième année à Forrest Hill et les amitiés étaient déjà tissées. Un mode de vie s'était établi. Matt faisait figure d'intrus. Pire, il venait d'un monde totalement différent. Il débarquait d'un collège public dans un collège privé. Même si tous n'étaient pas snob, tous se méfiaient de lui. L'un d'eux, en particulier, semblait déterminé à lui mener la vie dure.

Il s'appelait Gavin Taylor. C'était le meneur de leur année.

Gavin n'était pas spécialement costaud. Mince, le nez retroussé, des cheveux blonds un peu gras qui tombaient sur son col. Il se faisait une règle d'avoir toujours la cravate de travers et déambulait, les mains enfoncées dans les poches, avec une attitude qui imposait la prudence à tout le monde – encadrement et élèves. Il émanait de lui une arrogance glaçante. On racontait qu'il était l'un des garçons les plus riches de l'école. Son père possédait une cybersociété qui vendait des voitures d'occasion dans tout le pays. Et il avait quatre ou cinq copains baraqués qui le suivaient partout, comme des gangsters dans un film de Quentin Tarantino.

C'était Gavin qui avait décidé de monter tout le monde contre Matt. Non pas à cause de ce qu'il savait sur lui, mais de ce qu'il ne savait pas. Matt arrivait de nulle part, et en fin de dernier trimestre. Il n'était pas passé par une école préparatoire. Il refusait d'expliquer pourquoi il avait quitté son collège polyvalent, ce qui était arrivé à ses parents, et ce qu'il avait fait au cours des deux derniers mois. Au début, Gavin avait raillé et tourmenté « le nouveau » pour essayer de le déstabiliser. Mais l'assurance de Matt et son refus de révéler quoi que ce soit avaient décuplé sa colère.

Il s'était alors produit un incident qui avait aggravé la situation. Gavin avait surpris une conversation téléphonique de la secrétaire du collège. Il avait ainsi appris que Matt avait eu des ennuis avec la police et passé quelque temps dans une sorte de centre d'éducation surveillée, qu'il était pauvre, et qu'une organisation caritative avait payé son admission à Forrest Hill. En quelques minutes, l'histoire avait fait le tour du collège. Dès cet instant, Matt avait été condamné. Il était devenu le paria, celui qui vivait d'aumônes, un zéro. Il ne faisait pas partie de l'école et n'en ferait jamais partie.

Peut-être certains élèves se seraient-ils montrés plus accueillants, mais Gavin les terrorisait. Matt se trouva donc totalement isolé. Il n'avait rien dit à Richard. Se plaindre n'était pas son genre. Après la mort de ses parents, quand on l'avait envoyé vivre chez Gwenda Davis, et même quand il avait dû trimer comme un esclave à Hive Hall, il s'était efforcé de bâtir un mur autour de lui. Mais chaque jour qui passait était plus difficile à endurer. Matt pressentait que, tôt ou tard, quelque chose casserait.

Comme d'habitude, le bus le déposa à huit heures et demie. La journée débutait toujours par un rassemblement dans la chapelle, un hymne entonné par six cent cinquante collégiens mal réveillés, et un bref discours du proviseur ou de l'un des professeurs. Matt gardait la tête baissée. Il songeait à ce qu'il avait dit à Richard avant de partir. Ce n'étaient pas des paroles en l'air. Il avait la ferme intention de s'en aller. Il en avait assez.

Les premiers cours se déroulèrent sans incident. Les professeurs de maths et d'histoire étaient jeunes, sympathiques, et empêchaient les élèves de harceler Matt. Il passa la récréation du matin à la bibliothèque pour terminer ses devoirs, puis trois quarts d'heure avec le professeur chargé d'aider les élèves en difficulté pour travailler la grammaire et l'orthographe. Mais le dernier cours, juste avant le déjeuner, était le cours d'anglais. Et M. King semblait de mauvaise humeur.

— Freeman, debout !

Matt obéit avec méfiance. Du coin de l'œil, il aperçut Gavin donner un coup de coude à son voisin, et s'arrangea pour ne rien laisser paraître de ses émotions.

M. King s'approcha. Le professeur d'anglais commençait à perdre ses cheveux. Il coiffait avec soin ses mèches rousses d'un côté à l'autre de son front, mais son crâne chauve se voyait au travers. Il tenait à la main un exemplaire écorné d'*Oliver Twist*, le roman de Dickens qu'ils étudiaient en classe. Il portait également une pile de cahiers d'exercices.

— As-tu lu les chapitres que je vous ai indiqués, Freeman ?

— J'ai essayé, monsieur, répondit Matt.

Les personnages du roman lui plaisaient, mais il trouvait le langage démodé et difficile. Pourquoi Charles Dickens aimait-il tellement les descriptions ?

— Tu as essayé ? ironisa M. King. Autrement dit, tu n'as rien lu.

— Mais si…

— Ne m'interromps pas, Freeman. Ton essai est le plus mauvais de la classe. Ta note est pathétique. Deux sur vingt ! Tu ne sais même pas orthographier Fagin ! Tu mets un Y. Il n'y a pas de Y dans Fagin, Freeman. Si tu avais lu les chapitres imposés, tu le saurais.

Gavin ricana. Malgré lui, Matt se sentit rougir.

— Tu reliras les mêmes chapitres et tu referas l'essai, Freeman. Et, à l'avenir, plus de mensonges. Assieds-toi.

Il jeta le cahier de Matt sur son pupitre comme s'il l'avait trouvé dans le caniveau.

Le cours s'étira jusqu'à la sonnerie du déjeuner. L'après-midi était consacré au sport. Matt aurait dû s'en réjouir. Il était athlétique et rapide. Mais même sur le terrain de cricket on le tenait à l'écart.

Les élèves déjeunaient dans l'un des bâtiments modernes du collège. Il y avait un self-service avec un choix de plats chauds et froids, et une cinquantaine de longues tables alignées en rangs sous un lustre immense. Les garçons pouvaient choisir leur place, mais en général chaque classe restait groupée. Le cliquetis des fourchettes et la clameur des voix résonnaient dans le réfectoire. Tout le monde mangeait à la même heure, et les larges baies vitrées semblaient capturer les sons pour les renvoyer dans la salle.

Matt avait faim. Craignant de rater le bus scolaire, il ne s'était pas arrêté au McDo pour prendre un petit déjeuner. Et le dîner de la veille avait été plus que léger. La nourriture était la seule chose qu'il appréciait à Forrest Hill. Il se servit un repas copieux et équilibré, constitué de jambon, de salade, de crème glacée et de jus de fruit. Portant son plateau à deux mains, il chercha une place libre. Après cinq semaines au collège, il avait abandonné tout espoir qu'un élève l'invite à sa table.

Il aperçut une chaise vide et se dirigea vers elle. Tenant son plateau devant lui, il ne vit pas le pied tendu en travers de l'allée et trébucha. Le plateau lui échappa des mains avec tout son contenu et heurta le sol avec un fracas assourdissant. Matt suivit le mouvement. Il s'étala sur ce qui avait été son repas. Un silence s'abattit sur la salle entière. Avant même de redresser la tête, Matt sentit tous les regards braqués sur lui.

Ce n'était pas Gavin Taylor qui avait provoqué sa chute, mais un de ses comparses, sur une idée du premier. Matt l'aperçut, à quelques tables de là, qui se levait, un verre à la main, un sourire stupide aux lèvres. Matt se mit à genoux. La crème glacée dégoulinait sur sa chemise. Il était cerné de feuilles de salade et pataugeait dans une flaque de jus de fruit.

Gavin éclata de rire.

Et son rire fut un signal. Le reste de l'école l'imita. Matt eut l'impression que la salle entière se moquait de lui. Il vit M. O'Shaughnessy approcher. Pourquoi fallait-il que le proviseur adjoint soit justement de service au réfectoire ce jour-là ?

— Quelle maladresse, Freeman ! (Ses paroles semblaient venir de très loin. Elles résonnèrent dans les oreilles de Matt.) Ça va ?

Gavin le montrait du doigt.

Matt leva la tête. Une vague de colère l'envahit. Pas seulement de la colère. Autre chose aussi. Une chose qu'il n'aurait pu arrêter même s'il avait essayé. C'était comme si son corps était devenu un conduit. Du feu montait en lui. Et il sentit véritablement une odeur de brûlé.

Le lustre explosa.

C'était un plafonnier affreux, un enchevêtrement de bras métalliques et d'ampoules qu'un architecte médiocre avait jugé adapté à la salle. Et le lustre était suspendu juste au-dessus de Gavin Taylor. Les ampoules volèrent en éclats l'une après l'autre avec des bruits de pétards. Un déluge de verre s'abattit sur les tables. Gavin leva les yeux et poussa un cri. Un éclat de verre l'avait touché au visage et d'autres se mirent à pleuvoir sur lui. De minces volutes de fumée s'élevèrent. Plus personne ne riait. Un silence total régnait dans le réfectoire.

Soudain, le verre que Gavin tenait explosa à son tour. Il se brisa entre ses doigts. Gavin hurla. Sa paume était entaillée. Il regarda Matt, puis sa main. Sa bouche s'ouvrit, mais il mit un temps infini à trouver ses mots.

— C'est lui ! C'est Freeman qui a fait ça !

Il pointait le doigt sur Matt. Tout son corps tremblait.

Le proviseur adjoint le dévisageait, l'air impuissant. Décontenancé, hésitant, dépassé.

— C'est lui ! insista Gavin.

— Ne sois pas ridicule, Taylor, rétorqua enfin M. O'Shaughnessy. J'ai tout vu. Freeman n'était pas à côté de toi.

Gavin Taylor était devenu livide. On pouvait attribuer sa réaction à la douleur, à la vue de son sang. Mais Matt savait que c'était bien autre chose. Gavin était terrifié.

M. O'Shaughnessy s'efforça de reprendre le contrôle de la situation.

— Qu'on aille chercher l'infirmière ! ordonna-t-il. Et que tout le monde quitte la salle. Il y a du verre partout…

Les élèves se dirigeaient déjà vers la sortie. Ils ignoraient ce qui s'était passé. Ils voulaient seulement sortir du réfectoire avant que le plafond entier ne s'effondre. Pour l'instant, ils avaient oublié Matt. Mais si l'un d'eux l'avait cherché, il se serait aperçu que Matt n'était plus là.

# 3

# Une deuxième porte

Lorsque Matt rentra chez Richard, les rues commençaient à se vider. Pendant les mois d'été, les touristes affluaient à York. La queue devant le musée Viking et la cathédrale s'allongeait. Les remparts médiévaux étaient bondés. Bientôt, il y aurait davantage de visiteurs à York que d'habitants. La ville se transformerait en attraction touristique. Le processus se répétait chaque année.

Matt s'engagea dans l'étroite rue pavée appelée *The Shambles* et leva les yeux. L'appartement de Richard se répartissait sur trois niveaux, au-dessus d'une boutique de souvenirs. Matt y avait vécu des moments heureux. La cohabitation avec Richard était assez curieuse car le journaliste n'avait guère qu'une dizaine d'années de plus que lui. Mais après l'épreuve qu'ils avaient traversée ensemble à Lesser Malling, cela avait plutôt bien fonctionné. Ils avaient besoin l'un de l'autre. Richard savait que Matt pouvait lui fournir la matière d'un article qui le rendrait célèbre, et Matt n'avait aucun autre point de chute. L'appartement était juste assez grand pour eux deux et, heureusement, ils n'étaient pas là de la journée. En fin de semaine, ils faisaient de la randonnée, de la natation, du karting, toutes sortes d'activités. Matt essayait de considérer Richard comme un grand frère.

Cependant, depuis quelque temps, une sorte de malaise s'était installé. Richard n'était pas son frère. Leur rencontre était le fruit du hasard et, le souvenir de leurs aventures cauchemardesques s'estompant, les raisons de vivre ensemble s'estompaient aussi. Matt aimait beaucoup Richard. Mais aucun journal ne voulait publier l'article susceptible de lui rapporter le prix Pulitzer et Matt sentait bien qu'il l'encombrait. C'est pourquoi il avait suggéré de réintégrer le programme LEFA. Malgré les dénégations de Richard, une famille ordinaire, quelque part à la campagne, ne serait pas une mauvaise solution.

Et Matt avait maintenant une autre raison de quitter York.

Il se demanda un instant si le collège avait téléphoné à Richard pour le prévenir de l'incident du réfectoire. Mais ils n'avaient aucune raison de le faire. En dépit des accusations de Gavin, aucun professeur n'avait sérieusement cru Matt responsable de l'explosion du lustre. Matt, lui, était d'un autre avis. Il avait senti le pouvoir se diffuser en lui. C'était la même énergie que celle qui avait stoppé le couteau et coupé les cordes qui le retenaient prisonnier dans Omega Un. Cette fois, cependant, il y avait une différence. Son pouvoir s'était concentré sur une personne de son âge. Or Gavin n'était pas son ennemi. Ce n'était qu'un garçon stupide.

Matt ne pouvait pas rester à Forrest Hill. Plus maintenant. Une nouvelle provocation de Gavin, une autre mauvaise matinée dans la classe d'anglais de M. King, et qui sait ce qui pouvait se produire ? Toute sa vie, Matt s'était senti différent. Il avait eu conscience que quelque chose se passait en lui… une force… un pouvoir. Quelque chose. Quand il allait voir certains films, comme *Spiderman* ou *X-men*, il se demandait quel effet cela faisait d'être un superhéros qui sauve le monde. Mais il n'était pas un superhéros. Son pouvoir ne lui servait à rien car il ne savait pas l'utiliser. Pire, il ne savait pas le contrôler. Il revit la main ensanglantée de Gavin, la terreur sur son visage. Il aurait pu arracher le lustre du plafond, le lui fracasser sur la tête et l'ensevelir sous une tonne de métal tordu et de verre brisé. Cela avait failli arriver. Matt devait partir, s'éloigner avant qu'un drame ne se produise.

Il y eut un mouvement derrière la fenêtre du premier étage et Matt aperçut Richard, debout, le dos à la rue. Bizarre. Le journaliste avait promis de rentrer tôt mais il n'était jamais là avant sept heures. Le rédacteur en chef de *L'Écho de Gipton* aimait le garder au bureau pour le cas où quelque chose surviendrait – ce qui était très rare. Richard discutait avec quelqu'un. Cela aussi était inhabituel. Ils recevaient peu de visites.

Matt ouvrit la porte avec sa clé et monta l'escalier. Une voix de femme lui parvint. Une voix familière.

— Il y a une réunion à Londres, disait-elle. Dans trois jours. Nous aimerions que vous y assistiez.

— Ce n'est pas moi que vous voulez. C'est Matt.

— Nous souhaitons votre présence à tous les deux, M. Cole.

Matt posa son sac de classe et entra dans le salon.

Susan Ashwood, la femme aveugle qu'il avait rencontrée à Manchester, était assise sur une chaise, le dos raide, les mains croisées devant elle. Ses cheveux noirs et ses lunettes noires accusaient la pâleur de son visage. Une canne blanche reposait contre sa chaise. Susan Ashwood n'était pas venue seule. Matt reconnut aussi l'homme mince au teint olivâtre, âgé d'une trentaine d'années, qui se tenait en face d'elle. Il s'appelait Fabian. C'était lui qui avait tout arrangé pour que Matt reste habiter chez Richard, et qui l'avait inscrit à Forrest Hill. Comme à son habitude, Fabian était élégamment vêtu d'un costume gris clair avec une cravate. Il était assis, jambes croisées. Tout en lui était impeccable.

Fabian et Susan Ashwood faisaient l'un et l'autre partie de l'organisation secrète appelée Nexus. Ainsi qu'ils l'avaient clairement expliqué dès le début, leur rôle consistait à aider Matt et à le protéger. Pourtant leur visite était loin de le réjouir.

Susan Ashwood l'avait entendu entrer.

— Matt, dit-elle. Ce n'était pas une question. Elle l'avait identifié sans le voir.

— Que se passe-t-il ? demanda Matt.

Richard s'écarta de la fenêtre.

— Ils désirent te voir.

— J'ai entendu. Pourquoi ?

— Comment vas-tu, Matt ? Et ton nouveau collège ?

Fabian esquissa un sourire nerveux. Il s'efforçait de paraître chaleureux mais Matt avait perçu l'ambiance pesante sitôt la porte franchie et savait à quoi s'en tenir.

— Le collège est parfait, répondit-il sans enthousiasme.

— Tu as l'air en forme.

— Je vais bien.

Matt s'assit sur l'accoudoir du canapé.

— Pourquoi êtes-vous ici, M. Fabian ? Pourquoi avez-vous besoin de moi ?

— Je pense que tu le sais.

Fabian s'interrompit, comme s'il hésitait à poursuivre. Bien qu'il eût bouleversé sa vie, Matt savait peu de choses sur cet homme, comme d'ailleurs sur les autres membres de Nexus.

— Lors de ma première visite, je t'ai prévenu, reprit Fabian. Je t'ai dit que nous soupçonnions l'existence d'une seconde porte. Tu as détruit la première, le cercle de pierre connu sous le nom de Raven's Gate, la porte des ténèbres, dans la forêt de Lesser Malling. Mais la seconde se trouve à l'autre bout du monde. Dans mon pays. Le Pérou.

— Où, au Pérou ? demanda Richard.

— Nous l'ignorons.

— Et à quoi ressemble-t-elle, cette porte ?

— Nous l'ignorons également. Nous espérions, après les événements du Yorkshire, avoir le temps d'en apprendre davantage. Malheureusement, nous avions tort.

— La seconde porte est sur le point de s'ouvrir, affirma Susan Ashwood d'une voix où ne perçait pas le moindre doute.

— Je suppose qu'on vous l'a annoncé, ironisa Richard.

— En effet.

— Des fantômes ?

— En effet.

Susan Ashwood était médium. Elle assurait être en contact avec le monde des esprits.

— Vous refusez toujours de me croire, M. Cole ? Même après ce que vous avez vu et enduré ? Vous me surprenez vraiment. La dernière fois, vous ne m'avez pas écoutée. Cette fois, il le faut. C'est comme si l'hiver avait pénétré dans l'au-delà. Tout y est froid et sombre, et j'entends les murmures d'une peur croissante. Il se passe des choses que je ne comprends pas. Mais je sais ce que cela signifie. Une seconde porte va s'ouvrir et, là encore, il faudra l'en empêcher si nous ne voulons pas que les Anciens reviennent. Nexus souhaite voir Matt à Londres. Lui seul a le pouvoir d'empêcher ce désastre.

— Matt va en classe, objecta Richard. Il ne peut pas sauter dans un train et s'absenter une semaine…

Matt regarda par la fenêtre. Le soir tombait. Des ombres avaient déjà envahi la ruelle. Richard tendit la main pour allumer une lampe. Ombre et lumière. La lutte éternelle.

— Je ne comprends pas, dit Matt. Vous ne savez même pas où se trouve cette porte. Comment savez-vous que je peux vous aider ?

— Nous ne sommes pas les seuls à la chercher, répondit Susan Ashwood. Il s'est produit des faits nouveaux et étranges, Matt. Tu appellerais sans doute cela une coïncidence, mais il n'y a aucun hasard. C'était écrit.

Elle adressa un signe de tête à Fabian, qui sortit un DVD de sa poche.

— Vous permettez ?

— Je vous en prie, répondit Richard en lui indiquant la télévision.

Fabian inséra le DVD dans le lecteur et alluma l'écran. C'était un reportage télévisé.

— Nous avons enregistré ceci la semaine dernière, dit Fabian.

Le reportage commençait par l'image d'un livre à reliure rouge posé sur une table, visiblement très ancien. Une main s'avançait et commençait à tourner les pages au papier épais et irrégulier, recouvertes d'écritures et de dessins tracés par un stylo plume. Peut-être même par une plume d'oie. Matt avait vu un ouvrage similaire au collège : le professeur d'histoire leur avait montré les images d'un livre de poésie du XV^e siècle rescapé d'un château. Les lettres étaient formées avec un tel soin que chacune ressemblait à un tableau miniature.

« Certains spécialistes considèrent ce volume comme une découverte exceptionnelle, expliquait le commentateur. L'auteur est saint Joseph de Cordoue, un moine espagnol qui voyagea au Pérou avec Pizarro en 1532, et assista à la destruction de l'empire Inca. Par la suite, on l'a surnommé le "Moine fou de Cordoue". Son journal, relié de cuir gravé à l'or, peut justifier ce surnom. »

La caméra se rapprochait des pages. Matt distingua quelques mots en espagnol, qui n'avaient aucune signification pour lui.

« Le journal du moine contient des prédictions remarquables, poursuivait la voix. Bien qu'écrit il y a près de cinq cents ans, il dépeint en détail les futures voitures automobiles, les ordinateurs, et même les satellites lancés dans l'espace. Dans l'une des dernières pages, il va même jusqu'à prédire une sorte de réseau Internet créé par l'Église. »

Sur l'écran apparaissait ensuite une ville d'Espagne, et ce qui ressemblait à une immense forteresse, avec un haut clocher entouré de ruelles et de marchés.

« Le journal du moine a été découvert dans la ville espagnole de Cordoue. On pense qu'il a été enseveli dans la cour de la mosquée – datant du X^e siècle et connue sous le nom de la Mezquita – puis exhumé lors de fouilles. D'abord récupéré par un particulier, il a été revendu plusieurs fois avant d'être découvert dans une brocante par un antiquaire anglais, William Morton. »

Âgé d'environ cinquante ans, Morton était un homme empâté, aux cheveux argent et au teint hâlé. Le genre d'individu qui profite joyeusement de la vie.

« J'ai su tout de suite de quoi il s'agissait, affirmait Morton avec un accent très anglais très distingué. Joseph de Cordoba était un personnage passionnant. Il a voyagé avec Pizarro et les conquistadors lors de l'invasion du Pérou. Là-bas, il a rencontré une Histoire d'un autre type. Les diables et les démons, ce genre de choses. Et il a tout consigné dans ce journal. » Morton montra le livre. « Des tas de gens affirmaient que le journal n'existait pas. Certains même pensaient que Joseph de Cordoba n'existait pas ! J'ai prouvé qu'ils avaient tort.

— Vous projetez de vendre le journal ? demanda le commentateur.

— En effet, oui. Et je dois vous avouer que j'ai déjà eu un ou deux contacts très intéressants. Un homme d'affaires sud-américain, dont je tairai le nom, m'a fait une offre de plus d'un demi-million de livres sterling. Et des collectionneurs londoniens sont très impatients de me rencontrer. Les enchères sont ouvertes… » Il se pourlécha de délectation.

La caméra se posa de nouveau sur le livre. La main continuait de feuilleter les pages.

« Si quelqu'un parvient à décrypter les étranges énigmes, l'écriture parfois illisible et les nombreux gribouillages, le journal du moine pourrait révéler une mythologie totalement nouvelle, concluait la voix. Joseph de Cordoba avait une vision du monde très personnelle, et bien que certains le croient fou, d'autres voient en lui un visionnaire et un génie. Une chose, en tout cas, est certaine : William Morton a eu un coup de chance extraordinaire. Pour lui, le journal du moine est un livre en or. »

Les pages continuaient de tourner devant la caméra. Soudain, Matt eut le souffle coupé.

À la fin du reportage, la caméra se fixa sur une page manuscrite sur laquelle des centaines de mots minuscules se pressaient en lignes serrées. Vers le milieu, figurait un espace blanc et un étrange symbole. Matt le reconnut immédiatement.

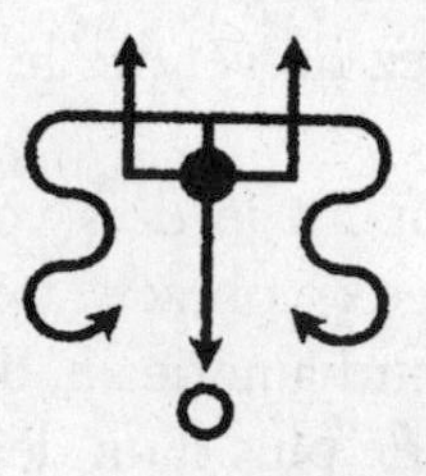

Il avait vu ce symbole à Omega Un, gravé dans la pierre sur laquelle il avait failli être sacrifié. C'était le signe des Anciens.

— Vous avez vu ? dit Fabian en faisant un arrêt sur image.

— Nous pensons que le journal du moine nous révélera l'emplacement de la seconde porte, ajouta Susan Ashwood. Et peut-être quand et comment elle est censée s'ouvrir. Mais, comme vous l'avez entendu, nous ne sommes pas les seuls à nous intéresser à ce livre.

— Un homme d'affaires sud-américain, dit Matt. Vous savez qui il est ?

— Nous ne connaissons même pas sa nationalité, répondit Fabian d'un air sombre. Et William Morton refuse de dévoiler son nom.

— Les collectionneurs londoniens, c'est vous, je suppose ? intervint Richard.

— Oui, M. Cole. Vous avons pris contact avec Morton dès l'instant où il a rendu publique sa découverte.

— Il nous faut absolument ce journal, insista Susan Ashwood. Nous devons trouver la seconde porte et la détruire. Ou bien faire en sorte qu'elle ne s'ouvre jamais. Malheureusement, nous avons de la concurrence. Cet homme d'affaires, quel qu'il soit, nous a devancés. Depuis la diffusion du reportage à la télévision, il a quadruplé son offre à William Morton. Il lui propose maintenant deux millions de livres.

— Mais vous pouvez payer plus cher, remarqua Richard. Vous avez des fonds énormes.

— C'est ce que nous avons dit à Morton lors de notre dernière conversation téléphonique, expliqua

Fabian. Nous lui avons suggéré qu'il pouvait nous demander le prix qu'il voulait. Mais ce n'est plus une question d'argent.

— Morton a peur, reprit Susan Ashwood. Au début, nous ne comprenions pas pourquoi. Nous pensions que son interlocuteur sud-américain le menaçait. Qu'ils s'étaient mis d'accord sur un prix et que l'acheteur lui interdisait de négocier avec quelqu'un d'autre. Mais, ensuite, nous avons compris que c'était autre chose.

Susan Ashwood fit une pause.

— Morton a lu le journal du moine, dit Matt.

— Exactement. Il l'a en sa possession depuis près d'un mois. Ce qui lui a donné le temps de le lire et de mesurer ce qu'il a entre les mains. Actuellement, Morton est à Londres. Nous ne savons pas où, car il a refusé de nous le dire. Il possède une maison à Putney mais il n'y est pas. Un incendie l'a ravagée il y a quelques jours. Peut-être est-ce lié. Nous l'ignorons. William Morton se cache.

— Comment communiquez-vous avez lui ? demanda Richard.

— C'est lui qui nous appelle. Il a un téléphone portable. Nous avons tenté de le localiser, hélas sans succès. Jusqu'à hier, tout ce que nous savions c'est qu'il avait l'intention de vendre l'ouvrage à l'homme d'affaires sud-américain. Mais, hier, il nous a retéléphoné. C'est moi qui ai reçu l'appel.

Susan Ashwood se tourna vers Matt et ajouta :

— Et j'ai parlé de toi.

— De moi ? Pourquoi ? Il ne m'a jamais vu…

— Non. Seulement il connaît les Cinq. Cette fois tu comprends, Matt ? Morton a sans doute lu un passage concernant les Cinq dans le journal du moine. Et que tu sois l'un d'eux… il avait du mal à le croire mais il a fini par accepter de nous rencontrer. À une condition.

— Il veut que je sois là, dit Matt.

— Il veut te voir d'abord, et seul. Il a choisi le lieu et l'heure. Ce sera jeudi. Dans trois jours.

— Nous ne te demandons qu'une journée, Matt, reprit Fabian. Si Morton te voit et est convaincu de ce que tu es, il nous vendra peut-être le journal du moine. Peut-être même qu'il le donnera. Je crois vraiment qu'il regrette de l'avoir trouvé. Il veut s'en débarrasser. Il faut juste lui donner une excuse, une bonne raison de nous le remettre. C'est toi, cette raison, Matt. Tout ce que tu as à faire, c'est rencontrer Morton. Rien de plus.

Il y eut un long silence. Que Matt rompit enfin.

— Vous continuez de dire que je suis l'un des Cinq. Vous avez peut-être raison. Je ne comprends pas grand-chose, mais je sais ce qui s'est passé à la Porte des Ténèbres. (Il s'interrompit un instant.) Et je ne veux plus y être mêlé. Une fois m'a suffi. J'ai envie d'une vie normale. Qu'on me laisse tranquille. Vous dites qu'il suffira d'une rencontre à Londres avec Morton, mais je sais que ça ne s'arrêtera pas là. Une fois embarqué, je ne pourrai plus arrêter. Il se passera autre chose, puis encore autre chose. Je suis désolé. Vous verrez Morton sans moi. Offrez-lui encore plus d'argent. C'est sûrement ce qu'il cherche.

— Matt..., commença Susan Ashwood.

— Désolé, Miss Ashwood. Il faudra vous débrouiller sans moi. Je veux plus entendre parler de tout ça.

Richard se leva et conclut :

— Je crois que c'est le mot de la fin.

— Tu es ici uniquement grâce à Nexus ! lança sèchement Fabian, cédant soudain à la colère, son regard noir plus sombre que jamais. Nous payons tes études. Nous avons tout arrangé pour que tu puisses vivre ici. Tu devrais peut-être réfléchir, Matt.

— Nous saurons nous débrouiller sans vous, rétorqua Richard, à son tour gagné par la colère.

— Ça n'a pas d'importance ! (Susan Ashwood se leva d'un mouvement raide.) Fabian a tort de te menacer. Nous sommes venus avec une requête, et tu nous as donné ta réponse. Tu as raison, nous pouvons nous débrouiller sans toi.

Elle tendit la main et Fabian lui offrit son bras.

— Mais je voudrais ajouter une chose, Matt. (Elle tourna ses yeux sans vie vers lui et, un instant, parut sincèrement triste.) Tu as pris une décision mais tu as peut-être moins le choix que tu ne le crois. Tu peux essayer d'ignorer qui tu es, mais cela ne durera pas très longtemps. Tu joues un rôle essentiel dans ce qui est en train de se produire, Matt. Toi et quatre autres adolescents. Tu devras bientôt l'accepter.

Elle pressa le bras de Fabian et ils s'en allèrent.

Richard attendit que la porte d'entrée eût claqué, puis il se laissa tomber dans un fauteuil.

— Ouf ! Bon débarras ! Tu as eu parfaitement raison, Matt. Quel culot ! Essayer de te faire replonger dans ce cauchemar. Eh bien, ça n'arrivera pas. Qu'ils aillent au diable !

Matt restait silencieux.

— Tu dois avoir faim, reprit Richard. Je suis passé au supermarché, en rentrant. Il y a trois sacs pleins dans la cuisine. Qu'est-ce qui te plairait pour dîner ?

Il fallut un moment à Matt pour enregistrer ce qu'il venait d'entendre. Richard avait fait des courses ? C'était une première. Puis il se souvint de sa surprise en le trouvant de si bonne heure à la maison.

— Il s'est passé quelque chose, Richard ? Pourquoi es-tu rentré si tôt ?

Richard haussa les épaules.

— J'ai réfléchi à ce que tu m'as dit, ce matin. À propos de toi et de moi. Et je me suis rendu compte que tu avais raison. Je ne peux pas m'occuper de toi si je passe mon temps à faire des allées et venues entre Leeds et ici. Alors j'ai démissionné…

— Quoi ?

Matt savait combien son travail comptait pour Richard. La nouvelle le déconcertait.

— Je ne veux pas que tu ailles dans une famille d'accueil. J'ai promis de veiller sur toi et je le ferai. Je peux toujours trouver un travail à York, soupira Richard. Et puis tu as de la chance que j'aie été là ce soir. Tu avais vraiment envie de rester seul avec M. et Mme Fichelatrouille ?

— Richard, tu crois que j'ai eu raison de dire non ?

— Bien sûr. Si tu n'as pas envie d'y aller, pourquoi te forcer ? C'est ton choix, Matt. Tu fais ce que tu veux.

— Ce n'est pas ce que pense Susan Ashwood.

— Elle a tort. Ici, tu es en sécurité. Rien ne t'arrivera à York, sauf peut-être… un empoisonnement alimentaire. C'est moi qui cuisine, ce soir !

À cent kilomètres de là, sur l'autoroute M1, un dénommé Harry Shepherd quittait une station-service. Il avait pris la route un peu plus tôt dans la journée, à Felixstowe, et se dirigeait vers Sheffield. À la tombée du soir, il s'était arrêté pour grignoter un morceau et boire une tasse de thé. Le règlement imposait aux chauffeurs routiers de faire des pauses régulières. Et il appréciait cette station-service. Il y avait une serveuse avec qui il aimait bien bavarder.

Quand Harry Shepherd quitta la piste, il faisait sombre. Et il avait commencé à pleuvoir. L'eau scintillait dans les phares. Au moment où il engageait la seconde, il entrevit une silhouette, sur la bretelle d'accès à l'autoroute, le pouce en l'air. Le symbole universel de l'auto-stoppeur.

C'était devenu rare, de nos jours. L'auto-stop était considéré comme une pratique trop dangereuse. Aucune personne saine d'esprit ne monterait dans une voiture ou un camion avec un étranger. Pas avec tous les cinglés qui rôdaient. Plus étonnant encore, c'était une femme. Apparemment une femme d'âge mur. Elle était enveloppée dans un manteau qui ne la protégeait guère, ses cheveux tombaient sur son col. La pluie ruisselait sur son visage. Harry eut pitié d'elle. Elle lui rappela vaguement sa mère, qui vivait désormais seule dans une chambre meublée à Dublin. Saisi d'une impulsion, il lâcha la pédale d'accélérateur pour appuyer sur le frein. Le camion ralentit. La femme courut vers lui.

Harry savait qu'il contrevenait à toutes les règles du manuel des chauffeurs routiers. Il lui était interdit de prendre des passagers. Surtout quand il transportait du carburant. Mais cela avait été plus fort que lui. Un élan irrépressible, inexplicable.

Gwenda Davis vit le camion-citerne ralentir. L'éclairage de l'autoroute se reflétait sur le long cylindre argenté sur lequel le mot SHELL était écrit en lettres jaunes. Normalement, à cette heure-ci, elle aurait dû se trouver bien plus au nord. Quitter Eastfield Terrace sans un sou en poche avait été une grave erreur et elle était sur le point de renoncer à faire du stop. Gwenda savait qu'elle avait failli trahir Rex McKenna. Elle espérait qu'il ne serait pas trop en colère.

Enfin la chance venait de lui sourire. Elle essuya la pluie de ses yeux et ouvrit la portière. Son sac à la main, elle parvint à se hisser sur le marchepied haut placé. Le conducteur avait une trentaine d'années, des cheveux blonds, un sourire d'écolier un peu benêt. Il portait une salopette ornée du logo de Shell sur la poitrine.

— Où allez-vous, ma petite dame ?

— Dans le Nord, répondit Gwenda.

— C'est un peut tard pour se promener toute seule.

— Où allez-vous ?

— Sheffield.

— Merci de vous être arrêté, dit Gwenda en fermant la portière. J'ai cru que j'allais passer la nuit ici.

— Attachez votre ceinture, dit le chauffeur en souriant. Je m'appelle Harry.

— Et moi Gwenda.

Gwenda mit sa ceinture, en s'assurant qu'elle n'entravait pas ses mouvements. Son sac était posé à côté. Le manche de la hache pointait par l'ouverture. Gwenda avait décidé de s'en servir dès que le camion ralentirait. Rien de plus facile que de lever la hache pour l'abattre sur le crâne de Harry. Elle n'avait encore jamais conduit de camion-citerne mais ne doutait pas d'y arriver sans problème. Rex McKenna l'aiderait.

Dix mille litres de carburant pourraient se révéler très utiles.

## 4

# Alarme d'incendie

Le lendemain, en retournant au collège, Matt avait le cœur serré par l'appréhension.

Aucun adulte ne songerait à lui reprocher les incidents de la veille, mais les élèves verraient sans doute les choses autrement. Freeman s'était trouvé sur les lieux. Freeman était un garçon bizarre. Freeman était forcément responsable. Matt avait conscience de leur avoir fourni des motifs supplémentaires de le lyncher.

Il avait vu juste. Sitôt monté dans le car scolaire, il comprit que sa situation, déjà difficile, allait empirer. Bien que le bus fût quasiment plein, le siège voisin du sien était toujours vide. Il s'engagea dans la travée centrale pour rejoindre sa place au milieu des murmures. Tout le monde l'observait, mais les regards se détournaient dès qu'il cherchait à les croiser. Au moment où les portes se fermaient avec un chuintement, quelque chose le frappa sur le côté de la tête. C'était un simple élastique, expédié du dernier rang, mais le message était clair. Matt fut tenté d'arrêter le bus, de descendre et de rentrer chez lui. Il pourrait demander à Richard de téléphoner au collège pour dire qu'il était malade. Mais il résista à la tentation. Il refusait de céder. Pourquoi laisser gagner ces crâneurs bourrés de préjugés stupides ?

Le réfectoire était fermé pour la journée. On servirait le déjeuner sur des tables dressées provisoirement dans le gymnase, tandis que les électriciens réparaient les dégâts et en cherchaient les causes. La rumeur circulait qu'il s'était produit un important court-circuit, lequel avait provoqué une surtension qui avait fait exploser le lustre. Quant à Gavin Taylor (sa blessure avait nécessité trois points de suture et il avait la main droite bandée), on supposait qu'il avait lui-même brisé le verre qu'il tenait. Une réaction instinctive et naturelle face au cataclysme qui s'était produit juste au-dessus de sa tête.

Ce fut en tout cas l'interprétation que l'on donna aux élèves de Forrest Hill. Le proviseur Simmons, un homme aux cheveux grisonnants, s'en expliqua au cours du rassemblement matinal dans la chapelle. Les professeurs, assis sur les bancs du fond, l'approuvèrent par de sages hochements de tête. Mais, bien entendu, les élèves avaient leur propre version, leurs propres informations. Chacun savait que les événements avaient un lien avec Matt, même si personne ne savait – ou ne voulait savoir – lequel.

Ils chantèrent un autre cantique. M. Simmons était très croyant et aimait à penser que tout le monde l'était aussi. Il y eut quelques annonces, puis les portes s'ouvrirent et la chapelle se vida.

— Hé, le dingo !

Gavin Taylor arrêta Matt sur le parvis de la chapelle. Ses cheveux blonds étaient plus brillants que d'habitude. Matt en conclut que les infirmières avaient dû insister pour les lui laver à l'hôpital.

— Qu'est-ce que tu veux ? demanda Matt.

— Juste te dire que tu ferais mieux de quitter le collège. Pourquoi tu ne retournes pas avec tes copains en prison ? Ici, personne ne veut de toi.

— Je n'étais pas en prison. D'ailleurs, ça ne te regarde pas.

— J'ai vu ton dossier. (C'était faux, mais Gavin cherchait à le provoquer.) Tu es un cinglé et un voyou. Tu n'as rien à faire ici.

Quelques garçons s'étaient attardés, pressentant une bagarre. Il ne restait que cinq minutes avant le premier cours mais ça valait le coup d'arriver en retard pour voir ces ceux-là se taper dessus.

Matt ne savait comment réagir. Une partie de lui avait envie de cogner Gavin, mais il savait que c'était exactement ce que celui-ci espérait. Au moindre coup, Gavin foncerait se plaindre auprès d'un professeur avec sa main bandée, ce qui n'arrangerait pas la situation – déjà inconfortable – de Matt.

— Fiche-moi la paix, Gavin. Sauf si tu as envie que je t'ouvre l'autre main !

C'était une remarque stupide. Matt se souvint de ses réflexions de la veille. La seule idée d'utiliser son pouvoir contre quelqu'un de son âge l'horrifiait. Alors que lui prenait-il de lancer ce genre de menace ? Gavin avait raison. Il était cinglé. Un monstre. Il ne méritait pas d'avoir des amis.

Matt essaya de se rattraper.

— Je ne voulais pas te faire de mal. Et je ne pensais pas non plus ce que je viens de dire. Je sais que tu n'as pas envie de me voir ici, mais je n'ai pas demandé à venir à Forrest Hill. Pourquoi tu ne me laisses pas tranquille ?

— Et toi, pourquoi tu ne vas pas voir ailleurs ?

— Je ne te comprends pas ! s'exclama Matt.

Malgré lui, il sentait la colère monter de nouveau.

— Qu'est-ce que je t'ai…

Sa phrase resta en suspens.

Une odeur de brûlé venait de lui parvenir.

Inutile de tourner la tête. Rien ne brûlait. Ça sentait le pain grillé…

… et s'il fermait les yeux, il verrait un éclair jaune, une théière en forme de nounours, la robe que portait sa mère le matin de sa mort…

Matt comprit qu'il allait se passer quelque chose. Il avait appris cela à la Porte des Ténèbres. L'odeur de brûlé était un signe crucial. Ainsi que les autres bribes de souvenirs. La théière sur la table de la cuisine, la robe. Le matin de l'accident de voiture mortel de ses parents, six ans plus tôt, sa mère avait fait brûler les tartines. Étrangement, ce souvenir agissait comme un déclic. C'était le signal d'un bouleversement.

Matt leva les yeux et croisa le regard de Gavin fixé sur lui. Une demi-douzaine d'élèves s'étaient regroupés autour d'eux. Combien de temps était-il resté figé ainsi, comme un idiot ? Deux ou trois garçons ricanaient. Matt tenta de terminer sa phrase, mais il n'avait rien à ajouter.

— Crétin, murmura Gavin avant de s'éloigner.

Les autres lui emboîtèrent le pas, laissant Matt seul devant la porte de la chapelle. Il était neuf heures et demie. Les premiers cours avaient déjà commencé.

À cinquante kilomètres de là, la police avait bloqué une rue entière et tendu un ruban bleu et blanc à chaque extrémité, avec la pancarte familière : POLICE – INTERDIT DE PASSER.

L'homme avait été découvert, inconscient, par un laitier. Il gisait sur le trottoir à une centaine de mètres d'un garage Shell. Les auxiliaires médicaux arrivés sur les lieux avaient très vite établi que le blessé avait reçu un seul coup, assené avec un instrument contondant… peut-être un marteau ou un levier. Il avait une fracture du crâne mais il survivrait. Il portait d'autres blessures et les enquêteurs supposaient qu'il avait été poussé hors d'un véhicule roulant à vive allure.

Son identification n'avait posé aucun problème. Il avait encore son portefeuille, avec tous ses papiers, ses cartes de crédit et de l'argent. Le fait qu'on ne l'ait pas dévalisé écartait automatiquement le mobile du vol. L'épouse de la victime avait déjà été contactée à Felixstowe et conduite au service des urgences de l'hôpital où il était soigné. Par elle, les policiers apprirent que Harry Shepherd n'était pas le passager du véhicule mais le conducteur. Il travaillait comme chauffeur à la compagnie pétrolière Shell, pour qui il était censé livrer vingt mille litres de carburant au garage situé à cent mètres de l'endroit où on l'avait retrouvé blessé.

Aussi incroyable que cela puisse paraître, la police perdit une heure entière avant de réaliser qu'il manquait quelque chose. Le camion-citerne lui-même ! Si cela avait été moins évident, moins énorme, ils s'en seraient peut-être aperçus plus tôt. Quand enfin ils se rendirent compte de sa disparition, ils prirent les mesures d'urgence. Les bureaux de Shell à Felixstowe leur communiquèrent le numéro du véhicule, qui fut transmis à toutes les patrouilles.

Le carburant contenu dans la citerne valait plusieurs milliers de livres. Était-ce le mobile du vol ? La police l'espérait car les affaires de vol lui étaient familières et nettement moins inquiétantes que la seconde hypothèse.

Celle-ci obsédait tous les esprits. Il pouvait en effet s'agir d'un acte commis par un groupe terroriste. La police locale en référa à Londres, qui ordonna un black-out. Aucune information ne devait filtrer. Il fallait éviter de semer la panique. Les policiers chargés de surveiller les routes du Yorkshire restèrent bouche cousue. Mais tous savaient. Vingt mille litres de carburant pouvaient allumer un joli feu de camp. Ils ne voulaient pas l'admettre, mais ils avaient peur.

Les choses ne firent qu'empirer tout au long de la matinée.

Matt arriva avec cinq minutes de retard au premier cours. Miss Ford était en plein exposé.

— Excusez-moi, mademoiselle…

— Pourquoi ce retard, Matthew ?

Comment lui expliquer ? Comment lui dire qu'il avait eu devant la porte de la chapelle une prémonition qui l'avait paralysé ?

— J'avais oublié mon sac, répondit-il.

Un mensonge était plus simple que la vérité.

— Je regrette, mais je vais devoir te donner une retenue, soupira Miss Ford. Maintenant va t'asseoir.

La place de Matt se trouvait au fond de la classe. Bien qu'il gardât les yeux baissés, il sentit tous les regards converger vers lui. Miss Ford était l'un des meilleurs professeurs de Forrest Hill. Elle avait un physique quelconque et démodé, ce qui, d'une certaine manière, convenait bien à l'enseignement de l'histoire, mais elle s'était montrée gentille envers Matt et avait tenté de l'aider à combler ses lacunes. En retour, Matt avait fait de son mieux pour rattraper son retard en lisant des livres supplémentaires après l'école. Ils étudiaient la Seconde Guerre mondiale, qui le passionnait davantage que les rois du Moyen Âge et les interminables listes de dates. C'était de l'histoire, mais dont les conséquences se faisaient encore sentir aujourd'hui.

Malgré son intérêt pour le sujet, toutefois, Matt n'arrivait pas à se concentrer. Miss Ford leur parlait de Dunkerque, de mai 1940. Il avait beau s'efforcer de suivre ses explications, il avait l'impression que les mots n'avaient aucun lien entre eux. Miss Ford lui semblait très loin, et était-ce son imagination ou bien faisait-il soudain très chaud dans la classe ?

— ... l'armée se trouva isolée et de nombreuses personnes en Angleterre crurent que la guerre était déjà perdue...

Matt regarda par la fenêtre. À nouveau, il perçut l'âcre odeur de pain brûlé.

C'est alors qu'il le vit, flottant en suspension, sans aucun bruit. Un énorme camion. Une silhouette était tassée derrière le volant mais le soleil qui se reflétait sur le pare-brise empêchait de distinguer son visage. Tel un animal monstrueux, le camion fonçait vers l'école, plongeant du ciel. Ses phares étaient ses yeux. La grille du radiateur, sa gueule béante. Le camion-citerne paraissait s'étirer, immense cylindre argenté monté sur douze roues massives. Il approchait, approchait. Il remplissait littéralement la fenêtre et allait passer au travers…

— Matthew ? Que se passe-t-il ?

Tout le monde le dévisageait. Encore. Miss Ford s'était interrompue et l'observait avec un mélange d'impatience et d'inquiétude.

— Rien, mademoiselle.

— Alors cesse de regarder par la fenêtre et essaie de te concentrer. Comme je le disais, de nombreuses personnes ont considéré Dunkerque comme un miracle…

Matt attendit quelques instants, puis regarda de nouveau par la fenêtre. La salle de classe donnait sur le centre sportif, une solide bâtisse en brique située de l'autre côté d'un pré, séparée du corps principal de l'école par une simple route qui montait en pente raide en direction de York. Il n'y avait pas de circulation. C'était une journée magnifique. Matt pressa une main sur son front ruisselant de sueur. Que lui arrivait-il ? Que se passait-il ?

Il réussit tant bien que mal à tenir jusqu'à la fin du cours d'histoire, puis de physique et enfin d'éducation physique. Mais le dernier cours de la matinée, malheureusement, était le cours d'anglais avec M. King. Ils étudiaient *Macbeth*. Matt trouvait la langue de Shakespeare difficile. Dans le meilleur des cas. Aujourd'hui, elle lui paraissait totalement incompréhensible. Or M. King possédait une sorte de radar pour détecter les élèves distraits. Il lui fallut quelques minutes à peine pour fondre sur Matt.

— Je t'ennuie, Freeman ? lança-t-il avec un rictus déplaisant.

— Non, monsieur.

— Dans ce cas, tu peux me répéter ce que je viens de dire au sujet des trois étranges sœurs ?

Matt secoua la tête. Autant l'admettre tout de suite.

— Excusez-moi, monsieur. Je n'écoutais pas.

— Tu viendras me voir à la fin du cours.

M. King écarta une mèche de cheveux roux de ses yeux.

— Les sœurs disent à Macbeth son avenir. À l'époque de Shakespeare, nombreux étaient ceux qui croyaient à la sorcellerie et à la magie noire...

Le cours d'anglais parut interminable à Matt. Quand enfin la cloche sonna, il ne resta pas pour recevoir la punition que M. King lui réservait. La chaleur se faisait de plus en plus intense. Les vitres amplifiaient l'ardeur du soleil. Matt était ébloui. Il avait l'impression que les murs ondulaient sous l'effet de la chaleur, mais il savait que c'était son imagination. Apparemment, aucun autre élève ne sentait quoi que ce soit.

Après une récréation de quinze minutes, tout le monde traverserait la route pour aller déjeuner dans le réfectoire provisoire installé dans le gymnase. Matt hésita de nouveau à appeler Richard pour lui demander de l'aide. Les téléphones étaient interdits dans l'enceinte du collège, mais il y avait trois cabines publiques de l'autre côté de la cour.

— Matthew... ?

Il se tourna et vit approcher Miss Ford, qui se dirigeait vers la salle des professeurs.

— M. King te cherche.

Matt n'en doutait pas. Il l'avait défié et les représailles n'allaient pas tarder.

— Je voulais aussi te dire que ton dernier devoir était nettement mieux, poursuivit Miss Ford, l'air un peu triste. Elle fronça les sourcils. Tu es malade, Matthew ? Tu as mauvaise mine.

— Non, ça va.

— Tu ferais mieux d'aller à l'infirmerie.

Miss Ford en avait déjà trop dit. Même les professeurs de Forrest Hill ne voulaient pas être surpris à passer trop de temps avec Matt. Elle poursuivit son chemin.

C'est à cet instant que Matt prit sa décision. Il n'irait pas voir l'infirmière, une femme maigre et renfrognée qui semblait considérer le moindre soupçon de maladie comme une insulte personnelle. Il n'appellerait pas non plus Richard. L'heure était venue de quitter Forrest Hill. Aujourd'hui même. Les autres élèves lui avaient clairement fait comprendre que sa place n'était pas ici. Ils avaient probablement raison. Que faisait-il dans un collège privé au fin fond du Yorkshire ? La seule chose qu'il avait en commun avec ses camarades était l'uniforme qu'on l'obligeait à porter.

Dans le couloir, juste devant la salle des professeurs, il y avait une corbeille à papier. Sans même y penser, Matt y jeta la pile de livres qu'il tenait sous son bras : *Macbeth*, un manuel de maths et un ouvrage de référence sur la Seconde Guerre mondiale. Puis il ôta sa cravate et la jeta également. Déjà, il se sentait mieux.

Gwenda Davis s'était arrêtée en haut de la colline. Elle savait ce qu'elle avait à faire mais n'arrivait pas à s'y résigner. Gwenda n'avait jamais aimé la douleur. Pour une simple coupure à un doigt, elle devait s'asseoir une demi-heure et fumer plusieurs cigarettes avant de se remettre en mouvement. Et elle était certaine que sa mort allait lui faire vraiment très mal.

Réussirait-elle ? L'école s'étendait à ses pieds. Forrest Hill avait l'air d'être un collège très huppé. Tout le contraire du collège polyvalent où elle avait envoyé Matt quand il vivait sous son toit. Elle ne l'imaginait pas dans un endroit pareil. Ça ne lui ressemblait pas du tout.

Un groupe de bâtiments anciens entourait une église – mais elle savait qu'elle n'y trouverait pas Matt. Il serait dans la grande bâtisse en brique rouge près du terrain de football, au milieu de centaines d'autres élèves. Dommage que tant de jeunes doivent mourir. Plus elle y songeait, plus elle se demandait si c'était une bonne idée. Il n'était pas trop tard. Jusqu'à présent, elle n'avait tué qu'une seule personne. Brian. À la dernière minute, elle avait décidé d'assommer le chauffeur du camion-citerne avec le plat de la hache au lieu de la lame. Il avait l'air gentil. Elle n'avait pas envie de lui fracasser le crâne.

De toute façon, jamais la police ne l'attraperait. Il lui suffisait de descendre du camion et de s'en aller. C'était peut-être ce qu'elle devrait faire.

Prise d'une impulsion soudaine, Gwenda se pencha pour allumer l'auto-radio. Il était treize heures. L'heure des informations. On allait peut-être parler du chauffeur. Mais, chose étrange, aucun son ne sortit de la radio. Elle savait pourtant qu'elle était branchée puisqu'on percevait un léger bourdonnement. Or personne ne parlait.

Tout à coup, elle entendit un mot.

« Gwenda... »

La voix sortait du tableau de bord. De la radio. Elle l'identifia aussitôt et s'en réjouit. Mais, en même temps, la honte l'envahit. Comment avait-elle osé douter ?

« Que faites-vous, assise là, Gwenda ? questionna la voix de Rex McKenna.

— Je ne sais pas.

— Vous ne songiez pas à vous en aller, n'est-ce pas, vilaine fille ? »

Quand il parlait de cette façon, des frissons envahissaient Gwenda. Elle l'avait vu agir ainsi à la télévision. Parfois, Rex traitait les adultes comme des enfants. Cela faisait partie de son rôle.

« Je ne veux pas mourir, dit Gwenda.

— Évidemment, vous ne voulez pas mourir. Moi non plus, Gwenda. Personne n'en a envie. Mais, à un moment ou à un autre, il le faut. On n'a pas le choix.

— Je n'ai pas le choix ? »

Une larme solitaire roula sur sa joue. Elle vit son reflet dans le rétroviseur, qui ne lui apprit rien qu'elle ne savait déjà. Elle avait l'air vieille et sale. Son manteau était maculé de sang séché. Son teint livide.

« Pas vraiment, ma chère, répondit Rex. Dans un sens, c'est un peu comme la Grande Roue. Vous tournez la roue et votre numéro sort. Il n'y a pas grand-chose à faire. Si vous voulez la vérité vraie, toute votre vie n'a été qu'un gâchis. Heureusement, vous avez enfin la chance de réaliser une chose importante. Nous avons besoin que Matthew Freeman disparaisse. Et vous avez été choisie pour le tuer. Alors n'hésitez plus ! En avant ! Ne vous inquiétez pas, Gwenda. Tout se passera très vite. »

Gwenda imagina Rex McKenna lui faisant un petit clin d'œil. Elle l'entendait dans sa voix.

La radio s'était tue. Il n'y avait plus rien à ajouter. Gwenda tourna la clé de contact, le moteur ronronna, elle passa la première et écrasa la pédale de l'accélérateur.

*

* *

Matt se dirigeait vers la sortie. Il voyait la double porte au bout du couloir, les panneaux d'affichage sur les côtés. Il y avait des élèves partout, prêts à aller déjeuner. Pour une fois, personne ne fit attention à lui. Personne non plus ne l'avait aperçu jeter ses livres dans la corbeille. Matt jubilait. Quoi qu'il arrive, il serait heureux de laisser Forrest Hill derrière lui.

C'est alors que l'odeur lui parvint de nouveau. Le pain brûlé. Au même instant, les portes s'ouvrirent brusquement. Horrifié, il vit un torrent de feu s'engouffrer dans le couloir, peler littéralement les murs, calcinant tout sur son passage. Deux garçons qui se trouvaient là se transformèrent en silhouettes noires, puis en squelettes, et enfin en radiographies d'eux-mêmes. C'était comme si l'enfer s'abattait sur Forrest Hill. Matt vit une dizaine de garçons avalés par les flammes en une seconde, sans même qu'ils aient le temps de crier. Incinérés sur place. Puis le feu l'atteignit et il se crispa, attendant sa propre mort.

Mais elle ne vint pas.

Il n'y avait pas de flammes.

Matt avait fermé les yeux. Lorsqu'il les rouvrit, tout était exactement comme avant. Il était une heure moins deux. C'était la pause déjeuner. Son imagination l'avait égaré.

Non, ce n'était pas son imagination. Il savait.

Maintenant, il ne pouvait plus quitter l'école. L'incendie n'avait pas encore eu lieu mais c'était imminent. Voilà ce qui l'avait perturbé.

Matt regarda autour de lui. À cet instant, la cloche du déjeuner sonna, et il comprit ce qu'il devait faire. Il avança dans le couloir et trouva une alarme d'incendie accrochée au mur, protégée par une vitre. Il brisa la vitre d'un coup de coude et pressa le bouton d'alarme.

Aussitôt, des cloches beaucoup plus sonores résonnèrent dans le collège. Chacun se figea, dévisagea son voisin, souriant à demi, hésitant sur l'attitude à adopter. Tous connaissaient le son de l'alarme. Ils avaient participé à de nombreux exercices d'incendie. Mais on aurait dit que personne ne voulait être le premier à réagir, de crainte de paraître ridicule.

— Le feu ! hurla Matt. Courez !

Deux ou trois garçons commencèrent à s'éloigner des doubles portes pour se diriger vers le côté opposé. Le point de rassemblement d'urgence était un terrain de football près de la chapelle. Dès que les premiers élèves eurent fait un pas, les autres suivirent. Des portes s'ouvrirent, claquèrent. Des gens posaient des questions mais le vacarme des sirènes empêchait Matt de distinguer un mot.

Puis M. O'Shaughnessy apparut. Le proviseur adjoint était dans tous ses états. Son visage, jamais amical même dans ses meilleurs moments, avait l'air furibond. Ses joues habituellement pâles étaient piquetées de taches rouges. Il vit Matt à côté de l'alarme. Il remarqua la vitre brisée.

— Freeman ! beugla-t-il pour se faire entendre. C'est toi qui as fait ça ?

— Oui.

— Tu as déclenché l'alarme ?

— Oui.

— Où est le feu ?

Matt ne répondit pas. M. O'Shaughnessy prit son silence pour un aveu de culpabilité.

— Si tu as déclenché l'alarme pour faire une farce, tu vas avoir de sérieux ennuis ! tonna-t-il. Puis il ajouta après coup : Et où est ta cravate ?

Matt eut presque envie de rire.

— Je pense que vous devriez sortir, M. O'Shaughnessy.

Personne ne pouvait intervenir. Le bouton de commande de l'alarme se trouvait dans le bureau de l'intendant, et seuls les pompiers pouvaient donner l'autorisation de l'arrêter. M. O'Shaughnessy empoigna Matt par le bras et tous deux quittèrent le bâtiment pour suivre le flot des élèves. En quelques minutes, le collège se vida. De l'autre côté de la route principale, les femmes de service avaient abandonné le gymnase transformé en réfectoire, en compagnie des élèves déjà arrivés pour déjeuner.

Tout le monde se retrouva sur le terrain de football. Les professeurs s'efforçaient de mettre un peu d'ordre dans les rangs. Les regards cherchaient les flammes, ou, au moins, une petite volute de fumée. Mais déjà la rumeur se répandait que quelqu'un avait déclenché l'alarme pour s'amuser et que le petit malin était Matthew Freeman. Le proviseur aussi était là. C'était un homme courtaud et carré, taillé comme un joueur de rugby et surnommé le Bulldog. Il aperçut son adjoint à côté de Matt et s'approcha de lui.

— Vous savez ce qui se passe, O'Shaughnessy ?

— Je le crains, oui, monsieur le proviseur. Je pense qu'il s'agit d'une fausse alerte.

— J'en suis ravi !

— Oui, bien sûr, acquiesça M. O'Shaughnessy. Mais c'est ce garçon qui l'a déclenchée intentionnellement. Son nom est Freeman et…

Le proviseur ne l'écoutait plus. Il regardait au-delà de M. O'Shaughnessy. Lentement, Matt se retourna pour suivre la direction de son regard. M. O'Shaughnessy en fit autant.

Ils eurent juste le temps de voir le camion-citerne Shell dévaler la colline, et comprirent aussitôt qu'il se passait quelque chose d'anormal. Le camion zigzaguait sur la route, apparemment hors de contrôle. Matt parvint à distinguer le conducteur derrière le volant – une femme aux cheveux hirsutes et aux yeux fous. Il la reconnut et comprit qu'elle savait exactement ce qu'elle faisait. Elle était venue tout spécialement pour lui.

Gwenda Davis avait les yeux fixés sur le centre sportif où, selon Rex McKenna, toute l'école serait rassemblée pour le déjeuner. Le camion-citerne s'écartait maintenant de l'axe du terrain de football.

Il quitta la route, plongea à travers une haie et cahota follement sur les terrains de jeu. Ses roues creusaient des sillons dans la pelouse. Le camion devait rouler environ à cent kilomètres à l'heure. Le moteur rugissait. Gwenda avait le pied sur l'accélérateur et la pente augmentait sa vitesse.

Certains élèves avaient également vu ce qui se passait. Des visages se tournaient. Des doigts se pointaient. L'issue ne faisait aucun doute.

Le camion-citerne percuta le centre sportif et poursuivit sa route. Projetée à travers le pare-brise dans la façade de brique, Gwenda fut tuée sur le coup. Moteur hurlant, le camion s'engouffra à l'intérieur du gymnase, comme avalé par le bâtiment. Il y eut un temps mort, puis tout explosa. Une boule de feu jaillit du toit, propulsant des centaines de tuiles dans toutes les directions. La boule de feu s'éleva dans le ciel, suivie par un gros poing de fumée noire qui menaça de perforer les nuages eux-mêmes. Matt se protégea le visage d'une main. Même à cette distance, on sentait la chaleur phénoménale des milliers de litres de carburant qui s'embrasaient. Des flammes bondirent des décombres du centre sportif, retombant follement sur la pelouse, les arbres, la route, les abords des bâtiments principaux du collège. On aurait dit une zone de bataille.

Matt savait qu'il avait doublé la mort de quelques minutes. Si tous les élèves et les professeurs s'étaient trouvés dans le gymnase, faisant la queue pour déjeuner, tous auraient péri.

Le proviseur dut suivre le même raisonnement car il murmura :

— Seigneur ! Si vous avions été à l'intérieur…

— Il savait ! s'exclama M. O'Shaughnessy en lâchant le bras de Matt. Il savait ce qui allait arriver ! Freeman savait !

Le proviseur lui jeta un regard hébété.

Matt hésita. Il ne voulait pas rester ici une minute de plus. Dans le lointain s'élevaient des sirènes.

Il s'en alla. Six cent cinquante garçons s'écartèrent devant lui, formant un corridor pour le laisser passer. Parmi eux, Matt entrevit Gavin Taylor. Un bref instant, leurs yeux se croisèrent. Gavin pleurait. Matt ne comprit pas pourquoi.

Personne ne lui adressa la parole. Matt se moquait de ce qu'ils pensaient de lui. Une chose était sûre : plus jamais il ne les reverrait.

# 5

# Le journal

— Rien ne t'oblige à faire ça.

C'était la première fois que Richard prenait la parole depuis leur départ de York. Assis en face de lui, Matt était plongé dans un livre acheté à la gare. C'était un roman supposé amusant mais il ne lui avait pas arraché un seul sourire. Depuis une heure, Matt relisait le même paragraphe sans parvenir à entrer dans l'histoire.

— Matt… ? insista Richard.

Matt ferma brutalement son livre.

— Tu as vu ce qui est arrivé à Forrest Hill. C'était Gwenda qui conduisait le camion. Elle venait pour me tuer et elle aurait tué tout le monde si je n'avais pas donné l'alerte.

— Mais tu as donné l'alerte. Tu leur as sauvé la vie.

— Oui. Et ils sont tous venus me remercier !

Matt regarda le paysage défiler derrière la fenêtre du compartiment. Des gouttes de pluie rampaient lentement sur la vitre de gauche à droite.

— Je ne peux pas y retourner. Ils ne veulent pas de moi là-bas. Où veux-tu que j'aille ? Susan Ashwood avait raison. La Porte des Ténèbres n'était pas la fin. Il n'y aurait jamais de fin.

Deux jours avaient passé depuis la destruction de l'école. Le carburant enflammé s'était propagé du gymnase aux bâtiments anciens. À l'arrivée des pompiers, il ne restait presque plus rien et Matt avait déjà quitté les lieux pour rentrer à York. Richard l'y avait rejoint, très choqué, sitôt après avoir appris la nouvelle par radio. Les responsables de Forrest Hill avaient fait de leur mieux pour tenir Matt à l'écart des journalistes et personne ne connaissait encore l'identité de la femme folle qui conduisait le camion-citerne. Mais il y avait de trop nombreux témoins, trop d'adolescents impatients de raconter leur aventure. Le lendemain matin, tous les journaux titraient sur la même révélation abracadabrante :

UN COLLÉGIEN PRÉDIT LA CATASTROPHE

UNE PRÉMONITION PERMET À UN ÉCOLIER
DE SAUVER SON ÉCOLE

**LE COLLÉGIEN DE FORREST HILL**
**SAIT-IL PRÉVOIR L'AVENIR ?**

Par chance, personne ne disposait d'une photo de Matt, hormis une image floue, méconnaissable, prise avec un téléphone mobile. Et lorsque la première édition des journaux parut dans les kiosques, Matt et Richard avaient déjà fui la ville. Contactée par Richard, Susan Ashwood leur avait procuré un abri sûr à Leeds – un appartement vide où ils avaient passé la nuit. Là, Matt avait réfléchi et accepté de se rendre à la réunion de Nexus à Londres. Avec le recul, il s'apercevait que cette rencontre était inévitable.

« Cela devait arriver. C'était écrit… »

Susan Ashwood avait employé les mêmes mots à propos de la découverte du journal du moine. Et elle aurait pu aussi les appliquer à Matt : celui-ci avait de plus en plus l'impression que chacun de ses mouvements lui était dicté. Ses désirs importaient peu. Quelqu'un, quelque part, avait d'autres idées le concernant.

— Peut-être que tout se passera très bien, reprit Richard. Il te suffit de rencontrer ce type, William Morton, et de le convaincre de donner le journal. Ensuite nous pourrons retourner à York, ou ailleurs, et recommencer de zéro.

— Tu crois vraiment que ce sera aussi simple ?

Richard haussa les épaules.

— Avec toi, rien n'est jamais simple. Mais, au bout du compte, c'est quand même toi qui décides. Quoi qu'ils te demandent, tu peux toujours refuser.

On avait envoyé un taxi les chercher à la gare pour les conduire à un hôtel, à Farrington. Matt connaissait à peine Londres. La première fois qu'il y était venu c'était sous escorte policière, pour une visite éclair dans un bureau officiel, et il n'avait pas eu le temps de respirer l'air de la ville. Farrington était un vieux quartier de Londres, qui semblait remonter davantage encore le temps quand le soir tombait. Il y avait des ruelles sombres, des réverbères à gaz et même, à certains endroits, des chaussées pavées. Matt n'aurait pas été surpris d'entendre une sirène d'alarme déchirer la nuit. C'était le Londres des vieux films en noir et blanc sur la Seconde Guerre mondiale.

L'hôtel était petit et tellement discret qu'il n'avait même pas d'enseigne sur la porte. Richard et Matt occupaient des chambres au troisième étage – payées par Nexus, bien entendu. Une fois leurs bagages défaits, ils descendirent par le minuscule ascenseur dans la salle de restaurant. Ils n'avaient pas terminé de dîner que Fabian apparut, en costume sombre et chaussures vernies.

— Bonsoir, dit-il. On m'a demandé de vous conduire à la réunion. Mais finissez tranquillement de dîner, nous avons tout le temps. Vous permettez que je me joigne à vous ?

Il tira une chaise et s'assit.

— C'est loin d'ici ? s'enquit Richard.

— Non. Quelques minutes de marche.

Fabian était de bonne humeur. Apparemment, il avait oublié la façon dont s'était achevée leur dernière entrevue.

— Je peux vous poser une question ? demanda Richard.

— Je vous en prie.

— Je ne sais rien de vous. Vous nous avez seulement dit que vous habitez Lima…

— Barranco, plus exactement. C'est un faubourg de Lima.

— Que faites-vous ? Comment avez-vous été choisi par Nexus ? Avez-vous une femme, des enfants ?

À la mention de Nexus, Fabian leva un doigt devant ses lèvres, mais la salle était vide et il se détendit.

— Je vais répondre à vos questions, M. Cole. Non, je ne suis pas marié. Du moins pas encore. Quant à mon travail, je suis écrivain. J'ai écrit plusieurs livres sur mon pays, son histoire, son archéologie. Et c'est ce qui m'a mis en contact avec Nexus. J'étais un ami proche du professeur Dravid. C'est lui qui m'a recruté.

Richard et Matt avaient fini. Un serveur vint débarrasser leur table.

— Si vous êtes prêts…, reprit Fabian.

— Montrez-nous le chemin ! répondit Richard.

Ils quittèrent l'hôtel et descendirent la rue pendant

environ cinq minutes, jusqu'à une simple porte noire, coincée entre une agence immobilière et un café. Fabian ouvrit la porte avec une clé et les guida dans un couloir exigu, prolongé par un escalier. Le deuxième étage était plus moderne que le reste de la maison, doté de portes en verre et de caméras de surveillance. Si Matt avait cru entrer dans une demeure particulière, l'étage supérieur ressemblait davantage à un bureau. La moquette était épaisse. Les portes fermées. Tout était silencieux, impénétrable.

— Par ici, indiqua Fabian d'un geste de la main.

Comme par magie, l'une des portes s'ouvrit en coulissant. De l'autre côté, il y avait une longue table autour de laquelle étaient assises onze personnes, qui les attendaient sans un mot. Fabian alla se placer à côté de Susan Ashwood. Il restait deux chaises vides.

Une pour Matt. Une pour Richard.

— Entrez, je vous en prie, dit une voix.

Matt ne savait pas qui avait parlé. Il avait conscience de tous les regards posés sur lui et se sentit rougir. En règle générale, il n'aimait pas être le centre d'intérêt. Mais ici, cela lui donnait une sensation vraiment bizarre. Tous ces gens le scrutaient comme une star de cinéma. Il avait l'impression qu'ils allaient l'applaudir.

Richard se décida à avancer. Matt le suivit et la porte se referma derrière lui.

C'était donc ça, Nexus ! Matt jaugea rapidement les douze personnes assises autour de la table. Avec

Fabian, il y avait huit hommes et quatre femmes. Deux hommes étaient noirs, un autre de type asiatique. Les âges s'étalaient entre trente et soixante-dix ans. Le plus âgé portait un col d'ecclésiastique : un évêque. Tous étaient élégamment vêtus. Matt les imagina dans un théâtre ou à l'opéra. Ils affichaient le même air grave. Aucun ne souriait.

La pièce elle-même était longue et étroite, avec une seule fenêtre donnant sur la rue. Le verre teinté empêchait quiconque de voir de l'extérieur. Le mobilier était d'un luxe discret, mais aucun tableau n'ornait les murs, uniquement des pendules indiquant des heures différentes, et quelques cartes géographiques. Matt s'assit sur la chaise la plus proche, s'efforçant d'éviter les regards braqués sur lui. Richard resta debout, observant tout le monde avec stupéfaction.

— Je vous connais ! s'exclama-t-il en désignant un homme à la mine sévère, le dos raide, vêtu d'un costume à la coupe impeccable. Vous êtes policier. Votre nom est Tarant, n'est-ce pas ? Vous êtes un gros bonnet de Scotland Yard. Je vous ai vu à la télévision.

Richard se tourna ensuite vers sa voisine : une femme à l'élégance raffinée, avec des cheveux roux probablement teints, deux rangs de perles autour du cou.

— Et vous, vous êtes Nathalie Johnson.

Même Matt connaissait ce nom pour l'avoir souvent lu dans les journaux. Nathalie Johnson était surnommée la Bill Gates en jupons. Elle avait amassé une fortune dans l'informatique et comptait parmi les femmes les plus riches du monde.

— Oublions les noms, M. Cole, dit-elle avec un accent américain. Je vous en prie, asseyez-vous afin que nous puissions commencer.

Richard prit place à côté de Matt. Il était difficile de deviner qui dirigeait l'assemblée. Fabian leur avait expliqué que Nexus comprenait douze membres. Ils étaient bien douze, hommes et femmes, mais le professeur Dravid ayant lui aussi fait partie de Nexus, on pouvait logiquement en conclure qu'il avait été remplacé.

— Nous te sommes très reconnaissants d'être venu à Londres, Matthew, remarqua un homme à l'accent australien. Il était habillé de façon moins conventionnelle que les autres, avec un col ouvert et les manchettes relevées. Environ quarante ans, le teint pâle et les yeux rougis d'un voyageur qui a passé beaucoup d'heures dans un vol long courrier. Nous savons que tu n'as aucune envie d'être ici et nous ne te l'aurions pas demandé s'il y avait une autre solution.

— Tu dois nous laisser te protéger, Matt, dit Susan Ashwood, les poings crispés sur la table devant elle. Tu as failli être tué à Forrest Hill. Il ne faut pas que cela se reproduise. Nous sommes ici uniquement pour t'aider.

— Je croyais que c'était Matt qui devait vous aider, intervint Richard.

— Disons que nous nous entraidons, reprit l'Australien. Il y a énormément de choses que nous ignorons, mais nous avons une certitude. La situation va s'aggraver. Bien plus que vous ne l'imaginez. Et si nous sommes tous ici ce soir, c'est parce que nous voulons faire quelque chose pour l'éviter.

— Faire quoi ? demanda Richard. Pour éviter quoi ?

— Une troisième guerre mondiale, répondit Susan Ashwood. Pire que les deux précédentes. Des gouvernements à la dérive. La mort et la destruction sur toute la planète. Nous ne savons pas précisément quel visage aura l'avenir, M. Cole. Mais nous pensons qu'il est temps dès aujourd'hui d'empêcher qu'il se réalise.

— Avec ton aide, ajouta l'évêque en regardant Matt.

— Que les choses soient bien claires, martela Richard. Matt et moi ne voulons rien savoir de la mort et de la destruction. Les guerres mondiales ne nous intéressent pas. Tout ce dont nous avons besoin, c'est d'un logement. York est devenu invivable et nous n'avons personne d'autre à qui demander de l'aide.

— Et ce camion-citerne qui a foncé dans ton collège... ?

La phrase resta en suspens. C'était le policier qui avait parlé.

— C'est ma tante qui le conduisait, répondit Matt. Gwenda Davis. Je l'ai aperçue derrière le volant.

Matt frissonna. Sa raison avait beau lui répéter que c'était impossible, il en était pourtant certain. Il n'avait jamais aimé Gwenda, mais elle n'avait jamais été un monstre. Du moins pas avant la fin.

— Ta tante… ? murmura l'Australien.

— Oui.

L'information causa un trouble dans l'assistance. Les douze membres de Nexus se mirent à chuchoter entre eux. Matt vit Fabian écrire quelque chose.

— Gwenda Davis ne savait pas ce qu'elle faisait, expliqua Susan Ashwood. Voler un camion-citerne et le conduire jusqu'à ton collège, jamais elle n'aurait pu faire cela toute seule.

— Les Anciens, dit Fabian à voix basse.

— Évidemment. Ils l'ont aidée. Ils l'ont influencée. Peut-être même forcée. En tout cas, ils sont derrière tout ça.

— Très bien, coupa Richard. Vous voulez que nous rencontrions cet homme… William Morton. Matt est d'accord. Mais je vous avertis, si cela lui fait encore courir un danger…

— C'est la dernière chose que nous souhaitons, assura l'Américaine. Elle se pencha en avant et ses longs cheveux voilèrent ses yeux. Âgée d'une cinquantaine d'années, elle avait visiblement dépensé beaucoup d'argent pour paraître plus jeune. Parfait, Richard. Vous permettez que je vous appelle Richard, n'est-ce pas ? Soyons clairs et précis. Nous souhaitons que Matt rencontre William Morton demain, à midi, parce que c'est le seul moyen à nos yeux pour le convaincre de nous remettre le journal du moine.

Mais Matt compte beaucoup plus pour nous que le journal. À l'heure actuelle, si Matt est véritablement celui que nous croyons, il est l'adolescent le plus important du monde.

— Vous avez dit à Morton que Matt est l'un des Cinq, dit Richard lentement, réfléchissant à mesure qu'il parlait. Et Morton veut le rencontrer pour vérifier que c'est vrai. Mais comment va-t-il s'en assurer ? Est-ce que Matt devra lui faire une prédiction ? Ou faire exploser je ne sais quoi pour le lui prouver ?

— Nous l'ignorons, admit Nathalie Johnson. N'oubliez pas que Morton a lu le journal du moine. Nous, pas. Il se peut qu'il en connaisse bien plus que nous.

— Une chose est sûre, intervint Susan Ashwood. Morton a peur. Il a peur de l'homme avec qui il est en contact en Amérique du Sud. Et il a peur de ce qu'il a lu dans le journal. Il a conscience d'être tombé sur un ouvrage bien plus important et mystérieux que tout ce qu'il a pu voir au cours de sa vie, et il cherche une sortie.

— Où veut-il me rencontrer ? demanda Matt.

— Au début, il refusait de nous le dire.

Cette fois, c'était un Français qui reprenait le fil des explications. Mince, les cheveux gris, il avait l'air d'un juriste.

— Morton communique avec nous uniquement avec son téléphone portable, et il ne nous donne aucun indice sur l'endroit où il se trouve. Mais il a mentionné une église, en ville, pas très loin d'ici.

— Sainte-Meredith, dans Moore Street, précisa Susan Ashwood.

— Il y sera à midi, demain. Il exige de te rencontrer seul.

— Pas question, l'interrompit Richard. Matt n'ira pas là-bas sans escorte.

— Morton dit qu'il guettera le garçon. Nous devons lui fournir une description de Matt, mais il est peu probable que d'autres adolescents de son âge rôdent près de l'église à cette heure. Le marché est très simple. Si Matt n'est pas seul, Morton disparaîtra et nous ne le reverrons plus jamais. Et l'homme d'affaires sud-américain aura le journal.

— Pourquoi cette église ? demanda Richard. Drôle d'endroit pour un rendez-vous. Pourquoi pas un restaurant ou un café ?

— Morton a insisté, dit Nathalie Johnson. Nous aurons la réponse une fois que Matt y sera allé.

— Il se peut que cette église soit mentionnée dans le journal du moine, suggéra l'évêque. Sainte-Meredith est l'une des plus anciennes églises de la ville. En fait, il existe une église sur cet emplacement depuis le Moyen Âge.

— Comment être certains que Matt ne court aucun danger ? Le mystérieux Sud-Américain a peut-être déjà rencontré Morton. Nous n'en savons rien. Il s'agit peut-être d'un piège.

— Laissez-moi m'occuper de ça, dit le policier.

Richard ne s'était pas trompé. Son nom était Tarrant et il occupait le poste d'assistant commissioner, sorte de préfet de police adjoint, l'un des plus hauts rangs de la police londonienne.

— J'ai accès aux caméras de sécurité installées dans tout le quartier de Moore Street. On ne peut pas pénétrer dans l'église, mais je posterai une centaine d'agents dans les abords immédiats. À mon signal, ils interviendront.

— Je ne comprends toujours pas ce qui va se passer, dit Matt. Cet homme, Morton, me voit. Il me pose des questions. Et ensuite ? Est-ce qu'il va me donner le journal ?

— Il nous a promis de nous le vendre s'il te croit, répondit Nathalie Johnson. Il ne le donnera pas pour rien ! Il veut son argent.

Il y eut un silence.

Richard se tourna vers Matt.

— Tu as envie d'y aller ?

— Non, je n'en ai pas envie, répondit Matt en secouant la tête.

Il jeta un regard circulaire autour de la table. Tous l'observaient. Il voyait son propre reflet dans les lunettes noires qui masquaient les yeux de Susan Ashwood.

— Mais j'irai, ajouta-t-il. À deux conditions.

— Lesquelles ? demanda l'Australien.

— Vous avez tous beaucoup d'influence. Vous

avez empêché Richard de publier son article sur Omega Un. Alors vous pouvez peut-être lui obtenir un emploi ici, à Londres.

— Matt…, dit Richard.

— C'est ce que tu as toujours désiré. Et moi, je veux aller dans un collège ordinaire. Pas question de retourner à Forrest Hill. Je veux votre promesse à tous que, si vous obtenez le journal du moine, vous me laisserez tranquille.

— Je ne suis pas certain que nous puissions te faire cette promesse, dit Fabian. Tu joues un rôle primordial, Matt. Ne le comprends-tu pas ?

— Mais si nous pouvons te tenir à l'écart, Matt, nous le ferons, intervint Susan Ashwood. Ça ne nous plaît pas plus qu'à toi. Nous n'avons jamais souhaité t'impliquer.

— D'accord, acquiesça Matt.

Une décision venait d'être prise, mais Matt n'était pas convaincu d'être le décideur. Plus tard, dans la nuit, étendu sur son lit à l'hôtel, il essaya de se convaincre que bientôt tout serait terminé. Il rencontrerait Morton. Il récupérerait le journal. Et l'histoire se terminerait là.

Cependant il n'arrivait pas à s'en persuader.

Les récents événements s'étaient produits contre son gré. Et il en irait sans doute de même par la suite. Pour Matt, il n'y avait pas d'issue. Il devrait s'y faire. Des forces étranges rôdaient autour de lui et jamais elles ne le laisseraient en paix.

À quinze mille kilomètres de là, un homme se dirigeait vers son bureau.

C'était le milieu de l'après-midi dans la ville d'Ica, au sud de Lima, la capitale péruvienne. Le Pérou avait un décalage horaire de cinq heures avec la Grande-Bretagne. Le soleil était éclatant et comme la pièce s'ouvrait sur un patio, recouvert du même carrelage, la lumière y pénétrait à flot au travers d'une rangée de colonnes. Au plafond, un ventilateur tournait lentement, sans vraiment rafraîchir l'air mais donnant l'illusion de le faire. On entendait un doux murmure d'eau, qui venait de la vieille fontaine située au milieu du patio. Quelques poulets picoraient le gravier. Des fleurs poussaient partout et leur parfum embaumait l'air.

L'homme, âgé de cinquante-sept ans, était vêtu d'un costume de lin blanc qui pendait sur lui comme sur un cintre. Il se mouvait avec lenteur et difficulté, les mains tendues en avant pour trouver son fauteuil et s'y asseoir.

Rien dans son corps ne fonctionnait correctement.

Il était anormalement grand – près de deux mètres –, mais ce qui augmentait sa taille, c'était sa tête, qui mesurait le double de la normale. Une tête immense, avec des yeux si haut perchés que, sur n'importe qui d'autre, ils se seraient trouvés au milieu du front. Hormis quelques touffes de cheveux sans couleur définie, il était chauve, et sa peau parsemée de taches brunes. Le nez très long saillait au-dessus de la bouche, trop petite en comparaison du reste. Une bouche d'enfant sur un visage d'adulte. Quand il se déplaçait, un muscle de sa nuque se contractait. Le cou luttait visiblement pour soutenir le poids excessif de la tête.

L'homme s'appelait Diego Salamanda. Il était le P-DG d'une des plus grosses entreprises d'Amérique du Sud. Salamanda New International avait bâti un empire dans la presse écrite, la télévision, l'hôtellerie et les télécommunications. De mauvaises langues affirmaient que la SNI possédait le Pérou. Diego Salamanda en était l'unique propriétaire, l'unique actionnaire et le président-directeur général.

On lui avait étiré la tête de façon délibérée. C'était une pratique vieille de plus de mille ans. D'anciennes tribus du Pérou sélectionnaient les nouveau-nés qu'ils croyaient exceptionnels, et les obligeaient à vivre la tête comprimée entre deux planches de bois, ce qui provoquait une croissance anormale. Il s'agissait d'une coutume honorifique. Les parents de Salamanda, certains que leur enfant était un être hors du commun, avaient utilisé ce procédé.

Et Salamanda leur en était reconnaissant.

Ses parents lui avaient causé de terribles souffrances.

Ils l'avaient rendu monstrueusement laid. Ils l'avaient empêché d'entretenir des relations ordinaires avec les autres. Mais ils avaient eu raison. Ils avaient décelé ses talents dès sa naissance.

Le téléphone sonna.

D'un geste lent, Salamanda décrocha le récepteur. L'appareil semblait ridiculement petit près de son oreille.

« Oui », dit-il. Jamais il ne s'annonçait par son nom. C'était un numéro confidentiel. Seules quelques rares personnes le connaissaient.

« Demain, à midi, l'informa la voix. Il sera dans une église, à Londres. Sainte-Meredith.

— Parfait. »

Tous deux s'exprimaient en anglais, la langue utilisée par Diego Salamanda pour ses affaires.

« Qu'attendez-vous de moi ? questionna la voix.

— Vous en avez suffisamment fait, mon ami. Et vous serez récompensé. Maintenant, c'est à moi de prendre des dispositions.

— Que comptez-vous faire ? »

Diego Salamanda se tut. Une vilaine lueur scintilla dans ses yeux étrangement incolores. Il détestait les questions. Néanmoins, il était d'humeur généreuse.

« Tuer M. Morton et m'emparer du journal.

— Et le garçon ?

— Si le garçon est là, alors bien sûr lui aussi devra disparaître. »

# 6

# Sainte-Meredith

L'église était située près de Shoreditch, dans un secteur très laid de Londres, qui d'ailleurs ne ressemblait pas à Londres. En classe, Matt avait étudié le Blitz, ces bombardements aériens effectués par les Allemands pendant la Seconde Guerre mondiale qui détruisirent de grandes portions de la ville, particulièrement dans l'East End, les quartiers est. Ce que le professeur d'histoire n'avait pas précisé, c'est que les espaces détruits et les ruines avaient été remplacés par des immeubles de bureaux modernes en béton, des parkings à étages, des boutiques vulgaires et bon marché, le tout traversé par de larges artères anonymes où s'écoulait un flot continu de circulation, très bruyant mais peu rapide.

Un taxi avait déposé Matt au bout de Moore Street, une rue sordide qui s'ouvrait entre un pub et une teinturerie. L'église se dressait à l'autre extrémité, triste et incongrue. Elle aussi avait subi les bombardements. Un nouveau clocher avait été construit, assez mal assorti aux colonnes et aux arcs de pierre. Étonnamment vaste, Sainte-Meredith avait dû être, à une certaine époque, le centre d'une communauté prospère. Mais la communauté avait déménagé et l'église avait l'air de ce qu'elle était : abandonnée. Sans plus de raison d'exister.

Une fois encore, Matt se demanda pourquoi le marchand de livres anciens, William Morton, avait choisi cet endroit pour le rencontrer. L'avantage était qu'ils ne risquaient pas de se manquer. Il y avait très peu de monde – et aucun signe de la centaine de policiers promis par le préfet de police. Alors que Matt s'engageait dans la rue, la porte du pub s'ouvrit et un homme barbu, au nez cassé, sortit en titubant. Il n'était que midi mais il était déjà ivre. À moins qu'il ne fût pas encore remis de sa gueule de bois de la veille. Matt accéléra le pas. Il avait un téléphone portable dans sa poche et, en cas de besoin, Richard se tenait prêt à cinq minutes de là. Matt n'avait pas peur. Il avait juste envie d'en finir le plus vite possible.

Il approcha de la porte principale de l'église, pas très sûr de pouvoir l'ouvrir. La porte massive semblait fermée à clé. Il saisit la poignée. Elle était froide et lourde, et tourna comme à regret, avec un grincement.

Le battant s'ouvrit et Matt entra, passant de la clarté extérieure à une étrange pénombre. Le soleil fut banni, le bruit de la circulation étouffé. La porte se referma toute seule et son claquement résonna dans le vide.

Matt se trouvait à l'extrémité de la nef, qui s'étirait jusqu'à l'autel. Il n'y avait pas d'éclairage électrique et les vitraux étaient soit trop crasseux soit de couleurs trop sombres pour laisser filtrer la lumière. Mais plus d'un millier de bougies éclairaient la travée centrale de leur petite flamme vacillante, groupées en bouquets autour des chapelles et alcôves latérales. Sa vue s'accommodant peu à peu, Matt distingua bientôt des silhouettes d'hommes et de femmes âgés, agenouillés sur les prie-Dieu, tous vêtus de noir, pareils à des fantômes sortis des catacombes.

Il déglutit avec difficulté. Tout cela lui plaisait de moins en moins et il regrettait de n'avoir pas insisté pour que Richard l'accompagne. Fabian et les autres membres de Nexus en avaient dissuadé le journaliste. Selon l'accord passé avec William Morton, Matt devait entrer seul. Si cette condition n'était pas remplie, ils risquaient de ne jamais revoir Morton.

Un coup d'œil circulaire convainquit Matt que le libraire n'était pas encore arrivé. Il se rappelait nettement le visage de l'homme interviewé dans le reportage et saurait le reconnaître quand Morton se déciderait à se montrer. Où était-il ? Caché dans un recoin sombre, peut-être. Rien d'étonnant à cela.

Morton devait vouloir s'assurer que Matt était venu seul. Dans le cas contraire, il pourrait quitter l'église par l'une des sorties sans même se faire remarquer.

Matt continua d'avancer vers l'autel, passant devant une chaire en bois sculpté en forme d'aigle. Le prêtre devait s'adresser à la congrégation du haut de ses ailes déployées. Les parois de l'église étaient ornées de tableaux. Un saint perforé de flèches. Un autre battu à mort sur une roue. Une crucifixion. Pourquoi la religion se montrait-elle toujours aussi sinistre et cruelle ?

En arrivant à l'abside, juste devant l'autel, où les ailes est et ouest de l'église se déployaient, formant une croix, un homme se leva du banc où il se tenait assis la tête entre les mains, et lui adressa un signe. Matt le reconnut aussitôt : corpulent, des cheveux gris en couronne autour d'un crâne rond et chauve, des joues colorées et de petits yeux humides. Il portait un costume froissé sans cravate, et tenait à la main un paquet enveloppé de papier brun.

— Matthew Freeman ? s'enquit-il.

— Matt, répondit Matt, qui n'utilisait jamais son nom entier.

— Tu sais qui je suis ?

— William Morton.

Le libraire semblait bien différent de l'homme plein d'assurance filmé dans le reportage. Quelque chose avait entamé son arrogance et sa suffisance. Il donnait l'impression d'avoir rétréci, tant physiquement que mentalement. Matt constata qu'il ne s'était pas rasé : des poils argentés lui couvraient les joues et le cou. Et il n'avait probablement pas changé de vêtements depuis plusieurs jours. Il sentait mauvais. Il transpirait.

— Tu es très jeune, remarqua Morton en clignant des paupières à plusieurs reprises. Encore un enfant.

— Qu'attendiez-vous ? rétorqua Matt sans chercher à masquer son agacement. Il détestait être traité d'enfant. Et il ne comprenait toujours pas où cette rencontre allait le mener.

— On ne t'a rien dit ? s'étonna Morton.

— On m'a dit que vous avez un livre. Un journal intime... Matt jeta un coup d'œil au paquet enveloppé de papier brun et Morton le serra instinctivement contre lui : C'est ça ?

Le libraire s'abstint de répondre.

— Il paraît que vous vouliez me voir, reprit Matt. Ils veulent vous acheter ce livre.

— Je sais ce qu'ils veulent ! Morton glissa des regards nerveux à droite et à gauche, soudain soupçonneux. Il baissa la voix : Tu es seul ?

— Oui.

— Viens par ici...

Sans lui laisser le temps de réagir, Morton fila à petits pas le long de la rangée de prie-Dieu et commença à descendre la travée latérale de l'église, s'éloignant des fidèles agenouillés. Matt le suivit lentement, en se disant que le libraire avait l'esprit un peu dérangé. Il lui rappelait Tom Burgess, le fermier qui lui avait parlé devant la centrale nucléaire désaffectée de Lesser Malling et que l'on avait ensuite retrouvé mort. Leurs comportements étaient les mêmes. En s'enfonçant dans les profondeurs de l'église, Matt comprit que William Morton était totalement terrifié.

Dès qu'il l'eut rejoint, le libraire se mit à lui parler à voix basse en bafouillant. Il n'y avait personne dans cette partie de l'église. C'était sans doute ce qui l'avait attiré là.

— Jamais je n'aurais dû acheter ce journal, grommela Morton. Mais je savais de quoi il s'agissait, tu comprends. J'avais entendu parler des Anciens. Je connaissais un peu leur histoire… pas entièrement, bien sûr. Personne ne la connaît vraiment. Mais quand j'ai vu le livre dans un magasin d'antiquités à Cordoue, je l'ai reconnu aussitôt. Certains affirmaient qu'il n'existait pas. Et beaucoup d'autres assuraient que son auteur, Joseph de Cordoba, avait l'esprit dérangé. On l'appelait le « moine fou ».

» Et voilà que je tombais sur son livre ! C'était incroyable. Je n'avais qu'à le prendre ! La seule histoire écrite des Anciens. La Porte des Ténèbres. Les Cinq !

En disant ce mot, Morton écarquilla les yeux et dévisagea Matt.

— Tout était là, poursuivit-il. Le commencement du monde, de notre monde. La première grande guerre. Qui ne fut gagnée que par une ruse…

— C'est le journal ? questionna Matt pour la seconde fois en désignant le paquet que tenait Morton. Tout cela allait trop vite pour lui.

— Je pensais qu'il vaudrait une fortune ! murmura Morton. C'est le rêve de tout libraire. Trouver une première édition, ou l'unique exemplaire d'un livre perdu pour le monde. Et celui-ci représentait plus. Beaucoup plus. J'ai contacté une chaîne de télévision pour annoncer à tout le monde la rareté que j'avais découverte. Je me suis vanté. C'est l'erreur la plus stupide que j'aie jamais commise.

— Pourquoi ?

— Parce que…

Quelque part, quelqu'un laissa tomber un livre de cantiques. L'écho se répercuta dans toute l'église comme un coup de tonnerre. Morton sursauta comme si on avait tiré un coup de feu. Matt vit les veines de son cou palpiter follement. Le libraire semblait au bord de la crise cardiaque. Il attendit que le silence fût retombé.

— J'aurais dû me montrer plus prudent, reprit-il dans un murmure. J'aurais dû lire le journal d'abord. Peut-être que, alors, j'aurais compris.

— Compris quoi ?

— Que c'est le mal !

Morton sortit un mouchoir et s'épongea le front.

— As-tu jamais lu un livre d'horreur, Matt ? Une histoire que tu n'arrives plus à chasser de ton esprit. Qui t'obsède et te tourmente quand tu veux dormir ?

Eh bien, le journal du moine est ainsi. Et pire encore. Il parle de créatures qui viendront dans ce monde, d'événements qui auront lieu. Je ne comprends pas tout. Mais ce que je comprends me torture. M'empêche de trouver le sommeil. De manger. Ma vie a été totalement bouleversée.

— Alors pourquoi ne pas le vendre ? On vous a offert plusieurs millions.

— Tu crois que je vivrai assez pour profiter d'un seul penny ? (Morton eut un rire bref.) Depuis que j'ai lu le journal, je fais des cauchemars. D'horribles cauchemars. Et, quand je m'éveille, je crois qu'ils se sont effacés, mais je me trompe. Car ils sont bien réels. Les ombres que j'ai vues tendre leurs bras vers moi ne sont pas sorties de mon imagination. Regarde !

Morton retroussa sa manche et Matt grimaça. On aurait dit que Morton avait tenté de se taillader les poignets. Une dizaine de traits mauves, blessures récentes, s'entrecroisaient juste au-dessus de ses paumes.

— C'est vous qui avez fait ça ? demanda Matt.

— Peut-être. Peut-être pas. Je ne m'en souviens pas ! Un matin, je me suis réveillé avec ces marques. Du sang sur les draps. Des coupures et des hématomes sur mes poignets. Et je souffre... (Morton se frotta les yeux, cherchant à se ressaisir.) Ce n'est pas tout. Oh non ! Je ne vois plus les choses normalement. Depuis la lecture du journal du moine, je ne vois que les ombres et l'obscurité. Les gens qui marchent dans la rue sont morts pour moi. Les animaux, les chiens et les chats… me regardent comme s'ils allaient bondir et…

Morton s'interrompit de nouveau et dut faire un effort pour poursuivre :

— Il se passe de drôles de choses. Encore tout à l'heure ! En venant ici, une voiture a failli me renverser. Comme si le conducteur ne m'avait pas vu… ou m'avait vu, au contraire. Tu penses que je deviens fou ? Alors interroge-toi sur l'incendie qui a ravagé ma maison. J'étais là. Le feu s'est déclaré tout seul. Sans raison ! Les portes se sont fermées brusquement. La ligne du téléphone a été coupée. Comprends-tu ce que je dis, Matt ? La maison a voulu me tuer.

Matt savait que cette partie de l'histoire, au moins, était vraie. Nexus avait parlé de l'incendie.

— Je suis un homme condamné, dit Morton. Le journal est en ma possession. J'ai lu tous ses secrets. Et maintenant il ne me laissera plus vivre.

— Alors pourquoi ne pas vous en débarrasser ? insista Matt. Brûlez-le !

— J'y ai songé, admit Morton. Évidemment. Mais il y a l'argent.

Il se passa la langue sur les lèvres et Matt mesura alors pleinement l'horreur de la situation du libraire. Morton était déchiré entre la peur et la cupidité. Une lutte constante qui le détruisait.

— Deux millions de livres ! C'est plus que j'en ai gagné de toute ma vie. Je ne peux pas les perdre. Ce serait un gâchis inadmissible, insupportable. Non. Je vais le vendre. C'est ma raison d'être. Je suis un marchand de livres. Je vais le vendre, prendre l'argent, et ensuite je serai tranquille.

— C'est à nous que vous devez le vendre, M. Morton.

— Je sais, je sais. C'est bien pour cela que j'ai voulu te rencontrer. Quatre garçons et une fille. C'est écrit dans le journal. Tu es l'un d'eux. L'un des Cinq.

— C'est ce qu'on me dit, coupa Matt. Mais je ne sais pas ce que ça veut dire. Depuis que je suis embarqué dans cette histoire, j'essaie de trouver un moyen d'en sortir. Excusez-moi, M. Morton. Je sais que vous attendez que je vous donne une preuve. Mais je ne peux pas.

William Morton secoua la tête.

— Je suis au courant pour la première porte.

— La Porte des Ténèbres.

— Il y en a une seconde. C'est écrit ici…

— Donnez-moi le journal, dit Matt, qui se sentait soudain fatigué. Si vous voulez vraiment vous en débarrasser, confiez-le-moi et tout ira bien. Vous aurez votre argent. Chacun rentrera chez soi et oubliera tout ça.

Morton hocha la tête. Un bref instant, Matt crut avoir gagné. Il remettrait le paquet à Nexus, et Richard et lui sauteraient dans un train pour aller… n'importe où. Mais, bien sûr, ça ne pouvait pas être aussi simple.

— Je dois d'abord m'assurer que tu es bien celui que tu prétends être, grommela Morton d'une voix rauque. Prouve-le-moi !

— Je vous l'ai dit, je ne peux pas.

— Oh, mais si !

Morton serrait si fort le livre que ses jointures avaient blanchi. Il jeta un regard fébrile alentour pour vérifier que personne ne les écoutait.

— Tu vois cette porte ?

— Quelle porte ?

— Là !

Morton tourna la tête et Matt suivit son regard vers une étrange porte de bois encastrée dans un mur. Qu'avait-elle d'étrange ? Matt mit quelques instants pour le comprendre. En fait, la porte était trop petite. Elle mesurait la moitié de la taille des autres portes de l'église. Matt supposa que celle-ci menait à la rue. Elle se trouvait sous un vitrail, encadrée de tableaux lugubres. En l'observant plus attentivement, il remarqua un motif gravé dans le bois. Un symbole. Un pentagramme. Plus précisément une étoile à cinq branches.

— Pourquoi cette porte ? demanda Matt.

— C'est pour elle que j'ai choisi cette église. Elle est signalée dans le journal du moine.

— C'est impossible, objecta Matt.

Le journal datait du XVIe siècle. Or l'église avait été profondément remaniée au cours des siècles. Certaines parties étaient tout à fait modernes. D'ailleurs, comment un moine espagnol aurait-il pu connaître l'existence d'une simple porte ?

— Évidemment, c'est impossible, acquiesça Morton. Mais la question n'est pas là. Je veux que tu franchisses cette porte et que tu me rapportes quelque chose que tu trouveras de l'autre côté. Ce que tu voudras. Cela suffira à me prouver que tu es... celui qu'ils prétendent.

— Qu'y a-t-il de l'autre côté ?

— À toi de me le dire. Rapporte-moi ce que tu trouveras. Je t'attendrai ici.

— Pourquoi ne venez-vous pas avec moi ?

Morton laissa échapper un petit rire où ne perçait pas la moindre trace d'humour.

— Tu ne sais vraiment rien, dit-il d'une voix redevenue pressante. Nous n'avons pas le temps de discuter. Fais ce que je te dis. Maintenant. Sinon je m'en vais et vous n'entendrez plus jamais parler de moi.

Matt poussa un soupir. Il ne comprenait rien. Mais discuter ne servait à rien. Il avait qu'une envie : en finir. Et c'était le seul moyen. Après un dernier regard au libraire, il se dirigea vers la porte. Lentement, il tendit le bras et posa la main sur la poignée de fer. Alors seulement il se rendit compte que si la porte était trop petite pour l'église, elle était parfaitement ajustée à sa taille.

La porte avait été conçue pour un enfant.

Il tourna la poignée. Poussa la porte. Et avança.

Tandis que Matt parlait avec William Morton, la porte principale de l'église s'était ouverte sans que ni l'un ni l'autre ne s'en aperçoive. Ils n'avaient pas vu l'homme entrer. C'était un homme crasseux, vêtu de haillons, avec une barbe et un nez cassé. Matt l'avait croisé dans Moore Street au moment où le clochard sortait du pub, feignant d'être soûl.

L'homme resta immobile un moment pour accoutumer sa vue à la pénombre, puis s'engagea dans l'abside. Il ne lui fallut pas longtemps pour trouver le libraire. Morton se tenait à côté d'une porte réduite de moitié, balançant son poids d'un pied sur l'autre comme s'il attendait d'entrer chez un dentiste. Il serrait dans sa main un petit paquet enveloppé de papier brun.

Le journal…

Le barbu au nez cassé avait été payé pour s'emparer du livre, tuer Morton, et supprimer également le garçon s'il se trouvait là. Or Morton était seul et l'homme s'en félicita secrètement. Tuer des enfants lui déplaisait, même si cela s'avérait parfois nécessaire.

Il plongea la main dans la poche de son manteau et en sortit quelque chose. Le couteau ne mesurait qu'une dizaine de centimètres, mais c'était bien suffisant. L'homme savait s'en servir. Il était capable de tuer avec une lame moitié moins longue.

Il jeta un coup d'œil vers l'autel et fit rapidement le signe de croix avec la pointe de son couteau, effleurant son front, sa poitrine, ses deux épaules.

Puis, avec un sourire, il avança.

Il faisait trop chaud.

Ce fut la première pensée de Matt. Quand il était entré dans l'église, il faisait une journée d'été normale pour Londres. C'est-à-dire ensoleillée mais fraîche. Et la plupart des gens se réjouissaient qu'il ne pleuve pas. Or, pendant le peu de temps où il était resté dans l'église, la température extérieure semblait avoir monté. Le soleil tapait plus fort, le ciel était d'un bleu méditerranéen tout à fait inhabituel, il n'y avait plus un nuage.

Et ce n'était pas la seule chose insolite.

En poussant la porte, Matt s'était vaguement attendu à déboucher dans Moore Street. Au lieu de cela, il se retrouvait dans un cloître : une galerie couverte, autour d'une cour carrée, avec une fontaine au milieu. Ceci n'avait rien de surprenant. La plupart des églises possédaient un cloître, ce lieu où les prêtres se promenaient pour méditer.

Mais ce cloître se différenciait radicalement de l'église, par son ancienneté et sa beauté. Les piliers soutenant les voûtes étaient plus ornementés. Et la fontaine d'une grâce infinie, sculptée dans une pierre blanche, avec de l'eau cristalline qui cascadait d'une vasque à l'autre. Matt ne connaissait rien ni à l'art ni à l'architecture, pourtant il lui parut évident que cette fontaine n'avait rien d'anglais. Pas plus que le cloître. Son regard erra de la pelouse parfaitement tondue aux fleurs joyeusement colorées qui débordaient de bacs en terre cuite. Comment une église aussi miteuse et négligée que Sainte-Meredith pouvait-elle avoir un cloître aussi parfait ?

Matt jeta machinalement un regard en arrière et un autre prodige se produisit. Devenait-il fou ou bien la façade de brique était-elle différente ? Une tour carrée se dressait, mais aucune trace de flèche pointant au-dessus du clocher, pas plus ancienne que moderne.

La bâtisse ne ressemblait en rien à celle qu'il venait de quitter.

L'illusion était totale. William Morton essayait de lui jouer un tour.

Le libraire lui avait demandé de rapporter quelque chose. N'importe quoi. Et Matt n'avait qu'une envie : sortir d'ici et se retrouver en terrain connu. Il s'approcha d'un des pots en terre cuite et cueillit une fleur mauve. Il se sentait stupide, sa fleur à la main, mais c'était ce qu'il avait trouvé de plus près et il ne tenait pas à s'attarder. Il fit donc demi-tour, prêt à revenir sur ses pas, lorsque quelqu'un apparut sur son chemin. C'était un jeune homme, vêtu d'une robe brune. Un moine.

Matt se sentit déplacé, avec son jean et son sweat-shirt à capuche, la fleur à la main.

— Bonjour ! lança-t-il, à court d'inspiration, en brandissant la fleur. C'est pour un ami.

Le moine lui répondit. Mais pas en anglais. Dans une langue étrangère que Matt identifia comme de l'espagnol, ou de l'italien. Le moine ne semblait pas en colère. Il paraissait même plutôt amical, bien que visiblement intrigué.

— Vous parlez anglais ? demanda Matt.

Le moine leva une main, rapprochant l'index du pouce. Le symbole universel pour signifier « un peu ».

— Il faut que je m'en aille, dit Matt en désignant la porte. On m'attend…

Le moine ne tenta pas de le retenir. Matt ouvrit la porte.

Il était de retour dans Sainte-Meredith.

Mais William Morton n'y était plus.

Matt regarda autour de lui, se sentant de plus en plus ridicule avec sa fleur à la main. Le libraire s'était moqué de lui. Il avait profité de son absence pour filer. Jamais il n'avait eu l'intention de lui remettre le journal. Tout cela n'avait servi à rien.

C'est alors que la femme hurla.

Elle poussa un cri si puissant et si aigu qu'on dut l'entendre dans tout Shoreditch. Le cri s'éleva dans l'église, suivi par un deuxième puis un troisième, chacun faisant écho au précédent. Matt se retourna et la vit : une vieille femme tout enveloppée de noir, à quelques mètres, le doigt tendu. En même temps, il vit le sang sur les dalles froides du sol.

Il s'élança.

William Morton gisait sur le dos, une main crispée sur son estomac comme pour refermer la blessure que le couteau y avait faite. Il y avait beaucoup de sang. D'abord, Matt le crut mort. La femme hurlait toujours. Aucun des autres fidèles n'avait osé approcher mais ils chuchotaient, prudemment tapis dans l'ombre. Soudain, le libraire ouvrit les yeux. Il regarda Matt, vit la fleur dans sa main et, en dépit de tout, il esquissa un sourire. C'était comme si Matt avait apporté des fleurs à son enterrement tout proche.

— Tu es…

William Morton eut juste le temps de prononcer ces deux mots avant de mourir.

Au même instant, les portes de l'église s'ouvrirent brutalement et une demi-douzaine d'hommes s'y engouffrèrent. Matt reconnut les uniformes de la police. Nexus n'avait donc pas menti. Il y avait effectivement un cordon de protection aux abords de l'église. Malheureusement bien inutile. La police arrivait trop tard.

Matt était cerné. D'autres personnes se mirent à crier. Les policiers tentaient de les tenir à l'écart. Des renforts arrivèrent. Parmi eux, Matt en reconnut un. Le préfet de police adjoint. Il avait l'air lugubre.

Richard Cole accourut quelques minutes plus tard avec Fabian. Pendant ce temps, on avait recouvert le corps de Morton et la congrégation avait quitté les lieux. Des secours avaient afflué. Matt était assis dans un coin, seul, immobile. Il n'avait pas lâché la fleur qui commençait déjà à se flétrir. Du sang tachait ses tennis.

— Ça va, Matt ? s'écria Richard, horrifié.

— Oui, ça va.

Matt se demandait s'il était en état de choc. Il ne ressentait rien.

— Je n'ai pas le journal du moine. L'assassin l'a emporté.

— Comment savaient-ils qu'il était là ? murmura Fabian. Personne n'était au courant de ce rendez-vous. Uniquement nous.

— Quelqu'un d'autre savait, dit Matt avec un geste vers le mort. Ils ont pris le livre. Morton l'avait avec lui, tout à l'heure. Il a disparu.

— Au diable ce satané journal, grogna Richard. Tu étais avec Morton. Tu aurais pu être tué, toi aussi. Il fronça les sourcils et reprit : Que s'est-il passé ? Tu as vu l'assassin ?

— Non. J'étais dans le cloître. Morton m'avait envoyé lui chercher ça, expliqua Matt en montrant la fleur.

Ce fut au tour de Fabian de paraître intrigué.

— Quel cloître, Matt ?

— L'église a un cloître, juste à côté. Morton m'a demandé d'y aller. Selon lui, c'était une sorte de test. Mais je crois qu'il mentait.

— Sainte-Meredith n'a pas de cloître, objecta Fabian.

— Si, par là, insista Matt.

— Sortons, suggéra Richard. Tu as besoin d'air.

— Sainte-Meredith n'a pas de cloître, objecta Fabian.

Irrité, Matt se dirigea vers la porte.

— C'est ici, dit-il.

Il ouvrit la porte. Et se figea net.

Derrière la porte, il n'y avait ni cloître, ni fleurs, ni fontaine, ni moine. Seulement une ruelle bordée de poubelles et, de l'autre côté, une arrière-cour crasseuse, jonchée de gravats et de détritus.

Matt contempla la fleur dans sa main, puis la jeta comme si elle le brûlait. La fleur flotta dans une flaque, unique tache de couleur dans un monde de grisaille.

# 7

# Zone dangereuse

Pour finir, tout semblait trop facile.

Matt ne voulait pas s'impliquer. Il aurait aimé oublier Nexus, les Anciens, William Morton, le journal du moine, la seconde porte et tous les autres phénomènes bizarres qui resserraient leur étau autour de lui et s'emparaient de sa vie. Et visiter le Pérou n'était pas son désir le plus cher. Pourtant il était là, assis dans un jet de la British Airways roulant sur la piste de l'aéroport de Heathrow, en partance pour Lima, via Miami. Une fois de plus, il avait la sensation de ne pas avoir eu le choix. C'était arrivé. Voilà tout.

Après la mort du libraire dans l'église Sainte-Meredith, Nexus avait tenu une nouvelle réunion.

— Matt, nous voulons t'envoyer au Pérou.

Cette fois, c'était Susan Ashwood qui avait fait presque tous les frais de la conversation. Peut-être parce que c'était elle, pensaient ses associés, qui le connaissait le mieux.

— Le journal du moine nous a échappé. Ce n'est pas ta faute mais c'est une catastrophe. Cela signifie que l'amateur sud-américain l'a probablement déjà entre les mains, ou l'aura bientôt. Le journal lui indiquera comment localiser la porte. Plus grave encore, il lui indiquera comment l'ouvrir.

— Matt n'y peut rien ! objecta Richard. Vous l'expédiez à l'autre bout du monde… mais pour quoi faire ?

— Je peux difficilement répondre à cette question, M. Cole. Comment vous expliquer ? Imaginez qu'il s'agit d'une partie d'échecs. La perte de Morton équivaut à la perte d'un pion. Envoyer Matt au Pérou, c'est avancer un cavalier. C'est peut-être trop tard. Inutile. Mais au moins cela montre que nous attaquons toujours.

— Matt et la porte sont liés, dit Nathalie Johnson. Visiblement, l'Américaine avait déjà pris sa décision : Il en fait partie. Un événement va se produire au Pérou et, quel qu'il soit, Matt doit être présent.

— Le Pérou est un grand pays. Où sommes-nous censés commencer ? demanda Richard.

— Dans la capitale. Lima.

— Pourquoi Lima ?

— Nous avons un indice, répondit le sous-préfet.

William Morton avait son téléphone portable sur lui lorsqu'il a été tué. Heureusement pour nous, l'assassin ne l'a pas pris. Je l'ai examiné et j'ai constaté que Morton avait passé une dizaine d'appels au cours de la semaine précédente. Certains à nous, bien entendu. Mais trois à un numéro à Lima.

— Nos recherches nous ont menés à Salamanda News International, conclut le Français.

— Qu'est-ce que c'est ? demanda Richard.

— L'une des plus grosses entreprises du continent, répondit Nathalie Johnson. Et l'homme qui la gouverne, Diego Salamanda, est l'un des hommes les plus riches. J'ai traité quelques affaires avec lui par le passé. Mais je ne l'ai jamais rencontré. On raconte qu'il est atteint d'une infirmité physique et qu'il ne se montre jamais. Il dirige des journaux, des chaînes de télévision hertzienne et par satellite, des maisons d'édition, des hôtels, et il contrôle tout à partir de son bureau de Lima.

— C'est lui qui essayait d'acheter le journal du moine ?

— Peut-être, répondit Nathalie Johnson. Nous n'en avons pas la preuve. Mais rien ne se passe dans son organisation sans qu'il soit au courant. Donc cela revient au même. Et si Diego Salamanda est contre nous, c'est une mauvaise nouvelle. Il est puissant. D'un autre côté, cela a un avantage car nous savons qui est notre ennemi. Et ça nous donne un point de départ.

— D'accord, dit Richard. Vous envoyez Matt à Lima. Mais que fait-il, une fois là-bas ?

— Il réside chez moi, répondit Fabian. Vous serez tous les deux mes invités. Je vous ai dit que je possède une maison à Barranco. C'est un quartier tranquille de la ville, pas très loin de la plage, où habitent de nombreux artistes et écrivains. Vous y serez à l'abri.

— William Morton se croyait à l'abri, lui aussi. Et regardez ce qui lui est arrivé !

— Nous ne comprenons pas ce qui s'est passé, admit Susan Ashwood. Nous n'avons appris le lieu de rendez-vous que la veille. Et, bien entendu, nous ne l'avons dit à personne. Nous en sommes réduits à supposer que William Morton a été suivi. Néanmoins, je suis de votre avis, M. Cole. La sécurité de Matt est d'une importance primordiale, c'est pourquoi il nous faut prendre des précautions supplémentaires. Personne ne doit savoir que vous avez quitté l'Angleterre.

— Et le contrôle des passeports ?

— Précisément ! acquiesça Susan Ashwood.

— Je m'en occupe, déclara le sous-préfet, prenant la relève. Je vais vous faire établir de faux passeports. Ce Diego Salamanda ne dispose peut-être pas d'agents à Heathrow, mais il en a certainement à Lima. Vous voyagerez donc tous les deux sous des noms d'emprunt. Personne en dehors de cette pièce ne saura qui vous êtes.

— Ça paraît quand même absurde, dit Richard.

Votre plan est de ne pas avoir de plan. Allez au Pérou ! Fin de l'histoire !

— Non, le coupa Matt. C'était presque la première fois qu'il intervenait, et les treize adultes assis autour de la table se tournèrent tous vers lui : Je pense que Miss Ashwood a raison. On ne peut pas faire comme si rien ne s'était passé, Richard. La seconde porte se trouve au Pérou et elle va s'ouvrir. Nous devons être sur place.

Depuis cette réunion, trois jours s'étaient écoulés. À présent, assis dans l'avion, Matt se demandait ce qui l'avait poussé à montrer autant de détermination.

Les membres de Nexus avaient peut-être raison, après tout. Sa vie était liée à la seconde porte et il ne pouvait se dérober. Ou bien une partie de lui-même tenait véritablement à combattre un ennemi très ancien. Difficile d'avoir une certitude. Tout ce qu'il savait, c'est qu'il avait chaud et mal au cœur. Au moment où les réacteurs se mirent à rugir, juste avant le décollage, il eut l'impression qu'ils allaient se décrocher des ailes. Comment ce monstrueux engin, avec ses six cents passagers, valises, plateaux-repas et cargaisons diverses, pouvait-il se maintenir en l'air ? Matt n'avait volé que deux fois au cours de sa vie, pour des sauts de puce à Marseille et à Malaga avec ses parents, quand il était petit. Or ce vol allait durer dix-sept heures ! Il n'avait pas peur de ce qu'il allait trouver au Pérou. Mais il avait peur du voyage.

Vingt minutes plus tard, le 747 volait au-dessus de

la couche de nuages et quittait déjà la côte ouest de l'Angleterre. C'était l'heure du déjeuner et une hôtesse leur présenta le menu.

— Vous désirez boire quelque chose, M. Carter ?

Il fallut un instant à Matt pour réaliser qu'elle s'adressait à eux. Paul et Robert Carter, deux frères voyageant ensemble. C'étaient les noms figurant sur leurs faux passeports.

— Une bière, s'il vous plaît, répondit Richard.

— Pour moi, juste un verre d'eau, ajouta Matt.

Ils voyageaient en classe Affaires, à l'avant de l'appareil. Les tickets coûtaient plusieurs milliers de livres, une broutille comparée aux millions que Nexus était prêt à verser pour le journal du moine. L'organisation n'était visiblement pas à court de moyens. Matt s'enfonça dans son siège. Il disposait d'un écran de télévision personnel, avec un choix d'une dizaine de films, ainsi qu'une sélection de jeux vidéo. Richard lui avait aussi acheté des livres et des magazines. Mais il n'avait goût à rien. Suspendu en plein ciel quelque part au-dessus de la mer d'Irlande, il se sentait vide, déconnecté.

— Tu as envie d'en parler ? suggéra Richard.

— De quoi ?

— De la porte dans l'église. De ce que tu as vu de l'autre côté.

— Je ne sais pas, répondit Matt en secouant la tête. J'y ai beaucoup réfléchi. William Morton a choisi cette église à cause d'une chose qu'il a lue dans le journal du moine. Il s'est servi de la porte comme d'un test pour s'assurer que j'étais bien celui qu'il pensait.

— Oui, acquiesça Richard. N'importe qui d'autre, en ouvrant la porte, se serait retrouvé dans une ruelle sordide de Londres.

— Mais moi, j'ai atterri ailleurs. Je ne suis même pas sûr que c'était en Angleterre. (Matt réfléchit un instant avant de poursuivre.) Tu te souviens de ce que disait le reportage que nous a montré Fabian ? On parlait d'un réseau Internet au sein de l'Église...

— C'était l'une des prédictions du moine.

— Eh bien, ça y ressemble. Quand tu es assis devant un ordinateur, il te suffit d'un simple clic de souris pour aller où tu veux. Tu peux te mettre en liaison avec un autre ordinateur, n'importe où dans le monde. C'est peut-être le même genre de procédé. Mais réel. Pas virtuel.

— Génial ! sourit Richard. Donc, il te suffit de trouver une autre porte d'église au Pérou et tu pourras rentrer à la maison sans avoir à acheter un ticket de retour !

L'hôtesse revint avec leurs boissons. Le soleil pénétrait à flot par les hublots. Le fumet du déjeuner s'échappait de la cuisine et flottait déjà dans la cabine. Quatre mois plus tôt seulement, Matt habitait avec sa tante à Ipswich. Il avait de mauvaises notes en classe, survivait tant bien que mal du lundi au vendredi, et perdait son temps le samedi et le dimanche. Et maintenant il était dans un 747 à destination de Lima. C'était difficile à croire.

Richard dut deviner le fil de ses pensées.

— Tu n'étais pas obligé de faire ça.

— Si, Richard. Je crois. (Matt regardait par le hublot. Il n'y avait rien à voir. Juste des nuages et le ciel vide.) Susan Ashwood le savait. William Morton aussi. Je suis impliqué dans cette histoire. Je l'ai toujours été. J'ai essayé de prétendre le contraire et j'ai failli causer la mort de centaines de personnes. Il poussa un soupir et ajouta : Toi, tu n'es pas obligé d'être ici. Mais moi, oui.

— De toute façon, tu n'iras nulle part sans moi.

— Alors nous sommes piégés tous les deux.

Le vol était interminable. Matt regarda un film, puis un autre. Il lut une partie de son livre. Il essaya de dormir. Sans succès. Le bruit des réacteurs le cernait et il ne parvenait pas à oublier qu'il était suspendu dans l'espace, très loin au-dessus du sol. Ils atterrirent à Miami et passèrent deux heures dans une salle de transit anonyme tandis qu'on refaisait le plein de kérosène. L'horloge biologique de Matt lui signalait qu'il était déjà tard dans la soirée, malgré le soleil éclatant qui brillait dehors. Une journée entière s'était écoulée et il se sentait épuisé.

Enfin l'avion redécolla et, soudain, la météo devint mauvaise. Le ciel s'assombrit, des éclairs zébrèrent le ciel, se reflétant sur la carlingue argentée. Le 747 pénétra dans une zone de turbulences et l'estomac de Matt se souleva quand le sol se déroba momentanément sous ses pieds. Dans la classe affaires, l'éclairage était tamisé. Une douce lueur jaune éclairait les passagers, bien calés dans leurs sièges, qui s'efforçaient de paraître détendus mais qui serraient violemment leurs accoudoirs. Personne ne parlait. Mais à chaque bourrasque faisant vibrer l'avion, à chaque rugissement de réacteur tombant dans un trou d'air, une ou deux personnes poussaient un juron à voix basse ou murmuraient une prière silencieuse.

Curieusement, au milieu de cette ambiance crispée, Matt réussit enfin à s'endormir, sans même s'en rendre compte. Il essayait de se concentrer sur un autre film, tout en comptant les minutes qui les séparaient de l'atterrissage, quand, soudain, il se retrouva ailleurs.

L'îlot. Il le reconnut aussitôt. Le paysage lui paraissait si familier qu'il devait se convaincre qu'il n'y était jamais allé en réalité. Uniquement dans ses rêves. Il y avait le piton rocheux, noir et brisé. Et la mer, répugnante comme du goudron liquide, qui s'étalait partout. Pas de vent, mais des nuages qui filaient à toute allure dans un ciel sombre. Qu'est-ce que cela signifiait ? Pourquoi était-il là ? Pourquoi y revenait-il si fréquemment ?

Il baissa les yeux et vit l'étrange embarcation en roseaux qui avait traversé le détroit pour le rejoindre.

Elle avait atteint l'îlot et gisait, abandonnée sur le sable gris.

« Matt ! »

Quelqu'un criait son nom. Il se retourna et vit le garçon de la barque, debout sur une saillie rocheuse, juste en dessous de lui. Ils avaient à peu près le même âge, mais le garçon était plus petit, plus mince, et vêtu de haillons. Matt ouvrit la bouche pour lui répondre. Il savait qui il était et pourquoi il était là. Il venait le chercher pour le conduire aux trois autres, qui attendaient sur le continent.

Mais les mots ne vinrent pas. Un cri retentit. Matt leva les yeux juste à temps pour voir le cygne plonger du ciel, le cou étiré en avant. Il fonçait vers lui avec toute la puissance d'un avion sur le point de s'écraser. Le cygne se rapprochait, son bec ouvert envahissait tout son champ de vision comme s'il allait l'avaler tout entier.

L'autre garçon poussa un cri. Matt se sentit tomber.

Il y eut une secousse et il ouvrit les yeux.

Richard était assis à côté de lui.

Ils étaient arrivés à Lima.

Matt eut l'impression que l'aéroport Jorge-Chavez était encore en construction. Après les lumières éclatantes et le brouhaha de Heathrow, où la foule s'agglutinait dans les boutiques de duty-free comme si c'était chaque jour Noël, ils débarquaient dans un espace nu, vide, dans lequel les passagers étaient invités à faire la queue devant une rangée de cubes vitrés, occupés par des gardes-frontière en uniforme. Il manquait des plaques au faux plafond du hall des arrivées et aucun ventilateur ne fonctionnait. Quelques plantes vertes dépérissaient dans la chaleur moite. L'accueil au Pérou était des plus anonymes.

Matt se sentait fatigué et crasseux, et Richard, à côté de lui dans la file d'attente, ne semblait pas en meilleur état. Mais il y avait autre chose. En regardant les passagers qui avançaient devant lui, en entendant le martèlement des tampons sur les passeports, Matt se sentit aussi gagné par la nervosité. Il réalisait seulement maintenant que Richard et lui commettaient un délit grave en voyageant avec de faux papiers. Nexus avait sans doute eu de bonnes raisons, mais tout à coup l'idée ne lui paraissait plus aussi judicieuse.

Ils s'arrêtèrent bientôt devant un fonctionnaire à la mine lasse et soupçonneuse. La méfiance était son métier. Matt sentit son cœur s'accélérer lorsque Richard présenta leurs papiers. Il jeta un coup d'œil autour de lui. Une partie du hall était étayée par des échafaudages sous lesquels oscillait une grande pancarte : *NO CRUZAR. ÁREA DE PELIGRO.* Richard, qui avait suivi son regard, traduisit :

« Passage interdit. Zone dangereuse. »

Matt hocha la tête, se demandant si cet avertissement était prémonitoire.

Le garde-frontière avait glissé les passeports sous

un appareil et examinait attentivement un écran de télévision. Il leva la tête et questionna, sans doute pour la dix millième fois :

— Quelle est la raison de votre visite ?

— Nous sommes en vacances, mentit Richard.

Le tampon s'abattit deux fois. C'était fini. Ils étaient passés. Matt s'en voulait de s'être inquiété.

Il était convenu que Fabian ne viendrait pas les chercher à l'aéroport pour ne pas attirer l'attention, mais enverrait un chauffeur. En effet, un solide Péruvien en chemisette blanche les attendait après la réception des bagages. Il brandissait un panneau avec leurs faux noms : Paul et Robert Carter. Deux frères en vacances. Rien à voir avec Matthew Freeman et Richard Cole, venus au Pérou pour sauver le monde.

— *Buenos dias*, dit-il en s'emparant de leurs valises. Je m'appelle Alberto. M. Fabian vous souhaite la bienvenue. J'espère que vous avez fait un bon voyage.

— Long, répondit Richard.

— Un long vol, oui, dit le chauffeur en riant. Vous venez de très loin. Mais M. Fabian est tout près. Je vous conduis à lui.

Il les guida au milieu d'une foule pressante, qui les entoura aussitôt en criant « Taxi ! Taxi ! » et en tentant de prendre leurs bagages. Matt était ivre de fatigue. C'était le début de la soirée et une obscurité lourde pesait dans le ciel. L'air chaud empestait le diesel. Il espérait que le trajet ne serait pas trop long.

Leur véhicule était un minibus flambant neuf.

Quand la porte coulissante se ferma et que le conducteur démarra, l'air frais du climatiseur se répandit agréablement. Matt se laissa aller contre le dossier en cuir, à côté de Richard.

— Le Pérou…, murmura le journaliste.

— Oui, le Pérou, dit Matt, à court de commentaire.

— Ce n'est pas aussi… péruvien que je l'imaginais. Il ne devrait pas y avoir des lamas ?

— Nous sommes à l'aéroport, Richard.

— En tout cas, ça manque de couleur locale.

Richard ferma les yeux.

Matt regarda par la fenêtre. Après ce voyage interminable, ces longues heures passées en vol, il avait du mal à croire qu'ils étaient arrivés. L'Amérique du Sud ! Pas seulement un pays étranger, mais un continent entier ! Un monde nouveau, différent.

Ils passèrent devant une sorte de base navale – l'aéroport se trouvait près de la mer –, et s'engagèrent sur une autoroute à six voies, se fondant dans le flot de véhicules qui surgissaient de toutes parts. Des bus aux couleurs vives, d'une contenance de vingt passagers mais en transportant le double, les dépassaient avec des grondements effrayants. Des camionnettes Toyota, également surchargées, zigzaguaient au milieu de la circulation, klaxon hurlant. De chaque côté, la route était bordée par une large bande de terrain vague, jonchée de vieux pneus, de bidons d'huile et de divers détritus. Des murs en ruine, couverts de graffitis, jalonnaient le parcours, ainsi que d'antiques tours de guet, dont certaines brandissaient le drapeau péruvien rouge et blanc. Matt avait l'impression qu'une guerre s'était livrée là, il y avait très longtemps, mais que la population continuait encore de débarrasser les décombres.

Bizarrement, l'enchevêtrement de ruines, de graffitis et de circulation parvenait à s'amalgamer dans quelque chose qui ressemblait vaguement à une ville.

En approchant de Lima, Matt vit une rangée d'immeubles de bureaux modernes, un garage sur lequel le nom REPSOL brillait en lettres de néon, quelques boutiques, encore ouvertes, et des gens qui flânaient. Des images de la vie quotidienne. Des vélos-taxis vert et rouge les dépassaient, faisant criailler leurs petits klaxons rageurs. De grands panneaux d'affichage, arborant des publicités pour des ordinateurs et des téléphones portables, poussaient çà et là, bloquant la vue. Puis ils quittèrent l'autoroute et revinrent vers la mer, grise et hostile, roulant sur une plage de sable qui semblait mélangé à du ciment, à peine plus attrayante qu'un chantier de travaux publics.

— C'est loin, chez Fabian ? s'enquit Richard.

Le chauffeur leva les yeux, l'air nerveux, et croisa le regard de Richard dans le rétroviseur.

— Nous n'allons pas chez lui.

— Pourquoi ?

— Nous allons à l'hôtel Europa, à Miraflores. C'est tout près d'ici. M. Fabian vous y attend.

Richard jeta un coup d'œil à Matt. Le changement de programme l'intriguait. Personne ne leur avait parlé d'un hôtel.

Ils s'arrêtèrent à un feu tricolore. Le vacarme était plus assourdissant que jamais. Tout autour d'eux, des chauffeurs s'acharnaient sur leurs klaxons, exaspérés d'être obligés de patienter. Il y eut un bruit de métal tordu. Une camionnette heurta l'arrière d'une voiture. Un policier en uniforme vert donna un coup de sifflet strident pour essayer d'imposer son autorité. Un gros transistor braillait, attaché à l'arrière d'une moto. Une silhouette surgit devant le capot de leur minibus. C'était un adolescent, de l'âge de Matt, vêtu d'un jean et d'un T-shirt crasseux, jonglant avec trois balles. Il semblait beaucoup s'amuser, envoyant les balles tournoyer en cercle au-dessus de sa tête. Il jongla pendant quelques secondes, puis salua et tendit une main pour quêter quelques pièces. Le chauffeur secoua la tête. Aussitôt, le visage rieur de l'adolescent se crispa en une grimace de colère. Il poussa un juron et cracha contre la vitre. Le feu passa au vert et ils redémarrèrent. Matt en fut soulagé. Jamais il ne s'était trouvé dans une ambiance pareille.

Le minibus roulait maintenant dans une rue plus tranquille, plus résidentielle, qui s'éloignait du front de mer. Matt eut le sentiment qu'ils approchaient de l'hôtel.

— Quelle heure est-il ? demanda-t-il à Richard.

— Je ne sais pas.

Il fit pivoter son poignet pour regarder sa montre, et Matt se rendit compte qu'il s'était assoupi. L'un et l'autre oscillaient entre veille et sommeil.

— Je suis resté à l'heure anglaise. Voyons, il doit être…

Richard n'acheva pas sa phrase.

Le véhicule stoppa brutalement. Ils furent projetés en avant. Le chauffeur éructa quelques mots en espagnol d'une voix gutturale. Une fourgonnette bleue avait surgi d'une rue latérale et leur avait bloqué la route. D'abord, Matt crut à un simple accident. Puis les portes de la fourgonnette s'ouvrirent. Quatre hommes en descendirent pour courir vers eux. Matt comprit alors que cela n'avait rien d'accidentel. Ils étaient tombés dans un piège. Ces types les attendaient.

Alberto le comprit aussi. Avec la sensation de vivre un cauchemar, Matt vit le chauffeur plonger la main dans la boîte à gants pour en sortir un revolver. Ce que Fabian avait sans doute redouté se produisait. Voilà pourquoi il avait modifié leur destination. Et pour quelle autre raison aurait-il armé son chauffeur ?

Alberto n'était pas le seul à être armé. Deux des hommes jaillis de la fourgonnette portaient des armes de poing. Tout se déroula si vite que Matt eut à peine le temps d'entrevoir leurs visages, sombres et déterminés, leurs cheveux longs et noirs. Ils portaient des jeans, des chemises à col ouvert aux manches relevées. Puis quelqu'un tira et le pare-brise s'étoila, autour d'un unique trou. Alberto poussa un cri. Il avait été touché à l'épaule. Son sang gicla sur le dossier. Mais il leva son arme et fit feu à trois reprises. La vitre avant vola en éclats. Les hommes de la fourgonnette hésitèrent, puis se mirent à couvert.

C'est alors que Richard entra en action. Saisissant Matt d'une main, il ouvrit sa portière de l'autre. Il se tenait du côté droit du minibus, le plus éloigné de la fourgonnette.

— Fonce ! cria-t-il.

— Non, *señor* !

Alberto se tourna vers lui.

Richard l'ignora. Tirant Matt derrière lui, il glissa rapidement hors du véhicule pour courir dans la rue. Matt ne résista pas. Il était étourdi. Il ne comprenait pas ce qui se passait. Mais il était d'accord avec Richard : ils seraient moins en danger à l'air libre.

Deux autres coups de feu claquèrent. Du coin de l'œil, Matt aperçut Alberto descendre gauchement du minibus et s'éloigner en courant dans le crépuscule, une main pressée sur son épaule blessée. Il les abandonnait ! Richard et Matt étaient dans une rue bordée de maisons des deux côtés, mais personne n'avait osé sortir.

— Cours ! cria Richard. Ne t'arrête pas ! Cours !

Matt ne se le fit pas répéter deux fois. Il s'élança dans la direction par laquelle ils étaient arrivés. Il faisait sombre. Les réverbères projetaient un sinistre éclairage jaunâtre. Il faisait chaud. La sueur ruisselait sous ses vêtements.

Les hommes couraient derrière eux. Qui étaient-ils ? Qui les avait envoyés ? Matt n'osait pas se retourner mais il entendait leurs tennis claquer sur la chaussée. Ils se rapprochaient.

Richard cria.

Matt s'arrêta et se retourna. Deux des hommes avaient empoigné le journaliste. Matt distingua nettement l'un d'eux. Il avait un visage rond, presque féminin, une petite cicatrice sur la tempe, près de l'œil. Il tenait Richard, un bras serré autour de son cou. Les deux autres arrivaient au pas de course.

Richard se débattait comme un forcené. Un bref instant, il parvint à se dégager.

— Continue, Matt ! Cours !

Richard décocha un coup de pied dans le ventre d'un de ses assaillants. L'homme poussa un grognement et s'effondra. Mais le deuxième, celui à la cicatrice, l'avait à nouveau empoigné, rapidement rejoint par les deux autres. Maintenant, ils étaient à trois contre un. Impossible pour Matt de secourir Richard. Il se remit à courir. Il entendit l'un des hommes l'appeler. Il n'aurait pas pu le jurer mais il crut entendre son nom. Son véritable nom. Ainsi donc ils connaissaient son identité ! L'embuscade était préméditée depuis longtemps.

Matt tourna à un angle et s'élança dans une ruelle. Puis il tourna de nouveau, déboucha sur une grande artère et la traversa, en zigzaguant au milieu de la circulation. Quelqu'un le houspilla. Un bus fila devant lui à toute vitesse et il sentit son souffle chaud le fouetter. Il déboucha sur un terrain vague et le traversa. Un chien sale et famélique aboya derrière lui. Des femmes l'observaient avec curiosité.

Enfin il s'arrêta, hors d'haleine, inondé de sueur. Sa chemise lui collait à la peau. La fatigue du décalage horaire lui pesait sur les épaules, lui donnait des jambes de plomb. Il était seul. Il regarda derrière lui, au-delà du terrain vague, l'artère principale bourdonnante de voitures. Personne ne le suivait. Il les avait semés.

C'est alors seulement que l'énormité de sa situation lui apparut. Il se trouvait dans un pays étranger, sans argent, sans bagages. Le chauffeur envoyé à leur rencontre avait filé pour sauver sa peau, et son seul ami avait été kidnappé par des inconnus. Il ne savait pas où il était. Il ne savait pas comment se rendre là où il était censé aller. Et il était livré à lui-même.

# 8

# Hôtel Europa

Matt reprit doucement conscience et s'aperçut qu'il s'était endormi. Il poussa un grognement et se roula en boule, refusant de se réveiller tout à fait. Il n'était pas encore prêt à affronter la réalité. Il se sentait vidé, au sens propre du terme, comme si son corps avait été creusé de l'intérieur. C'était peut-être le décalage horaire. Mais plus probablement le contrecoup de ses mésaventures. Il avait les bras et les épaules douloureux, la bouche sèche. Qu'est-ce qui l'avait arraché au sommeil ? Ah oui… une main dans sa poche de veste. Pour couronner le tout, on venait de le voler.

Matt ouvrit les yeux et découvrit un garçon aux cheveux noirs penché sur lui. Le garçon tressaillit, alarmé. Matt cria et le repoussa. Le garçon perdit l'équilibre et tomba à la renverse. Matt se releva d'un bond.

— Ne m'approche pas ! Qui es-tu ? Laisse-moi tranquille !

Le garçon garda le silence. Évidemment, il ne parlait pas anglais, cela aurait été étonnant. Matt l'examina. Malgré les récents bouleversements et la confusion qui régnait dans son esprit, il eut l'impression de le connaître. Et même depuis très longtemps. Soudain, la mémoire lui revint. C'était dans le minibus qui les ramenait de l'aéroport. L'adolescent qui jonglait au feu rouge entre les voitures et qui les avait injuriés.

— *No hacía nada. Era el intentar justo ayudarte.*

Il protestait sans doute de son innocence, mais Matt ne le croyait pas. Il suffisait de lire dans ses yeux bruns méfiants, dans sa façon de se tenir comme un animal acculé, prêt à jouer des pieds et des poings à tout moment. Le garçon était un sac d'os. Matt aurait pu encercler son bras entre le pouce et l'index. Il portait un T-shirt jaune à l'effigie d'une boisson : Inca Cola, mais les lettres étaient délavées et le tissu troué par endroits. Son jean, attaché à la taille avec un bout de ficelle, était répugnant. Il portait aux pieds des sandales en caoutchouc noir.

Le garçon se releva et s'épousseta, comme si ce simple geste pouvait chasser des mois de saleté accumulée. Puis il regarda Matt d'un air agressif.

— *No he tomado nada.*

Il montra ses mains vides en guise de preuve. Il n'avait rien pris.

Matt fouilla ses poches. Il trouva le billet de dix livres qu'il avait eu la bonne idée de glisser dans son pantalon, et son passeport était encore dans sa veste. C'était toujours ça. Le garçon avait un air de fierté offensée, offusqué que l'on ait pu le soupçonner. Mais Matt était certain que s'il avait dormi trente secondes de plus, il se serait réveillé dépouillé de tout.

Il jeta un coup d'œil alentour. Il s'était assoupi contre un mur de brique bas, sous une affiche publicitaire décolorée vantant une marque de téléphones portables. Le terrain vague qu'il avait traversé dans sa fuite s'étendait devant lui, bordé de l'autre côté par une rangée de maisons inachevées. Celles-ci donnaient l'impression d'avoir été découpées au couteau par le milieu. À la place des toits, jaillissaient des tiges et des fils de fer. Il faisait encore nuit et d'affreuses lampes à arc perchées en haut de poteaux en ciment éclairaient toute la zone. Mais les premiers doigts gris de l'aube griffaient déjà le ciel. Matt voulut regarder l'heure. Sa montre avait disparu. Le garçon se trémoussa, mal à l'aise.

— Tu n'as pas l'heure, je suppose ? demanda Matt.

Le garçon tendit un bras. La montre de Matt ornait son poignet.

Matt n'essaya même pas de la récupérer. Il s'étonnait que le voleur n'eût pas déjà pris la fuite. La curiosité ? Un touriste étranger – un adolescent de son âge – perdu dans la ville. Peut-être le jeune Péruvien espérait-il gagner un peu d'argent. Matt se dit que même un voleur pouvait être utile. Après tout, il était chez lui. Il connaissait la ville.

Le moment était venu de réfléchir.

Matt devait trouver le moyen de contacter Nexus. En particulier Fabian, qui devait le rechercher. Personne n'avait imaginé que Richard et Matt se trouveraient séparés. Richard avait l'argent liquide et les cartes de crédit, les numéros de téléphone pour joindre Fabian jour et nuit.

Hormis son billet de dix livres, Matt n'avait rien. S'il apprenait à utiliser les renseignements téléphoniques, peut-être parviendrait-il à joindre Susan Ashwood à Manchester. Mais même une chose aussi simple paraissait compliquée et irréalisable. Et la police ? C'était la démarche la plus évidente, pourtant Matt doutait que le jeune Péruvien fût ravi de lui montrer le chemin du commissariat le plus proche. Restait la possibilité de trouver Barranco, le faubourg où habitait Fabian. Ce ne devait pas être très loin.

C'est alors qu'il se souvint des paroles du chauffeur, Alberto. Fabian les attendait à l'hôtel. Quel était le nom, déjà ? Après quelques minutes de concentration, la mémoire lui revint. Hôtel Europa. Oui, c'était ça. L'hôtel Europa, à Miraflores.

Le garçon semblait attendre quelque chose. Matt se frappa le torse et dit : « Matt ». Il ne servait désormais à rien de se cacher derrière un faux nom.

Le garçon hocha la tête et répondit : « Pedro. »

Chose étrange, Matt eut l'impression qu'il le savait déjà. Il s'y attendait. Avait-il entendu ce nom pendant son sommeil ?

— Tu connais l'hôtel Europa, à Miraflores ?

Pedro ne réagit pas.

Matt essaya encore, plus lentement.

— Hôtel Europa. Moi, aller à l'hôtel Europa.

— Hôtel Europa ? (Cette fois, Pedro avait compris.) *Si*…

— Tu peux me montrer le chemin ? demanda Matt en désignant la rue. Tu comprends ?

Pedro avait compris mais il ne bougeait pas. Matt lut le doute dans ses yeux. Pourquoi aiderait-il un étranger ?

Matt sortit le billet de dix livres de sa poche.

— Si tu me conduis là-bas, je te donne ça. C'est beaucoup d'argent.

Les yeux de Pedro scrutèrent le billet comme des rayons laser. C'était ce qu'il avait cherché. Il hocha de nouveau la tête et répéta :

— Hôtel Europa.

— Allons-y.

Ils se mirent en route.

Il leur fallut une heure pour atteindre l'hôtel, un immeuble moderne de douze étages, avec une allée arrondie desservant l'entrée, où un portier en uniforme était déjà à son poste pour accueillir les clients matinaux. Miraflores était l'un des quartiers les plus chics de Lima. Les rues paisibles couraient entre des pelouses bien entretenues, décorées de palmiers et de fontaines. Un centre commercial luxueux s'enorgueillissait de magasins qui auraient paru déplacés à Londres. Le faubourg entier était perché sur une colline miniature. Tout en bas, la mer formait un croissant géant qui s'étirait dans le lointain avec le reste de la ville, à peine visible.

Hôtel Europa. Matt sentit une bouffée de soulagement l'envahir lorsqu'il aperçut les larges lettres blanches au-dessus de l'entrée. Mais ce n'était pas tout. Deux véhicules de police étaient garés devant. Il ne douta pas une seconde que la police était là pour lui. Ne les voyant pas arriver, Fabian avait dû donner l'alerte.

Matt voulut avancer mais Pedro le retint.

— Ah oui, d'accord. (Il sortit le billet de dix livres et le lui tendit.) Tiens, voilà pour toi. Je te remercie.

— *No !*

Pedro semblait effrayé. Il montra du doigt les deux véhicules de police et utilisa un mot presque identique dans de nombreuses langues :

— *Policía !*

— Tout va bien, Pedro. Je veux les voir. Ce n'est pas un problème.

Mais Pedro avait vraiment l'air effrayé et réticent à le laisser partir.

Matt se dégagea et remit le billet dans sa poche.

— À un de ces jours…, dit-il, conscient que c'était une formule en l'air et qu'il ne le reverrait jamais.

Il monta l'allée et entra dans l'hôtel. Le portier lui jeta un bref coup d'œil et le laissa passer. Matt était un adolescent, un adolescent débraillé, certes, mais c'était surtout un étranger. Cela seul comptait. Matt comprit que jamais Pedro n'aurait été autorisé à approcher.

Les portes s'ouvrirent sur un vaste hall meublé de canapés en cuir, de tables anciennes, d'immenses plantes vertes et de miroirs. Matt n'avait que très rarement mis les pieds dans un hôtel de luxe, et jamais seul. Il se sentit mal à l'aise dans ce hall démesuré. L'hôtel Europa était un établissement destiné aux touristes fortunés et aux hommes d'affaires. Or il n'était ni l'un ni l'autre. Deux femmes élégamment vêtues, qui se tenaient derrière la dalle de marbre servant de comptoir de réception, lui jetèrent un regard de politesse glacée.

— J'ai besoin de votre aide, dit Matt.

— Oui ?

La plus jeune des deux réceptionnistes parut étonnée, comme si l'assistance ne faisait pas partie de son travail.

— Je m'appelle… (Matt hésita. Quel nom donner ? Il décida de s'abstenir.) Je devais retrouver quelqu'un ici.

— Qui ?

— M. Fabian.

La réceptionniste pianota sur un clavier d'ordinateur caché sous le comptoir de marbre. Ses ongles claquaient sur les touches. Un instant plus tard, elle releva la tête.

— Désolée. Nous n'avons aucun client de ce nom.

— Il n'est peut-être pas client.

Matt s'efforça de masquer son impatience.

— Je suis arrivé hier par avion. Je devais le rejoindre dans cet hôtel, mais j'ai été retardé.

— D'où viens-tu ?

— D'Angleterre.

Matt sortit son passeport et le posa sur le marbre. Il espérait que la couverture, avec ses lettres dorées, impressionnerait davantage la jeune femme que lui-même ne l'impressionnait.

Elle l'ouvrit et lut le nom sous la photo.

— Paul Carter ?

Elle lui jeta un regard bizarre. On aurait pu croire qu'elle l'attendait. Sa collègue décrocha le téléphone.

— Où est ton frère ? questionna-t-elle.

— Mon frère ?

Matt réalisa qu'elle parlait de Richard. Il ne s'était donc pas trompé : on l'attendait.

— Je ne sais pas. Où est M. Fabian ?

— M. Fabian n'est pas ici.

Le seconde réceptionniste avait obtenu son correspondant. Elle parla brièvement en espagnol, puis raccrocha.

Une porte latérale s'ouvrit.

Quatre hommes en sortirent et se dirigèrent droit vers Matt. Il y avait quelque chose de menaçant dans leur démarche. Ils avaient l'air de types sortant d'un bar à moitié ivres pour se battre. Mais avec les voitures de police garées devant l'hôtel, Matt supposa que c'étaient des militaires. Ils portaient des pantalons gris, enfoncés dans leurs bottillons, des vestes vert foncé munies d'une fermeture Éclair et des casquettes. Leur chef était un grand gaillard avec un estomac débordant, une épaisse moustache, une peau parcheminée et grêlée par la petite vérole, des cheveux noirs. Mais existait-il au Pérou une seule personne qui n'avait pas les cheveux noirs ? Il avait un corps de lutteur, des mains énormes. Tout en lui évoquait la brutalité, l'excès. Matt dut faire un effort pour se rappeler qu'il n'avait commis aucun crime et que c'était lui qui avait besoin de la police.

Du moins c'est ce qu'il croyait.

— Tu es Paul Carter ? questionna le policier.

Ces quatre mots suffirent à convaincre Matt qu'il parlait très bien l'anglais. Avec un fort accent espagnol, mais un certain rythme. En dépit de sa carrure, il avait une voix douce.

— Oui, je suis Paul Carter, répondit Matt.

— Et moi le capitaine Rodriguez. Je t'attendais. Où est ton ami ? (Il esquissa un sourire déplaisant.) Robert Carter ?

— Il n'est pas avec moi.

— Où est-il ?

Matt sentait la nervosité le gagner. Le policier avait mentionné Robert Carter comme son « ami », non son frère – ce qu'il était supposé être. Et il avait prononcé leurs deux noms comme s'il les savait faux. Pedro avait voulu le dissuader d'entrer dans l'hôtel et Matt commençait à regretter de ne pas l'avoir écouté. Il ne s'était pas attendu à une telle hostilité. Le chef des policiers se tenait devant lui, les trois autres le cernaient. Ils ne semblaient pas le considérer comme un protégé ayant besoin d'aide, mais plutôt comme un suspect, un criminel recherché.

— M. Fabian vous a appelé ? demanda Matt.

— Fabian ? Qui est Fabian ?

— Écoutez… Des gens m'ont attaqué, hier soir. J'ai besoin de votre aide.

— Ton nom est Paul Carter ?

— Oui.

Sa réponse mourut sur ses lèvres au moment même où il la prononçait. Le policier savait qui il était. Il n'avait posé la question que pour le tester. Lentement, il tendit la main vers le passeport et le saisit entre deux doigts comme un objet sale. Puis il l'ouvrit et étudia longuement la photographie.

— Où as-tu eu ça ?

— Mais… c'est mon passeport.

Matt sentit une terreur sans nom ouvrir un gouffre sous ses pieds.

— Ce passeport est un faux.

— Non...

— Quel est ton véritable nom ?

— Je viens de vous le dire. Paul Carter. Vous n'avez pas entendu ce que je vous ai dit ? J'ai été attaqué hier soir. Par des hommes armés. Il vous suffit de téléphoner à M. Fabian...

Les deux réceptionnistes assistaient à la scène, le regard apeuré. L'un des policiers aboya quelques mots à leur intention et elles déguerpirent rapidement. Un autre policier alla se poster devant la porte principale pour veiller à ce que personne n'entre. Il était encore très tôt. Aucun client ne s'était montré. Personne ne fut témoin de ce qui se passa alors.

Le chef des policiers, qui se faisait appeler le capitaine Rodriguez, frappa Matt. Celui-ci ne vit pas l'énorme poing décrire un arc de cercle dans sa direction avant qu'il entre en contact avec son estomac et le jette à terre. S'il avait avalé quelque chose au cours des douze dernières heures, il aurait vomi. Le choc lui coupa le souffle et il s'effondra sur le sol. Un voile noir lui obscurcit la vue. Il oscillait au bord de l'inconscience et il dut rassembler toutes ses forces pour recommencer à respirer. Le marbre froid lui glaçait la joue. Cela lui fit du bien. Le voile noir se dissipa.

— Tu mens, dit le capitaine Rodriguez.

Matt comprit que ses ennuis étaient bien plus graves qu'il ne l'avait imaginé. Le policier savait tout.

Il attendait Matt à l'hôtel. Peut-être y avait-il passé la nuit.

— Tu me prends pour un crétin ? Tu crois que les policiers péruviens sont des imbéciles qui ne méritent pas le respect ?

— Non...

Matt tenta de parler mais il n'avait pas retrouvé son souffle et la douleur était trop forte. Il ne comprenait rien à ce qui lui arrivait. Il avait un goût amer dans la bouche. Il se força à poursuivre. « Je veux... » Il était citoyen britannique. Peu importait ce qu'il avait fait. Ils n'avaient pas le droit de le traiter de cette façon. Le capitaine Rodriguez balança presque paresseusement le pied en avant et Matt hurla quand la botte heurta ses côtes. Une nouvelle vague de douleur lui parcourut le corps. Pendant quelques secondes, tout devint rouge et il se demanda s'ils allaient le tuer, ici, tout de suite, dans cet hôtel de luxe.

— Quoi ? Qu'est-ce que tu veux ? se moqua Rodriguez en imitant sa voix. Tu veux te confesser ? Ce serait une bonne idée, mon ami. Tu devrais me dire qui tu es réellement et pourquoi tu es venu ici. Et tu devrais me le dire tout de suite !

Il lança de nouveau son pied en avant. Matt vit la botte arriver et réussit à accompagner le mouvement, roulant sur le sol de marbre, sous le regard hilare des autres policiers.

Le capitaine Rodriguez s'approcha lentement de lui.

— Tu n'aurais pas dû venir ici, mon ami.

— Je n'ai... rien fait... de... mal.

— Tu n'as pas de papiers. Tu n'as pas de nationalité. Tu es entré dans ce pays illégalement.

Rodriguez se baissa et saisit les cheveux de Matt à pleines mains. Il tira si fort que Matt cria. Des larmes lui embuèrent les yeux.

— Tu es peut-être un terroriste. Oui, c'est ça. Un terroriste. Ton âge n'y fait rien. Il y a des terroristes encore plus jeunes. Alors, tu es prêt à me dire la vérité ?

Matt hocha la tête. Que faire d'autre ? Il était prêt à tout révéler à cet homme.

— Où est Richard Cole ? demanda Rodriguez.

— Je ne sais pas ! Matt hurla. Il était sûr que le policier allait lui arracher les cheveux. Un filet de sang coulait de son nez et du coin de ses lèvres.

— Il devait me retrouver ici ! Je ne sais pas où il est allé !

C'était un mensonge, mais ça n'avait pas d'importance. Il devait juste dire quelque chose pour que la douleur s'arrête.

Il y eut un tintement musical et la porte de l'ascenseur s'ouvrit. Un homme d'affaires apparut, sans doute pour se rendre à une réunion de travail matinale. Il fit un pas hors de la cabine et aperçut les quatre policiers encadrant un adolescent allongé au sol. Pas un mot ne fut prononcé. L'homme d'affaires cligna nerveusement des yeux et battit en retraite dans l'ascenseur. Matt songea qu'il n'oserait pas respirer avant d'avoir regagner sa chambre.

Mais au moins le capitaine Rodriguez avait lâché ses cheveux. Matt gisait sur le sol dans la position de ces dessins que trace la police après un meurtre. Il s'inquiétait pour l'état de ses côtes. Son corps tout entier était douloureux.

Rodriguez s'assit lourdement à côté de lui et glissa une main sous sa joue. L'espace d'un court instant, on aurait pu croire un père consolant son fils blessé, mais ses paroles n'exprimaient que haine et cruauté.

— Tu es un idiot, murmura-t-il. Tu as débarqué sans être invité dans mon pays et personne ne peut t'aider. Parce que, vois-tu, tu es « Paul Carter ». Tu n'existes pas. Personne ne sait que tu es ici et personne ne saura que tu as disparu. Car c'est ce qui va t'arriver, mon ami. Nous avons des endroits secrets. Des prisons où l'on entre pour ne jamais en ressortir. Ce serait très facile pour moi de te tuer. Je pourrais te liquider maintenant et aller ensuite prendre mon petit déjeuner sans même y penser. Mais je ne vais pas te tuer tout de suite, Matthew Freeman. Tu seras enterré vivant dans une cellule de ciment souterraine, où tu pourriras sans que personne n'entende plus jamais parler de toi.

Rodriguez lui souleva la tête et, approchant ses lèvres de son oreille, il conclut d'une voix haineuse :

— Diego Salamanda t'envoie ses salutations.

Puis il laissa retomber sa tête sur le marbre. Une violente douleur vrilla le crâne de Matt.

Le capitaine Rodriguez avait dû donner un signal car les trois autres policiers approchèrent pour le soulever et le traîner hors de l'hôtel. Matt n'essaya même pas de résister. Les pointes de ses pieds raclaient le sol derrière lui. Il voyait trouble. Il entrevit à peine Rodriguez devant la réception. Le portier avait déserté son poste et filé sans demander son reste, comme l'homme d'affaires. Les deux voitures de police attendaient bien Matt comme il l'avait supposé, mais pour une autre raison ! Et il s'était lui-même jeté dans la gueule du loup !

Les policiers le traînèrent vers le premier véhicule et l'un d'eux chercha les clés dans sa poche. Il n'en restait donc que deux pour le soutenir. Aurait-il la force de se débattre ? Non. Ils le tenaient trop solidement. Et ses pouvoirs spéciaux ? Matt se souvint fugitivement de l'explosion du lustre à Forrest Hill. Il eut l'impression que cela datait d'un siècle. Était-il capable de reproduire la même chose ici ? Se concentrer et faire exploser la voiture de police ? Projeter ces deux policiers en l'air comme deux marionnettes ? Ce n'était pas aussi facile. Ça ne se faisait pas en appuyant sur un bouton. Quel que soit le pouvoir dont il était doté, Matt n'arrivait pas encore à le contrôler.

Soudain, le policier qui le maintenait et qui se trouvait le plus près de la voiture poussa un cri et le lâcha.

Matt leva les yeux et vit du sang ruisseler sur son visage. Était-ce lui qui… ? Matt en était si choqué qu'il le crut. Puis il vit une pierre grosse comme un poing fendre l'air et frapper le deuxième policier en pleine face. L'homme tituba, les deux mains pressées sur son visage. Matt était libre. Il tomba contre la voiture et regarda dans la rue. La réponse se trouvait là.

Pedro. Il brandissait une fronde, façonnée avec une lanière noire, de caoutchouc ou de cuir. Il l'avait utilisée avec une adresse stupéfiante, mettant hors de combat les deux policiers. Mais il en restait un : celui qui avait les clés. Matt poussa un cri d'avertissement en le voyant dégainer son arme.

Pedro ne lui laissa pas le temps de la sortir. Il tira un troisième projectile avec son lance-pierre et frappa le policier juste au-dessus de l'œil. L'homme poussa un juron et lâcha son arme.

— Matt ! cria Pedro.

Matt se retourna. Le capitaine Rodriguez venait de surgir de l'hôtel, alerté par les cris de ses hommes, son arme à la main. Il comprit très vite la situation. L'adolescent anglais était libre, appuyé contre la voiture censée l'emmener. Et il y avait un autre garçon, muni d'une fronde. Rodriguez visa le second.

Matt plongea pour récupérer le revolver tombé à terre. Il roula plusieurs fois sur lui-même et tira six coups de feu en direction de l'hôtel. Il ne savait pas si l'une des balles avait atteint Rodriguez, mais celui-ci plongea derrière une voiture pour se mettre à l'abri. En même temps, une sirène d'alarme se mit à hurler à l'intérieur de l'hôtel. Matt lâcha le revolver et se releva péniblement.

Le premier policier blessé par Pedro revenait à lui. Matt lui jeta un coup d'œil et, réunissant ses dernières forces, lui décocha un coup de pied. Son talon heurta de la chair molle. Il avait touché l'homme entre les cuisses. Celui-ci s'effondra sans un bruit.

Une nouvelle pierre fendit l'air. Le deuxième policier, touché pour la seconde fois, tomba à la renverse contre la portière de la voiture, déclenchant une nouvelle alarme. Le troisième policier avait rampé à couvert.

— Matt ! cria de nouveau Pedro.

Matt n'avait pas besoin d'un nouvel encouragement. Les mains crispées sur son estomac, plié en deux par la douleur, il s'élança. Le jeune Péruvien l'attendait, un autre caillou dans son lance-pierre, prêt à maintenir à distance leurs poursuivants. Mais personne ne se montra.

Pedro saisit le bras de Matt et ils s'éloignèrent en courant aussi vite qu'ils le purent. Aux premières sirènes d'alarme s'en mêlèrent d'autres. Des voitures de police affluaient de toutes parts. Quelques secondes plus tard, elles s'arrêtèrent devant l'hôtel. Le capitaine Rodriguez avait le visage cramoisi de colère. Les renforts arrivaient trop tard. La rue était déserte. Les deux garçons avaient disparu.

# 9

# La ville poison

Une heure plus tard, ils couraient encore.

Matt était étonné par l'énergie de Pedro. Celui-ci donnait l'impression de ne pas avoir mangé depuis une semaine et pourtant il gardait la même allure. Au passage d'un véhicule bleu sale aux fenêtres grillagées, avec les mots *POLICÍA NACIONAL* peints sur le flanc, le jeune Péruvien plongea derrière ce qui ressemblait à un camion abandonné, entraînant Matt avec lui. D'un simple regard et d'un geste, il lui signifia de se reposer. Tous deux s'assirent sur le trottoir.

Tout en reprenant son souffle, Matt se remémora les paroles de Rodriguez. Il n'avait pas de papiers. Il était entré au Pérou illégalement. Les faux passeports, fausse bonne idée, les avaient livrés comme des paquets-cadeaux entre les mains de l'ennemi. Matt était dans l'impossibilité de prouver son identité. Il n'existait aucune trace de son entrée dans le pays et, s'il disparaissait, personne ne le saurait ni ne s'en inquiéterait.

— *Hay que apresurarnos*, dit Pedro en se relevant.

Il était temps de partir. À la lisière de Lima, une large avenue animée longeait une rangée de boutiques et un restaurant, tous dépourvus de vitrine et de porte. En fait, ils n'avaient pas de façade. C'étaient des cubes ouverts, dont le contenu se déversait dans la rue. Les odeurs de nourriture se mêlaient aux vapeurs d'essence. En face, une bande de jeunes gens en jean et casquette de base-ball s'appuyaient, avachis et désœuvrés, contre un mur en ciment. Il y avait aussi quelques jeunes cireurs de chaussures, munis de boîtes de bois sanglées sur leur dos. Matt eut un choc en s'apercevant qu'ils avaient à peine six ans.

— Où allons-nous ? demanda-t-il.

Soit Pedro ne comprit pas, soit il ne prit pas la peine de répondre. Il avançait déjà sur le trottoir. Malgré son épuisement, Matt se força à le suivre. Que faire d'autre ?

Ils arrivèrent à un feu rouge et le visage de Pedro s'éclaira. C'était la première fois que Matt le voyait sourire. Un camion chargé de matériaux de construction attendait au feu. Pedro avait reconnu le chauffeur. Il courut vers lui pour lui parler, esquissant quelques gestes en direction de Matt. Le feu passa au vert. Aussitôt, toutes les voitures immobilisées derrière le camion se mirent à klaxonner. Mais le chauffeur n'était pas pressé. Il attendit que Pedro eût terminé ses explications, jeta un bref coup d'œil vers Matt, puis leva le pouce. Pedro fit un signe à Matt et ils montèrent dans la benne découverte du camion.

Le chauffeur redémarra.

Matt n'en pouvait plus. La nuit précédente, il n'avait dormi que quelques heures, d'un sommeil agité, et sa rencontre avec Rodriguez avait laissé des marques. Il avait un martèlement sourd dans la tête, des élancements douloureux dans l'estomac, et probablement une côte cassée. Le policier lui avait infligé un passage à tabac en règle. Comment une telle chose pouvait-elle se produire ? Surtout dans un lieu public, au milieu d'un hôtel ! Quelle sorte de pays était-ce donc ?

Le chauffeur du camion cria quelque chose par sa fenêtre et leur tendit un petit bouquet de bananes. Pedro se pencha pour les prendre et en offrit la moitié à Matt. Matt refusa. Malgré la faim qui le tenaillait, il était incapable de manger. Il avait trop mal, trop d'angoisses. Pedro haussa les épaules, pela une banane et en croqua une bouchée.

Matt ne savait que penser du jeune Péruvien. Pourquoi lui avait-il sauvé la vie ? En ce moment, Pedro l'ignorait complètement. Comme on ignore une compagnie encombrante, ou encore un animal égaré qui vous suit dans la rue. En tout cas, il n'était pas amical. Plutôt le contraire, même. Quelques heures plus tôt, il avait essayé de dépouiller Matt. D'ailleurs il portait encore sa montre ! Peut-être n'avait-il d'intérêt que pour son argent ? Non. C'était injuste. Pedro avait refusé le billet de dix livres quand Matt le lui avait offert. Où l'emmenait-il à présent ? Il habitait sans doute quelque part dans cette grande ville rébarbative. Pedro avait peut-être des parents. Avec un peu de chance, il connaîtrait quelqu'un qui pourrait l'aider.

Une vingtaine de minutes plus tard, le camion s'arrêta et ils sautèrent de la benne. Pedro cria quelques mots au chauffeur et agita la main. Ils étaient au pied d'une colline où s'étalait un baraquement hideux, fatras de briques et de ferraille. Jamais Matt n'avait rien vu de tel. On avait d'abord l'impression que tout un village avait dégringolé la pente de la colline, pour former cet invraisemblable bric-à-brac. Puis on s'apercevait que les constructions avaient été conçues ainsi. C'était un *barrio,* un bidonville, refuge des plus pauvres parmi les pauvres.

Pedro était déjà en mouvement. Matt le suivit dans un dédale de ruelles et de passages, dont aucun n'était pavé, tous couverts de détritus. Moins de la moitié des habitations seulement étaient en brique. La plupart étaient faites de cartons, de tôle ondulée, de nattes et de bâches de plastique. Ils débouchèrent sur une sorte de place où un groupe de femmes en chapeau melon et portant des châles colorés se tenaient accroupies près d'un bidon d'huile rouillé transformé en réchaud. Elles y faisaient cuire une sorte de ragoût dans des boîtes de lait condensé, martelées et transformées en casseroles. Quelques poulets rachitiques picoraient désespérément çà et là, à côté d'un chien étalé au soleil, dont on ne savait s'il était mort ou vivant. Une épouvantable odeur d'égout imprégnait l'air. Matt se couvrit le nez et la bouche avec une main. Il avait du mal à comprendre que l'on puisse vivre dans un endroit pareil. Pedro, lui, semblait indifférent à la puanteur.

Matt sentit le regard curieux des femmes posé sur lui. Il se demanda quelle allure il avait. Sale et échevelé, sans doute, mais portant des vêtements neufs et certainement très chers comparés à ceux de Pedro. À leurs yeux, il était un riche étranger et elles ne devaient pas en voir souvent. Il leur adressa un léger salut de la tête et s'empressa de rattraper Pedro.

Ils continuèrent de gravir la colline. L'effort était éprouvant pour Matt qui souffrait de ses côtes cassées, et il commençait à se demander s'il pourrait tenir encore longtemps lorsque Pedro s'arrêta devant une petite bicoque en brique, dotée de deux fenêtres calfeutrées de l'intérieur par des sacs. Pedro lui fit signe d'entrer.

Était-ce sa maison ? Saisi d'une appréhension soudaine, Matt le suivit. Il n'y avait pas de porte. Il déboucha dans un espace carré, une sorte de cube. Une fois que sa vue se fût accommodée à la pénombre, il distingua une table en bois, deux chaises, un réchaud de camping, quelques boîtes de conserve et un lit étroit et bas. Puis il découvrit un homme allongé sur le lit. Pedro s'accroupit près de celui-ci et lui parla d'un ton surexcité. Lentement, l'homme se redressa et s'assit.

Il avait une soixantaine d'années et un costume à peu près du même âge, avec lequel il avait dormi. Le tissu en était tout froissé, presque tous les boutons manquaient. Sa chemise dépassait par-dessus le pantalon. Il n'était pas rasé et une barbe grise naissante entourait sa bouche mince au pli cruel. Il avait les yeux injectés de sang, le regard sournois. Pendant un long moment il observa Matt sans rien dire, comme s'il le jaugeait, l'évaluait. Puis il s'essuya les lèvres d'un revers de main et déglutit. Enfin, il parla.

— Sois le bienvenu, dit-il.

C'étaient les premiers mots anglais que Matt entendait depuis l'enlèvement de Richard, et une bouffée de reconnaissance l'envahit. Mais, en même temps, en examinant l'inconnu, il se demanda si ses ennuis touchaient vraiment à leur fin. L'homme n'était pas le sauveur qu'il avait espéré.

— Pedro me dit que tu es américain, reprit celui-ci avec un accent anglais désagréable. Ou bien c'était le ton soupçonneux, la voix traînante qui lui déplurent.

— Non, je suis anglais, dit Matt.

— Un Anglais d'Angleterre ! ironisa l'homme. Londres ?

— J'ai pris l'avion à Londres, mais j'habite à York.

— York... (Il répéta le nom mais n'en avait visiblement jamais entendu parler.) Pedro dit que tu es seul. Que tu as été tabassé par la police. Qu'ils voulaient t'arrêter.

— Oui. Remerciez Pedro pour moi de m'avoir aidé.

— Pedro n'a pas besoin de ta gratitude. Qu'est-ce qui te fait croire qu'il attend quelque chose de toi ?

L'homme glissa une main sous le lit et en tira une bouteille à demi remplie d'un liquide transparent. Il en but une longue gorgée et reposa la bouteille. L'odeur de l'alcool assaillit Matt. L'homme sortit ensuite une moitié de cigare de sa poche de veste et l'alluma. Pendant tout ce temps, pas une fois il ne quitta Matt du regard.

— Pedro dit que tu as de l'argent.

Matt hésita mais, là encore, il n'avait pas le choix. Il retira le billet de dix livres de sa poche et le lui tendit.

L'homme retourna le billet entre ses doigts, puis le glissa dans sa veste avec un petit rictus qui pouvait passer pour un sourire. Un instant plus tard, il jeta quelques mots secs à Pedro, qui se renfrogna. L'homme patienta. Pedro défit la montre de son poignet et la lui remit.

— Quel est ton nom ?

Matt eut un instant de flottement. Quel nom donner ? Mais à quoi bon prétendre être ce qu'il n'était pas. Le faux passeport s'était déjà révélé inutile.

— Matt, répondit-il enfin.

— Moi, c'est Sebastian.

L'homme souffla un rond de fumée gris argent qui resta suspendu en l'air.

— On dirait que tu as besoin d'aide, *amigo*.

— Je n'ai rien d'autre à vous donner, marmonna Matt, irrité.

— Ton billet de dix livres et ta montre me permettront d'acheter à manger. Pour l'instant, ils ne te sont d'aucune utilité. Si tu les veux, prends-les et va-t'en. Tu seras probablement mort, ou en prison, avant la tombée de la nuit. Mais si tu veux que je t'aide, sois poli avec moi. Tu es dans ma maison. Ne l'oublie pas.

Matt se mordit la lèvre. Sebastian avait raison. L'argent ne lui servirait à rien.

— Qui êtes-vous ? demanda-t-il. Quel est cet endroit ?

— Notre village a un nom. Les gens d'ici l'appellent *Ciudad del Veneno*. Dans ta langue, on pourrait traduire par la Ville Poison. Elle porte ce nom à cause des innombrables maladies qui s'y propagent. Choléra, bronchite, pleurésie, diphtérie. Aucun de nous n'a le droit de vivre ici. Nous avons occupé les terrains et construit nos maisons. Les autorités – la police et les propriétaires – n'y viennent jamais. Ils ont peur.

Matt regarda autour de lui, n'osant plus respirer.

— Ne t'inquiète pas, Matt, sourit Sebastian en dévoilant deux dents couronnées d'or. Personne ne tombe malade dans cette maison, ni dans notre rue. Et personne ne comprend pourquoi. Nous sommes neuf à vivre ici. Et sept autres juste à côté. Nous sommes pauvres, mais en bonne santé.

— Pedro habite ici, lui aussi ?

Pedro dressa la tête en entendant son nom. Jusqu'à présent, il avait examiné Matt avec un air de défiance mais n'avait manifesté aucun intérêt pour ce qui se disait.

— Il dort sur le sol, à l'endroit précis où tu te tiens. Pedro travaille pour moi. Comme les autres enfants. Mais à quoi bon perdre du temps à parler de lui ? Il y a des millions de Pedro à Lima. Ils vivent. Ils meurent. Ils ne servent à rien... Mais un jeune Anglais à *Ciudad del Veneno*, c'est autre chose. Comment as-tu atterri ici, Matt ? Pourquoi est-ce que la police te recherche ? Tu dois tout me raconter. Ensuite on verra comment on peut t'aider. Si on peut. Et si on veut...

Tout raconter ?

Matt ne savait par où commencer. Son histoire était trop énorme. Son histoire avait absorbé toute sa vie. Où commencer ? À la mort de ses parents, six ans auparavant, ou à la Porte des Ténèbres et Nexus ? C'était sans espoir. Matt en avait conscience. Il pourrait parler toute la journée, Sebastian ne croirait pas un mot.

— Je ne peux pas tout vous expliquer, dit-il. Je suis venu au Pérou parce qu'il va se produire une chose très grave et certaines personnes pensent que je pourrais l'empêcher. Nous étions deux. Un ami et moi. Il s'appelle Richard Cole. Il a vingt-six ans. Ni lui ni moi n'avions vraiment envie de venir, mais on nous a envoyés…

— Pour empêcher cette chose d'arriver.

— Oui. Je n'ai pas de passeport. Celui qu'on m'avait donné était un faux. Normalement, c'était censé me protéger. Mais nous étions à peine arrivés qu'on nous a attaqués. Richard a été enlevé et la police a tenté de m'arrêter. C'était un capitaine. Il m'a dit travailler pour un certain Diego Salamanda.

Sebastian l'avait écouté avec un mélange d'ébahissement et d'incrédulité. Mais le nom de Salamanda provoqua chez lui la première véritable réaction. Ses yeux se plissèrent et il laissa un filet de fumée s'échapper du coin de sa bouche.

— Salamanda ! s'exclama-t-il. Tu sais qui il est ?

— Une sorte d'homme d'affaires.

— C'est l'un des hommes les plus riches du Pérou. On dit qu'il gagne plus d'argent que tous les Péruviens réunis, avec ses téléphones portables, ses journaux, ses satellites… (Sebastian lança quelques mots en espagnol à Pedro, qui était assis en tailleur par terre et adossé contre le lit. Pedro haussa les épaules. Puis Sebastian s'adressa de nouveau à Matt.) Si je devais avoir un ennemi, ce n'est pas l'homme que je choisirais.

— Je crois que c'est lui qui m'a choisi… non l'inverse, dit Matt. Où est-ce que je peux le trouver ?

— Pourquoi ?

— Parce que je pense que c'est lui qui a capturé

mon ami. Il savait que nous viendrions. Il a d'abord enlevé Richard, ensuite il a essayé de m'avoir.

Sebastian porta la bouteille à sa bouche et avala une autre gorgée. L'alcool devait être très fort. Matt sentit les effluves flotter jusqu'à lui. Pourtant Sebastian buvait ça comme de l'eau.

— Salamanda New International est basé ici, à Lima. Ils ont des bureaux à travers tout le pays. Tu veux les visiter tous ? De toute façon, tu ne le verras pas. Son principal centre de recherche se trouve près de la ville de Paracas. C'est au sud de Lima. Mais Salamanda passe la majorité de son temps dans une ferme, ce qu'on appelle chez nous une *hacienda*, près d'Ica. Il ne se montre jamais en public. On raconte qu'il est très laid, qu'il a peut-être trois yeux ou quelque chose d'anormal dans le visage. Si tu veux voir le señor Salamanda, tu dois aller à Ica. Je parie qu'il sera ravi de te recevoir.

Matt ignora le sarcasme.

— Vous pouvez m'aider à aller là-bas ?

— Non.

— Alors je perds mon temps à discuter avec vous.

— C'est vraiment ce que tu crois ? (Sebastian lui jeta un regard courroucé.) Laisse-moi te donner un petit conseil, *amigo*. Ne te préoccupe pas trop de ton temps. Ici, le temps ne vaut rien.

Il écrasa le mégot de son cigare et reprit :

— Je dois te quitter. Je veux tirer les choses au clair et parler avec certaines personnes. Peut-être que je t'aiderai, ou peut-être pas. Mais, pour l'instant, tu as surtout besoin de manger et de te reposer.

— Je peux dormir ici ?

Matt était trop fatigué même pour songer à manger.

— Ici, tu es en sécurité. Il y a des couvertures. Tu dormiras par terre. Pas dans le lit, c'est compris ? Le lit est à moi ! Nous rediscuterons de tout ça plus tard. Et on verra ce qu'on peut faire.

Sebastian dit quelques mots à Pedro, qui hocha la tête et le suivit dehors.

Le soir était tombé lorsque Matt se réveilla. Sans sa montre, il ignorait combien de temps il avait dormi. Et le décalage horaire n'arrangeait rien. En Angleterre, il pouvait être l'heure du petit déjeuner. Ou du dîner. Il lui fallut quelques minutes pour dégourdir ses muscles ankylosés. En même temps, il s'efforça de comprendre les récents événements. Ça n'était pas facile. Il se retrouvait seul, à des milliers de kilomètres de chez lui, coincé dans une pièce sordide dans une ville empoisonnée, au vrai sens du terme puisque c'était son nom. Ses hôtes étaient un homme peu sympathique et un garçon qui l'avait volé. L'homme le plus riche du Pérou voulait l'éliminer et, de toute évidence, la police se ferait un plaisir de l'y aider.

C'était trop pour lui. Matt ferma les yeux.

C'est alors qu'un phénomène étrange se produisit. Il eut subitement conscience que sa douleur à la tête avait disparu. Il se redressa et se palpa le torse. Ses côtes et son estomac étaient intacts. Il n'y avait plus la moindre trace du passage à tabac infligé par Rodriguez. Était-ce une nouvelle manifestation de son pouvoir ? Avait-il, par quelque mystérieux moyen, réussi à se guérir lui-même ? Il se leva et étira ses membres. Il mourait de faim. Il regrettait maintenant de n'avoir pas accepté la nourriture proposée par Sebastian. Mais, à part cela, il se sentait parfaitement bien.

Bizarre…

Il y eut un mouvement du côté de la porte et Pedro apparut, portant une boîte en fer-blanc fumante et une cuiller qu'il tendit à Matt. Dans des circonstances normales, Matt aurait flairé la boîte avec prudence, mais la faim balaya ses doutes. Il avala tout, en prenant soin de ne pas y regarder de trop près. La viande était indéfinissable. En tout cas, ce n'était ni de l'agneau ni du bœuf. Il évita de songer au chien qu'il avait aperçu couché dehors.

Lorsque Matt eut fini de manger, Pedro lui tendit un pichet d'eau en métal cabossé. Matt trouva à l'eau un goût saumâtre et se demanda d'où elle provenait. La Ville Poison possédait-elle des puits ou des pompes ? Avait-elle l'électricité ? Une foule de questions lui brûlaient les lèvres mais il devrait attendre le retour de Sebastian. Pedro ne comprenait rien.

Environ dix minutes plus tard, Sebastian apparut avec un ballot de vieux vêtements. Matt le trouva plus nerveux, sur ses gardes. Il posa le paquet de vêtements, puis il alluma un cigare, manqua se brûler les doigts, et jeta l'allumette par terre.

— J'ai discuté avec des amis, annonça-t-il. Il se passe des tas de choses à Lima, et ça ne me dit rien de bon. Tu vas devoir partir bientôt. Et même très vite.

— Ils me recherchent, dit Matt.

— Oui. Il y a des flics partout. Ils posent des questions et ne sont pas très polis. Tu comprends ? Ils ont des grosses matraques et des gaz lacrymogènes. Ils recherchent un jeune Anglais. Ils disent que c'est un terroriste et ils offrent une grosse récompense. (Sebastian leva la main avant que Matt pût répliquer.) Très peu de gens t'ont vu entrer ici, et ils ne diront pas un mot. Nous n'avons rien. Ni argent ni biens. C'est pourquoi nous donnons tant de valeur au peu que nous possédons : la loyauté et l'amitié. Personne ne parlera, mais ça n'empêchera pas la police de venir fouiller le coin de fond en comble. Ils ont peut-être déjà commencé.

— Je veux retrouver mon ami Richard, insista Matt.

— Tu perds ton temps. Je te l'ai dit. Si Salamanda l'a vraiment enlevé, ton ami peut se trouver partout et nulle part. Peut-être à Lima. Ou peut-être en train de flotter dans l'océan. Ce qui est le plus plausible, à mon avis.

— Et cette ferme dont vous m'avez parlé ?

— L'hacienda Salamanda. Je ne pense pas que tu trouveras ton ami là-bas.

— Je veux quand même aller voir.

Sebastian réfléchit un instant. Puis il hocha la tête.

— En ce qui me concerne, tu peux aller où tu veux. Ça m'est égal. La seule chose qui compte, c'est que tu ne restes pas ici. Et Pedro doit partir avec toi. Je le lui ai déjà expliqué. Il a attaqué trois policiers et maintenant lui aussi est recherché. S'ils le trouvent, ils le tueront.

— Je suis désolé, dit Matt. C'est de ma faute.

— Non, c'est de la sienne. S'il avait été plus malin, il aurait volé ta montre et ton argent sans te réveiller. J'ai toujours dit qu'il faisait un voleur minable. De toute façon, il est trop tard pour avoir des regrets. (Sebastian marqua un bref silence avant de reprendre.) Il y a autre chose. Ton apparence. Il faut en changer.

— Je ne comprends pas.

— Un jeune Blanc avec des vêtements de jeune Blanc ! Où que tu ailles au Pérou, on te repérera à un kilomètre !

Sebastian indiqua le ballot qu'il avait apporté.

— Donne-moi tout ce que tu as sur le dos.

— Comment… ?

— Tout de suite !

Matt était trop hébété pour argumenter. Il ôta sa veste, sa chemise, son jean, et les remit à Sebastian. Il ne faisait aucun doute qu'ils atterriraient sur un marché quelconque dès le lendemain.

Mais ça ne suffisait pas.

— Donne-moi aussi tes chaussures et tes chaussettes, ordonna Sebastian.

Matt obéit et se retrouva en caleçon au milieu de la pièce. Sebastian lui tendit un flacon.

— Passe-toi ça sur les bras, les jambes, et surtout sur le visage. Pedro t'enduira les épaules et le dos. Il faut aussi te couper les cheveux.

Sebastian brandit une paire de ciseaux. Matt hésita.

— Tu as de beaux cheveux, reprit Sebastian. Ce sera très joli le jour de ton enterrement. Mais si tu veux vivre, tu dois ressembler à l'un d'entre nous. On n'a pas le temps de discutailler.

En un rien de temps, Matt se trouva affublé de sa nouvelle tenue. Sebastian lui avait coupé les cheveux au bol, avec une frange droite au-dessus des yeux. Tout son corps était brun sombre. Comme il n'y avait aucun miroir dans la pièce, il ne pouvait pas se rendre compte de son allure mais il se dégoûtait lui-même. Son nouveau jean était informe, taché, et s'arrêtait aux mollets. Il portait un T-shirt Adidas vert, plein de trous, crasseux et délavé. En guise de chaussures, il avait des sandales en caoutchouc noires, semblables à celles de Pedro.

— Elles sont fabriquées dans des pneus, lui apprit Sebastian.

Matt avait l'impression que sa peau essayait de se recroqueviller pour fuir les vêtements. Il était facile d'imaginer que plusieurs personnes les avait portés avant lui sans les avoir jamais lavés. Il intercepta le regard amusé de Pedro et grommela :

— Qu'est-ce qu'il y a de si drôle ?

Sebastian traduisit la question en espagnol et Pedro répondit brièvement d'une voix douce.

— Pedro dit que tu sais maintenant ce que ressent un garçon péruvien, expliqua Sebastian. Mais tu es encore trop grand. Tu dois apprendre à marcher un peu courbé. Arrange-toi pour ne pas dépasser Pedro. Et, à partir de maintenant, tu ne seras plus Matt mais Matteo. Compris ?

— Matteo, répéta Pedro, visiblement amusé par la transformation de Matt.

Sebastian, de son côté, restait très sérieux.

— Il faut que tu quittes Lima. Suis mon conseil : va au sud, à Ayacucho. J'ai beaucoup d'amis, dans cette ville, qui s'occuperont de toi. Avec un peu de chance, la police ne te recherchera pas là-bas.

— Je veux aller à Ica.

— Tu es entêté et stupide, mais tu t'inquiètes de ton ami et c'est un bon point pour toi. (Sebastian cracha par terre.) Très bien. Fais une étape à Ica, si tu penses que c'est utile. Le premier bus part demain matin à six heures. La police surveille certainement la gare routière et il faudra inventer une astuce.

— Je veux juste retrouver Richard et rentrer chez moi.

— Ce sera la meilleure chose pour nous tous. Dommage que tu aies fait le voyage.

Matt hocha la tête, mal à l'aise. Depuis son arrivée chez Sebastian, il percevait une hostilité entre eux, dont il ne comprenait pas la raison.

— Je peux vous poser une question, Sebastian ?

— Laquelle ?

— Vous ne m'aimez pas beaucoup. Alors pourquoi m'aidez-vous ?

— Tu te trompes. Ce n'est pas vrai que je ne t'aime pas beaucoup. Je ne t'aime pas du tout. À cause de toi, la police fouille les bidonvilles. Ils interrogent les gens, les arrêtent. La vie va être impossible jusqu'à ce qu'ils te trouvent.

— Alors pourquoi vous ne me livrez pas ? Vous en mourez d'envie.

— En effet. C'est ce que je voudrais faire. Mais Pedro m'en a dissuadé. Il prétend que tu es quelqu'un d'important. Que nous devons t'aider parce que tu es de notre côté.

— Comment le sait-il ? Il ne me connaît pas.

— C'est vrai, c'est étrange. Normalement, Pedro aurait dû te prendre ta montre, ton argent et tout ce qui avait de la valeur, et t'abandonner à ton sort. Jamais il n'aurait dû risquer des ennuis avec la police pour t'aider. Ni t'amener jusqu'ici.

— Pourquoi il l'a fait, alors ?

— Pedro ne le comprend pas lui-même. Ni moi. Mais il dit que… qu'il t'a déjà vu. Dans ses rêves.

## 10

## Conversation de rêve

Huit enfants dormaient sur le sol de la maison de Sebastian. Le plus jeune avait à peine cinq ans, le plus âgé dix-sept. Ils étaient arrivés un à un à la tombée du jour, certains avec des boîtes en bois contenant brosses et cirage, d'autres munis de seaux et d'éponges, un autre encore avec un panier de petites marionnettes de toutes les couleurs. Sebastian les avait sans doute déjà prévenus de la présence de Matt car aucun ne parut étonné de le trouver là, et aucun ne chercha à lui parler. Ils dînèrent d'un ragoût aux haricots, puis passèrent la soirée à jouer avec des dés de bois et de petites coupelles. La pièce était éclairée par de gros cierges que Matt supposa avoir été volés dans une église. Il les regarda jouer pendant une heure, bercé par le raclement des dés secoués dans les coupelles puis lancés sur le sol. Pedro jouait avec les autres. De temps à autre il jetait un coup d'œil à Matt, qui, pour la première fois, perçut chez lui une certaine curiosité.

« *Il t'a déjà vu dans ses rêves.* » Les paroles de Sebastian résonnaient dans sa tête. Matt observa le jeune Péruvien concentré sur la partie. Il secouait furieusement les dés, les lançait, les protégeait de ses deux mains en gardant les yeux fixés sur les autres joueurs. Mais oui, bien sûr. Matt savait qui était Pedro. Combien de fois l'avait-il vu assis dans la barque en roseaux ? Quel idiot de ne pas s'en être aperçu plus tôt !

Il se rappela l'instant où il avait ouvert les yeux et découvert Pedro penché sur lui, occupé à lui voler sa montre. Son visage lui avait paru familier. Ensuite, dans la confusion et la précipitation des événements, il n'avait vu en lui que le jeune mendiant jonglant au feu rouge sur la route de l'aéroport. C'était là, en effet, qu'il l'avait rencontré pour la première fois. Mais il le connaissait depuis bien plus longtemps.

Pedro était l'un des Cinq. Matt imagina Susan Ashwood disant ces mots. Elle serait ravie. Était-ce une coïncidence si Matt avait atterri dans un pays de vingt millions d'habitants et si Pedro était la première personne ou presque à croiser sa route ? Non, évidemment. Il n'y avait pas de coïncidence. Cela *devait* arriver. C'est ce qu'aurait dit la médium aveugle.

Mais, alors, Richard *devait*-il être kidnappé ? Matt

*devait*-il être tabassé à l'hôtel ? Exerçait-il un contrôle quelconque sur les événements ou bien était-il simplement poussé par des forces invisibles qui dépassaient son entendement ? Et, dans ce cas, où le poussaient-elles ? Quel était leur plan ?

Des milliers de questions assaillaient Matt, auxquelles il ne pouvait apporter de réponse. Pourtant il trouvait un certain réconfort à la pensée que Pedro et lui avaient réussi à se croiser. À présent, ils étaient deux. Et cela signifiait que les trois autres n'étaient peut-être pas très loin.

Pedro gagna la partie de dés. Il éclata d'un rire ravi et ramassa ses dés. Matt regrettait que son nouvel ami ne parle pas l'anglais, même quelques mots. En Angleterre, le coucher était tout un cérémonial : il fallait se déshabiller, enfiler un pyjama, se laver, se brosser les dents, etc. Ici, c'était nettement plus rapide. La soirée s'interrompait simplement. Chacun gagnait sa place, autour du lit unique et vide, et le sol se transformait en une mer de couvertures qui ondulaient au rythme des respirations, tandis que les cierges projetaient des ombres étranges sur les murs. Encore perturbé par le décalage horaire, Matt ne put fermer l'œil. La température de la pièce avait grimpé avec l'accumulation des chaleurs individuelles, un moustique vrombissait près de son oreille. Et l'odeur continuait de l'indisposer, même si lui-même y contribuait. Il n'avait pas pris de douche depuis quarante-huit heures et la crasse commençait à lui coller à la peau. Il songea à

Richard. Sebastian le croyait mort mais Matt refusait d'envisager cette possibilité. Il ne comprenait toujours pas comment ils s'étaient laissé embarquer dans cette aventure. Et s'ils se reverraient un jour.

Environ une heure plus tard, Sebastian rentra. Il rejoignit son lit en titubant et s'y affala d'un bloc, sans se déshabiller ni même ôter ses chaussures. Au bout de quelques secondes, son ronflement s'éleva dans la pièce.

Il fallut beaucoup plus longtemps à Matt pour s'endormir. La moitié de la nuit s'écoula avant que ses paupières se ferment enfin, à son grand soulagement. Cette fois, il savait exactement où il était et cela ne lui faisait pas peur. Il était avec Pedro sur le rivage. La barque en roseaux, amarrée juste derrière eux, attendait de les emporter.

« Matteo, dit Pedro.

— Ravi de te voir, Pedro.

— Moi aussi. Je crois... »

Chose étrange, Pedro s'exprimait en espagnol et Matt en anglais, pourtant leurs paroles semblaient traduites à mi-parcours, de telle façon qu'ils se comprenaient parfaitement. Cet îlot existait-il uniquement en rêve ? Matt en avait toujours été persuadé. Mais à présent qu'ils s'y retrouvaient à deux, devant la mer, la barque et tout le reste, il en était moins certain. Une partie de lui avait conscience que, même s'il se tenait ici face à Pedro, tous deux étaient aussi allongés à un mètre l'un de l'autre dans *Ciudad del Veneno*.

Peut-être d'ailleurs était-ce pour cela qu'ils pouvaient enfin se parler, chose qui ne s'était encore jamais produite.

« Je n'y comprends rien, dit Pedro.

— Tu es l'un des Cinq.

— Oui. Je sais. L'un des Cinq ! L'un des Cinq ! Toute ma vie, j'ai entendu ça. Mais je ne sais pas ce que ça veut dire. Et toi ?

— Un peu. Nous sommes cinq…

— J'ai vu les autres. Là-bas… » Pedro tendit le bras mais les deux garçons et la fille demeuraient invisibles.

« Nous sommes les gardiens d'une porte.

— Quelle porte ?

— C'est une longue histoire, Pedro.

— Nous avons toute la nuit. »

Matt acquiesça. Pour l'instant, ils semblaient hors de danger. À *Ciudad del Veneno*, tout était paisible. Sur l'îlot, ils étaient seuls et le cygne qui avait surgi deux fois des ténèbres ne se montrait pas. Quel était le sens de tout cela ? Il y avait tant de choses encore qui échappaient à Matt.

Il raconta à Pedro tout ce qu'il savait, en commençant par la mort de ses parents, l'impression grandissante que jamais il ne mènerait une vie normale, sa vie avec Gwenda à Ipswich, son intervention à la Porte des Ténèbres et tous les événements survenus ensuite.

« Je suis venu au Pérou pour découvrir la seconde porte, conclut-il. Cela remonte seulement à deux jours et pourtant j'ai l'impression qu'il y a beaucoup plus longtemps. Tout a mal tourné dès la minute de notre arrivée. Si je parviens à joindre Nexus, les choses s'arrangeront peut-être. De leur côté, il se peut qu'ils me recherchent. Je ne sais pas. »

Matt prit une profonde inspiration. La barque de roseaux oscillait doucement sur l'eau. Où les conduirait-elle s'ils montaient à bord ?

« Je savais que tu viendrais, dit Pedro. Je t'attends depuis toujours. Mais il y a une chose que tu dois savoir. Quand tu dormais… quand je t'ai volé ta montre… je t'ai pris pour un riche touriste égaré. J'ignorais qui tu étais. Je suis désolé.

— À quel moment as-tu compris ?

— Quand tu t'es réveillé. Je t'ai reconnu à ce moment-là. Pour être franc, je n'étais pas ravi de te voir. Je regrette que tu sois venu au Pérou.

— Pourquoi ?

— Parce que tu apportes les problèmes avec toi. Maintenant, tout va changer… Tu penses sûrement que la vie que je mène n'est pas une vie. Pourtant, c'est la seule que je connaisse et elle me plaît assez. Ce n'est pas ce que tu as envie d'entendre, je sais, mais c'est ce que je ressens.

— Je comprends. »

Matt savait très exactement ce que Pedro voulait dire. Il éprouvait la même chose.

« Je ne sais rien de toi, Pedro. Seulement ton prénom. Qu'est-ce que tu fais, à Lima, quand tu ne jongles pas devant les voitures ou ne voles pas les touristes ? Et qui est Sebastian ? Pourquoi vis-tu avec lui ?

— Je n'aime pas parler de moi. Mais je vais faire un effort parce que tu as besoin de savoir, je suppose. De toute façon, il n'y a pas grand-chose à raconter. Et puis tu ne t'en souviendras sûrement pas à ton réveil. »

Cette possibilité n'avait pas effleuré Matt. Il s'assit sur le sable. Quelle heure du jour était-il dans cet étrange pays de rêve ? D'ailleurs, était-ce le jour ? Le ciel était sombre et pourtant on y voyait clair. Le sable était chaud et pourtant il n'y avait pas de soleil. Ce n'était ni la nuit ni le jour. C'était un temps entre les deux.

Pedro s'assit en face de lui, jambes croisées.

« D'abord, Pedro n'est pas mon vrai nom, commença-t-il. Tout le monde m'appelle ainsi. C'est Sebastian qui m'a baptisé Pedro, le jour où j'ai débarqué à *Ciudad del Veneno*. Il paraît que c'était le nom de son chien préféré. Je sais que j'avais une famille avant de rencontrer Sebastian, mais je n'ai pas beaucoup de souvenirs d'eux. Je crois que j'avais une sœur, plus jeune que moi.

« Je vivais dans un village de la province de Canta, dont tu n'as sûrement jamais entendu parler. C'est à une centaine de kilomètres de Lima. À trois jours de marche. Un endroit très ennuyeux. Les hommes travaillaient aux champs – ils cultivaient la pomme de terre –, et les femmes restaient à la maison pour s'occuper des petits. Comme il n'y avait pas d'école dans le village, j'allais à celle du village voisin, à trois kilomètres. Je n'apprenais pas grand-chose. Je connais certaines lettres de l'alphabet mais je n'ai jamais réussi à lire. »

Il traça un P majuscule dans le sable du bout de l'index.

« P pour Pedro. Ou pour perroquet. *Papagayo.* Je me souviens bien de cette lettre car elle me fait vraiment penser à un perroquet.

» Ma mère répétait souvent que j'étais né sous une mauvaise étoile, mais je ne sais pas ce qu'elle voulait dire. Nous étions quatre dans notre famille et nous avions une jolie maison, même si elle était en bois. Et nous avions un grand lit. Nous dormions tous dedans. Je ne peux pas te donner beaucoup de détails sur ma mère. Je ne veux pas penser à elle. Parfois je me rappelle sa chaleur contre moi dans le lit, et ça me rend triste. L'heure du coucher était toujours le meilleur moment de la journée pour moi.

» Dans le Canta, le pire, c'était le climat. Le vent soufflait des montagnes et il nous transperçait. Je n'avais jamais assez de vêtements pour me protéger. Parfois je portais juste un T-shirt et mon slip, et j'avais l'impression que j'allais me transformer en un bloc de glace.

» Généralement, il pleuvait au début de l'année. Tu n'as jamais vu des pluies pareilles, Matteo. Parfois ça tombait si fort qu'on ne voyait rien d'autre que l'eau, et je me demandais comment j'allais pouvoir vivre si je n'étais pas un poisson ! Il pleuvait quand je me réveillais et ça ne s'arrêtait pas de la journée. On ne pouvait même pas se rendre à l'autre bout du village à cause des rideaux de pluie qui dégringolaient. Si on glissait dans une mare on risquait de se noyer.

» Et puis un jour… je devais avoir environ six ans, il a plu tellement que la rivière a débordé. La rivière Chillon. L'eau a tout envahi. On aurait dit un monstre… brun et glacé. L'eau a emporté notre maison et l'a déchiquetée. Je me souviens que quelqu'un a poussé un cri d'alerte, mais je n'ai pas compris et le monde a explosé. Non pas avec le feu mais avec l'eau et la boue. C'est arrivé si vite… Toutes les maisons ont été broyées. Les gens, les animaux… presque tout le monde a été tué. J'aurais dû mourir, moi aussi. Mais quelqu'un m'a attrapé et m'a hissé sur un arbre. J'ai eu de la chance. L'arbre devait avoir des racines solides car il a résisté. Je suis resté dans les branches de cet arbre toute la journée et toute la nuit. Le lendemain matin, il n'y avait plus de village. C'était une sorte de marécage avec des morts qui flottaient à la surface. Je suppose que mes parents et ma sœur étaient parmi eux. Je ne les ai jamais revus et personne ne m'a rien dit. Ils ont dû périr noyés. »

Pedro s'interrompit. Matt était stupéfait de l'entendre raconter de telles horreurs d'un ton aussi neutre. Il essaya de se représenter ces scènes atroces, conscient que des drames semblables se produisaient souvent dans certaines régions du monde. Des drames qui, en Angleterre, faisaient à peine l'objet de quelques lignes dans les journaux.

« Ensuite, la situation est devenue très difficile, poursuivit Pedro. Je crois que j'avais envie de mourir. Au fond de moi, je trouvais injuste d'être vivant alors que mes parents étaient morts. Et pourtant je savais que j'allais m'en sortir. C'était bizarre. Je n'avais nulle part où aller. Rien à manger. Autour de moi, les gens tombaient malades. Malgré ça, je sentais que je survivrais. Quoi qu'il arrive. C'était comme si ma vie prenait un nouveau départ.

» Bref, certains survivants se sont regroupés et ont décidé d'aller à Lima. Ils pensaient y trouver du travail. Ils espéraient y construire une nouvelle vie. Je suis parti avec eux. J'étais le plus jeune et ils ne voulaient pas m'emmener. Mais je les ai suivis et ils n'ont pas pu m'en empêcher.

» Quand nous sommes arrivés dans la grande ville, ce n'était pas du tout ce que nous avions espéré. Personne ne voulait de nous. Personne ne voulait nous aider. Nous étions des *desplazados*. Des déplacés. Il y avait déjà suffisamment de gens qui mouraient de faim à Lima. Ils n'en voulaient pas d'autres.

» Une femme m'avait pris en pitié. Elle avait un frère dans un bidonville et j'ai vécu avec eux pendant quelque temps. Ils me faisaient travailler, fouiller les poubelles pour dénicher de quoi manger. Je détestais ça. Je partais à cinq heures du matin, avant la tournée des éboueurs, et je récoltais tout ce que je pouvais. Des légumes pas trop pourris. Des morceaux de gras et des déchets de viande. Tous les restes dont les riches se débarrassaient. On se nourrissait de ça. Si je n'en rapportais pas assez ou si c'était trop abîmé, ils ne me donnaient rien à manger et me battaient. J'ai décidé de me sauver. J'avais peur qu'ils finissent par me tuer.

» Voilà mon histoire. Elle t'a plu ? Je vais te raconter la suite. Tu voulais en savoir plus sur Sebastian. Personne ne sait qui il est exactement, Matteo. Et on ne lui pose pas trop de questions. Certains disent qu'il était professeur à l'université avant que sa femme le quitte et qu'il se mette à boire. D'autres racontent qu'il était serveur dans un hôtel de luxe et que c'est là qu'il a appris à parler plusieurs langues. En tout cas, quand j'ai quitté le frère et la sœur chez qui je vivais, et que je suis arrivé à *Ciudad del Veneno*, Sebastian m'a recueilli.

» Ce n'est pas un mauvais homme. Il est brutal seulement quand il est ivre. Et il s'excuse toujours le lendemain. Tous les enfants qui sont dans sa maison travaillent pour lui. C'est lui qui m'a appris à jongler devant les voitures des touristes. Parfois je gagne cinq dollars américains, et je lui en donne quatre. On lave les pare-brise. On vend des marionnettes. Parfois on ramasse les tickets dans les bus contre un petit salaire. Sebastian connaît tous les chauffeurs. C'est grâce à eux qu'on pourra partir, demain. »

Pedro se tut.

« Il y a une chose que tu ne m'as pas expliquée, dit Matt. Savais-tu que la rivière allait déborder ?

— Comment je l'aurais su ?

— Tu n'as pas eu une sorte d'avertissement ? La veille, par exemple ?

— Non.

— Quand mes parents ont été tués en voiture, je savais que ça allait arriver. Je l'ai vu en rêve.

— Je n'ai jamais eu de rêve de ce genre. Oublie ça, Matteo. Je ne suis pas comme toi. Je n'ai pas de pouvoirs spéciaux, si c'est ce que tu crois. Je n'ai rien de spécial… sauf ces rêves stupides où je te rejoins. Et ils ne servent pas à grand-chose.

— Tu viens avec moi à Ica ?

— Je n'en ai pas du tout envie, dit Pedro en grimaçant. Mais Sebastian dit que je ne peux plus rester avec lui. C'est trop dangereux. »

Il se détendit un peu et perdit sa moue renfrognée.

« De toute façon, maintenant que nous nous sommes retrouvés, je ne vois pas comment je pourrais m'éloigner… même si ça me tente. Alors, oui, je vais avec toi à Ica.

— Merci, Pedro. »

C'était toute l'aide dont il avait besoin. Il n'était plus seul.

Matt se leva et, à cet instant, ce fut comme si le monde irréel dans lequel ils flottaient se trouvait coupé en deux par une gigantesque guillotine blanche. Il n'éprouva aucune douleur. Il n'eut même pas une sensation de choc. Mais, soudain, la mer et l'îlot disparurent, et il se retrouva assis dans la maison de la Ville Poison. Il venait de s'éveiller.

Il regarda du côté de Pedro, toujours profondément endormi sous sa couverture. Le jeune Péruvien n'avait pas changé, mais Matt le vit différemment. Il savait tout de lui. Ils auraient pu être des amis de longue date. D'ailleurs, c'était exactement cela.

Dehors, l'aube pointait, les premiers rubans de lumière rose s'étiraient dans le ciel, annonçant le début d'une nouvelle journée.

*

* *

Minuit à Londres.

Susan Ashwood se tenait assise dans le luxueux salon d'un appartement en terrasse qui dominait Park Lane. De hautes fenêtres allant du sol au plafond offraient une vue panoramique sur Hyde Park, vaste étendue de noir intense derrière laquelle scintillaient les lumières de Knightsbridge. Susan Ashwood leur tournait le dos. Il lui arrivait de ressentir une ville selon la façon dont les sons se propageaient, le souffle de la brise sur son visage, les parfums de l'air nocturne. Elle devinait la beauté. Mais, ce soir-là, son attention était concentrée sur la propriétaire de l'appartement, assise juste en face d'elle.

— Merci de me recevoir, dit-elle.

— Inutile de me remercier, répondit Nathalie Johnson.

L'Américaine était installée sur un sofa, les jambes repliées sous elle, un verre de vin blanc dans une main. Ses cheveux brun-roux étaient noués en arrière, elle portait une robe noire toute simple. Nathalie Johnson s'apprêtait à se coucher lorsque Susan Ashwood avait téléphoné. Elle résidait dans cet appartement lors de ses séjours à Londres. Elle en possédait un similaire à New York, au-dessus de la rivière Hudson.

— Je ne savais pas vers qui d'autre me tourner.

— Ne vous inquiétez pas, Susan. Ma porte vous est toujours ouverte.

Nathalie Johnson était membre de Nexus depuis onze ans. Au cours de cette période, elle avait bâti un immense empire industriel en vendant du matériel informatique à bas prix, principalement aux établissements scolaires et aux centres de loisirs pour les jeunes.

— Matthew Freeman est toujours perdu dans la nature, reprit Susan Ashwood. Toutefois on sait maintenant avec certitude qu'il s'est produit une fusillade près de l'aéroport Jorge-Chavez. Richard Cole a été kidnappé mais Matt a réussi à fuir. À notre connaissance, personne ne l'a revu depuis.

— Nous l'avons envoyé au Pérou parce que nous voulions déclencher une réaction, observa l'Américaine. Nos désirs sont largement dépassés.

— Aucun de nous ne s'attendait à ça.

— Qu'allons-nous faire ?

— C'est ce qui m'amène ici. Je comptais sur votre aide. Vous avez des intérêts en Amérique du Sud…

— Je pourrais prendre contact avec Diego Salamanda, si vous voulez.

— Vous disiez avoir été en affaire avec lui.

— Je ne l'ai jamais rencontré personnellement mais nous avons souvent discuté au téléphone. (Nathalie Johnson marqua une pause avant de poursuivre.) Néanmoins, je pense que nous devons rester prudents. Salamanda est notre suspect numéro un. Selon toutes probabilités, c'est lui qui essaie d'ouvrir la porte.

— Fabian recherche Matthew, dit Susan Ashwood. Il est très inquiet sur son sort et se reproche de n'être pas allé l'accueillir lui-même à l'aéroport. Il a déjà parlé avec la police mais n'est pas sûr de pouvoir lui faire confiance. Il propose de lancer une campagne de recherche dans la presse nationale.

— Du genre : « Avez-vous vu ce garçon ? »

L'idée sembla l'amuser.

— Quelqu'un doit forcément savoir où il est. Un adolescent anglais tout seul au Pérou…

— En supposant bien sûr qu'il soit toujours en vie, objecta l'Américaine en posant son verre. Je financerai les avis de recherche dans la presse, si c'est ce que vous souhaitez, Susan. Mon bureau de New York peut s'en charger.

— Il y a autre chose.

Susan Ashwood se tut un instant, cherchant à rassembler ses idées. Elle avait le visage soucieux.

— J'ai réfléchi à ce qui s'est passé. D'abord, il y a eu cette triste histoire avec William Morton. Nous étions les seuls à savoir où il serait ce jour-là et il ne nous a prévenus que vingt-quatre heures avant son rendez-vous avec Matt. Pourtant quelqu'un a réussi à le suivre à Sainte-Meredith, l'a tué et a dérobé le journal du moine. Ensuite, l'agression de Richard Cole et de Matt. Ils voyageaient au Pérou sous de faux noms, mais quelqu'un attendait leur arrivée. On leur a tendu une embuscade. Le chauffeur de Fabian a failli y perdre la vie et Richard Cole a été enlevé.

— Qu'insinuez-vous ?

— Que notre ennemi est au courant de ce que nous faisons. Quelqu'un le renseigne sur nos moindres mouvements.

Nathalie Johnson se raidit.

— C'est ridicule.

— Je suis venue vous voir parce que je vous connais depuis longtemps et mon instinct me dit que je peux me fier à vous, reprit Susan Ashwood. Je n'ai parlé de ceci à personne d'autre. Nous devons être très prudentes. S'il y a un traître à Nexus, nous sommes tous en danger.

— Nous devons avertir les autres.

— Pas encore. Il faut d'abord retrouver Matthew Freeman. Il est notre priorité absolue. La seconde porte est sur le point de s'ouvrir et lui seul peut l'empêcher. Peu importe ce qui nous arrivera à nous, Miss Johnson. Sans Matt, nous sommes tous perdus.

La station d'autobus ressemblait à un cirque en plein air, à un tourbillon de bruits et de couleurs, de gens et de paquets enchevêtrés, de vendeurs ambulants criant à tue-tête, de vieilles femmes portant un châle assises derrière des amoncellements de papayes et de bananes plantains, d'enfants et de chiens se faisant la course au milieu du capharnaüm, et de vieux autobus grondant devant leur arrêt. Personne ne partait encore nulle part mais tout le monde semblait pressé. Des sacs énormes et des cartons ficelés passaient de mains en mains avant d'être lancés en l'air pour être arrimés en piles branlantes sur le toit des bus. Des tickets usagés jonchaient le sol comme des confettis. Les tickets neufs étaient vendus dans de petites guérites. Une Indienne faisait mijoter du *cau cau* – ragoût de tripes aux pommes de terre – dans une grosse marmite en fer-blanc au bord de la cour des bus, et quelques voyageurs accroupis mangeaient dans des bols en plastique, les fumets du ragoût se mêlant aux vapeurs d'essence.

Matt enregistra toute la scène en arrivant avec Sebastian et Pedro. Ils étaient venus à pied de *Ciudad del Veneno*, qu'ils avaient quittée juste après cinq heures. Sebastian, qui avait déjà leurs tickets, avait décidé de les accompagner jusqu'à Ica. Il s'était couché ivre, mais il avait les idées claires en se réveillant. À sa manière, il était presque chaleureux.

— Tu as peu de chances de trouver ton ami à Ica, Matteo. Mais une fois que tu auras fait tes politesses au Señor Salamanda, tu pourras continuer jusqu'à Ayacucho. Je vous attendrai là-bas.

Ils passèrent devant une rangée d'échoppes. En jetant un coup d'œil à l'intérieur de l'une d'elles, Matt aperçut un garçon à la peau sombre, hirsute et crasseux, qui l'observait. Il avait son âge et portait un T-shirt vert vif sur un jean coupé sous les genoux. Ses pieds nus étaient chaussés de sandales en caoutchouc noir, ses cheveux bruns coupés au bol, avec une frange rectiligne sur le front.

Matt avança. Le garçon aussi. Matt s'aperçut alors qu'il regardait un grand miroir en pied. Le garçon hirsute et crasseux, c'était lui.

Sebastian, qui avait tout vu, pouffa de rire.

— Tu ne t'es pas reconnu, Matteo. Espérons qu'eux non plus ne te reconnaîtront pas.

Matt suivit son regard et sentit une boule sèche monter dans sa gorge. Deux policiers traversaient la cour de la gare routière, armés de mitraillettes semi-automatiques. Plusieurs raisons pouvaient expliquer leur présence mais Matt savait qu'ils étaient là pour lui. Pedro posa une question en espagnol et Sebastian le rassura. Dès que le jeune Péruvien s'était levé, à l'aube, Matt avait compris que lui aussi se rappelait leur conversation rêvée de la nuit. Pedro n'était certainement pas heureux de se trouver là mais il ne quitterait pas Matt.

— N'oublie pas de rester courbé, lui rappela Sebastian à voix basse. Ta taille te trahirait. Tiens, prends ça…

Sebastian avait apporté un gros balluchon, ficelé dans une toile blanche. Matt ignorait ce qu'il y avait dedans. D'ailleurs il ne savait pas si c'était un bagage ou simplement un accessoire destiné à les faire passer pour de vrais voyageurs. Il comprit la tactique de Sebastian. Matt avait l'air d'un serviteur portant les affaires de son maître. Courbé en deux, le balluchon sur les épaules et le cou, il ne montrait pas son visage et dissimulait sa taille.

Ils avancèrent. Les policiers déambulaient lentement au milieu de la foule qui s'écartait devant eux. Les gens prenaient soin d'éviter leur regard.

— Par ici, souffla Sebastian avec calme.

Il dirigea Matt vers un bus à demi rempli. Les deux policiers ne les avaient pas remarqués. Matt arriva devant la porte et son cœur fit un bond. Un troisième policer venait de surgir du bus. Matt faillit lui rentrer dedans. Courbé sous sa charge, il ne pouvait voir son visage, uniquement ses bottes de cuir et le canon de son arme. Le policier dit quelque chose et, l'estomac brusquement noué, Matt comprit qu'il lui avait posé une question. Il ne répondit rien. Le policier répéta sa question.

Alors une main arracha le balluchon des épaules de Matt. Pendant un instant atroce, il crut que c'était le policier. C'était Sebastian. Ce dernier se mit à hurler sur lui en espagnol et, sans laisser à Matt le temps de réagir, il le gifla brutalement. Une fois, puis deux fois. Pour finir, il le propulsa violemment dans le bus. Matt atterrit à plat ventre. Derrière lui, il entendit Sebastian parler au policier et éclater de rire. La vingtaine de passagers présents dans le bus dévisageaient Matt. Les joues brûlantes, de douleur et d'embarras, il se releva en titubant et trouva un siège libre.

Pedro monta à son tour, suivi de Sebastian. Celui-ci s'assit à côté de Matt sans un mot. D'autres passagers s'installèrent, certains avec des chèvres, d'autres avec des cageots de poulets vivants. Bientôt toutes les places furent occupées, ainsi que le couloir central. Enfin le conducteur arriva. Il se glissa derrière le volant et mit le moteur en marche. Le bus entier se mit à vibrer.

Le conducteur enclencha une vitesse. Le véhicule fit un bond en avant. Par la fenêtre, Matt aperçut le policier s'éloigner.

— Il s'en est fallu de peu, grommela Sebastian à voix basse. J'ai été obligé de te frapper parce que le flic devenait soupçonneux. Je lui ai dit que tu étais mon neveu et que tu étais attardé. J'ai expliqué que tu avais eu une lésion cérébrale et que c'est pour ça que tu ne lui avais pas montré plus de respect.

— C'est donc bien moi qu'ils recherchent.

— Oui. Je viens d'en avoir la confirmation. Ils offrent une grosse récompense pour ta capture. Plusieurs centaines de dollars. Ils continuent d'affirmer que tu fais partie d'un réseau terroriste.

— Mais pourquoi ? C'est la police ! Pourquoi font-ils ça ?

— Parce que quelqu'un les a payés. Qu'est-ce que tu imagines ? Finalement, Ayacucho ne te réservera peut-être pas un très bon accueil. Tu ne seras nulle part en sécurité au Pérou, et, sans passeport, tu n'as aucune chance de sortir du pays.

Le bus bringuebala sur un chemin cahoteux avant de rejoindre la grande route. Quand il bifurqua, les passagers tanguèrent sur leurs sièges et les animaux se mirent à brailler. Le chauffeur écrasa la pédale d'accélérateur et le moteur rugit. Le long voyage vers le sud avait commencé.

# 11

# Salamanda

Ica était une petite ville animée, pleine de poussière et d'embouteillages. La première impression de Matt, en descendant du bus, fut que tous les bâtiments avaient été uniformément peints en blanc et jaune, ce qui donnait à l'ensemble un aspect artificiel. On aurait dit le décor de cinéma d'un vieux western. Pourtant il y régnait une vie bien réelle. On la voyait dans les tas de détritus, le linge qui séchait sur des cordes au-dessus des toits, les graffitis qui avaient envahi les murs, les publicités pour Nike et Coca Cola, les affiches de partis politiques, les avertissements peints à la bombe : *NO A LOS DROGOS*, les vieillards assis sur des bancs, plissant les yeux sous le soleil, les taxis qui entraient et sortaient à grand bruit de la place principale, les changeurs d'argent, en veste vert vif, courant après les touristes qui prenaient des photos avec des appareils dont le prix dépassait le salaire annuel de la plupart des habitants.

Sebastian les avait accompagnés sur la grand-place. Il leur acheta à manger – des brochettes et du riz –, et s'assit avec eux sur le trottoir.

— J'ai horreur de ces villes de province, grommela-t-il. Lima est peut-être un trou puant, mais au moins on sait où on est. Je ne comprends pas ce que les gens de la campagne ont dans la tête. Rien, peut-être. Ce sont juste des *Indios.* (Dans sa bouche, le terme était injurieux.) Ils ne réfléchissent pas. Ils n'ont rien dans le crâne.

— Qu'est-ce qu'on fait, maintenant ? demanda Matt.

— Ce qu'on fait ? Je vais te dire ce que *moi* je fais, Matteo. (Sebastian alluma un cigare. Matt ne l'avait jamais vu sans un cigare à la bouche.) Je vais à Ayacucho. Si vous arrivez là-bas vivants, rendez-vous sur la grand-place. J'enverrai des amis vous récupérer. Ils vous mèneront à moi.

— Vous n'allez pas m'aider à entrer dans l'hacienda ?

Sebastian eut un rire déplaisant.

— Je t'ai déjà assez aidé. Et puis j'aime trop la vie. Je vais te montrer où se trouve l'hacienda. Ensuite, tu te débrouilles.

Lorsqu'ils eurent fini de manger, Sebastian les

conduisit en bordure de la ville, après une rivière. En chemin, il discuta avec Pedro. Il semblait lui donner des conseils. Peu à peu, les maisons s'espacèrent et ils arrivèrent à un embranchement d'où partait une piste en terre.

— L'hacienda est à sept ou huit kilomètres d'ici, au bout de cette piste, dit Sebastian. J'espère que tu trouveras ton ami là-bas, Matteo. Mais j'en doute. On se reverra peut-être à Ayacucho. Ça aussi, j'en doute. Mais je l'espère.

— Je croyais que vous ne m'aimiez pas, remarqua Matt.

— D'après Pedro, je me suis trompé sur ton compte. Il dit que tu n'es pas comme les autres gosses de riches occidentaux, qui possèdent tout et se fichent des gens comme nous. (Il haussa les épaules.) En tout cas, tu es contre la police et ça suffit à faire de toi mon ami.

Sebastian plongea une main dans sa poche et en sortit un petit sac de toile.

— J'ai un peu d'argent pour vous. Cent *soles*. Ça représente presque vingt livres sterling. Avant que tu me dises merci, sache que cet argent appartient à Pedro. C'est lui qui l'a volé, pas moi. Ça vous aidera peut-être à rester en vie.

Pedro dit quelque chose en espagnol. Sebastian s'approcha et lui parla longuement. À la fin, il posa la main sur sa tête et lui ébouriffa les cheveux. Il avait l'air triste, tout à coup.

— J'avais un fils, autrefois, dit Sebastian. Il secoua la tête et ajouta : Vous savez où me trouver.

Il tourna les talons et s'éloigna.

Matt regarda Pedro, qui hocha la tête. Ils ne pouvaient toujours pas communiquer par la parole mais se comprenaient de mieux en mieux. Ils se mirent en route.

La piste indiquée par Sebastian courait au milieu de terres agricoles. Certains champs étaient plantés de maïs, de betteraves, d'asperges. D'autres servaient de pâtures à du bétail qui broutait une herbe rêche et drue. Suivant les conseils de Sebastian, ils longeaient le bord de la piste afin de sauter dans le fossé si une voiture arrivait. Une fois, une camionnette passa en bringuebalant. Ils se jetèrent sous un buisson et attendirent qu'elle eût disparu dans un nuage de poussière. La chaleur de l'après-midi était suffocante. Pedro avait récupéré deux bouteilles en plastique dans une poubelle et les avait remplies d'eau à un robinet, mais Matt craignait que cela ne leur suffît pas. La sienne, coincée dans sa ceinture de jean, fuyait un peu. Il était tenté de la vider sans attendre.

Sitôt la camionnette hors de vue, ils se relevèrent et reprirent leur marche en silence. Matt aurait aimé discuter pour tirer au clair tout ce qu'il ne comprenait pas. Il trouvait absurde de ne pouvoir parler avec Pedro que dans le sommeil. S'ils étaient deux des Cinq, quelles langues parlaient les autres ? Les deux garçons et la fille entrevus sur le rivage étaient blancs, avec des cheveux blonds, mais ils pouvaient être russes, scandinaves, ou pourquoi pas martiens ! Et qu'adviendrait-il lorsqu'ils se trouveraient tous réunis ? Serait-ce la fin de l'aventure ou le commencement d'une autre, plus désastreuse ?

Il y avait tant de questions sans réponse, et Matt était réduit à avancer en silence, sous le soleil de plomb. Il ne s'était toujours pas habitué à sa propre odeur, à la coupe insolite de ses cheveux, ni à la teinture sombre et poisseuse sur sa peau. Ses vêtements ne le dégoûtaient plus mais lui paraissaient encore étrangers, comme un déguisement déplaisant. Et il avait du mal à marcher avec ses sandales en pneu. Mais le pire, bien sûr, c'était son inquiétude pour Richard. Sebastian avait probablement raison. Les chances de retrouver le journaliste à l'hacienda étaient extrêmement maigres. Une sur un million, peut-être. Pourtant Matt n'avait pas d'autre indice, aucun autre point de départ. Pourquoi ne pas commencer là.

Pedro s'arrêta pour boire une gorgée d'eau. Matt l'imita. Il se demandait si l'eau du robinet ne risquait pas de le rendre malade. Le jeune Péruvien y était habitué depuis sa naissance. Dans la bouteille en plastique, l'eau était tiède et avait un goût métallique. Il dut se forcer à ne pas tout boire.

Ensuite, ses pensées vagabondèrent. Les huit kilomètres ne semblaient pas gêner Pedro, mais pour Matt c'était interminable, surtout par cette chaleur et avec des sandales qui le faisaient trébucher tous les dix pas. Une voiture apparut, cette fois dans l'autre sens, et ils plongèrent de nouveau à couvert. Combien de gardes surveillaient l'hacienda ? Sebastian n'en avait rien dit mais il était évident qu'un homme aussi riche et puissant que Salamanda vivait sous haute protection.

Le soleil commençait à décroître et une brise rafraîchissante se leva. Les jambes de Matt devenaient de plus en plus lourdes. Il n'avait plus qu'un fond d'eau dans sa bouteille. Soudain, après un virage, Pedro leva une main en signe d'avertissement. Ils reculèrent vivement dans un fourré et s'accroupirent. La maison se dressait juste devant eux. Maison n'était pas le mot. C'était une propriété, avec des granges, des dépendances, des étables et même, chose incroyable, une église du XVI^e^ siècle en pierre blanche avec un clocher. La route prenait fin au pied de l'hacienda. Les huit kilomètres de piste s'arrêtaient à l'hacienda. Au-delà, il n'y avait rien. Deux piliers de pierre et un portail en fer tarabiscoté marquaient l'entrée. Le portail était ouvert, pourtant Matt n'y vit pas une invitation à le franchir.

Prudemment, il se rapprocha pour inspecter les alentours. Tous les bâtiments étaient regroupés autour d'une cour fleurie, au milieu de laquelle trônait une fontaine ornementale. À côté poussait un immense acacia. Bizarrement, l'arbre avait quatre troncs séparés et son feuillage s'épanouissait largement, offrant un ombrage naturel. Un tracteur était garé près d'une des granges. Un homme vêtu de blanc en sortit, poussant une brouette. Hormis le discret gazouillement de l'eau dans la fontaine, tout était silencieux.

— Matteo…

Pedro tapota le bras de Matt et tendit le doigt.

Matt aperçut une tour de guet. Au même instant, un homme apparut, un fusil en bandoulière dans le dos. Il s'arrêta, alluma une cigarette, puis reprit sa ronde. Matt avait donc vu juste. L'hacienda avait beau être perdue au milieu de nulle part, Salamanda ne laissait rien au hasard. La propriété était surveillée. Et probablement par de nombreux gardes.

— *Qué hacemos ahora ?* demanda Pedro.

— On attend, répondit Matt.

Inutile de parler l'espagnol pour comprendre le sens de la question de Pedro. Matt leva les yeux. Le soleil déclinait déjà derrière les hauts palmiers qui se dressaient derrière la maison. La nuit ne tomberait pas avant une heure mais les ombres s'allongeaient. Ce serait un avantage pour eux. Deux garçons à la peau et aux vêtements sombres dans le noir. Il ne devrait pas être trop difficile de se faufiler dans la place.

La maison elle-même était totalement ouverte. Trois marches de bois accédaient à une véranda qui courait sur toute la longueur. Il n'y avait personne dans la cour, aucun mouvement dans la tour de guet. Des caméras de surveillance ? Matt n'en avait aperçu aucune et on pouvait toujours espérer qu'elles ne fonctionnaient pas avec une lumière aussi faible. De toute façon, c'était un risque à prendre. L'idée que Richard soit là, à quelques mètres, l'aiguillonna. Il donna un coup de coude à Pedro puis, courbés en deux, ils coururent jusqu'au portail, le franchirent, et traversèrent un angle de la cour vers le côté de la maison.

Personne ne les vit. Personne ne cria. Matt s'arrêta, essoufflé, le dos plaqué au mur juste en dessous de la véranda. Près de lui, Pedro n'avait pas l'air ravi. Il secouait la tête, l'air de dire : « C'est une idée stupide et je ne veux pas y prendre part. » Pourtant il ne quittait pas Matt d'une semelle, et Matt lui en était reconnaissant.

Si Richard se trouvait dans l'hacienda, où était-il et comment le localiser dans une maison qui grouillait probablement de gardes ? Apparemment, il n'y avait pas de prison, aucune fenêtre munie de barreaux. Un sous-sol peut-être ? C'était le plus vraisemblable, mais cela les obligeait à entrer. Ce qui ne paraissait pas trop difficile.

Maintenant qu'ils étaient plus près, Matt s'aperçut que la véranda courait tout autour de la maison. D'un côté, une rambarde la séparant du jardin et de la cour. De l'autre, le corps principal de la maison, avec d'élégantes et hautes fenêtres, tous les cinq mètres environ. Les fenêtres descendaient presque jusqu'au sol et toutes étaient ouvertes. Matt jeta un coup d'œil à Pedro pour lui donner une dernière chance de battre en retraite. D'un hochement de tête, Pedro lui signifia qu'il continuait. Matt se redressa et utilisa la rambarde pour se hisser sur la véranda. À présent, il était presque dans la maison. Le toit de la véranda, couvert de lourdes tuiles rouges, s'étirait au-dessus de lui. Matt attendit Pedro, puis se faufila le long de la maison.

Presque aussitôt, des voix leur parvinrent. Une réunion se tenait dans l'une des pièces. Dans le silence du soir, les sons portaient. D'un geste, Matt alerta Pedro. Ils avancèrent à pas de loup le long de la véranda, entre des banquettes et des pots en terre cuite, et arrivèrent à une porte-fenêtre. À l'intérieur, un homme parlait. Avec d'infinies précautions, Matt approcha pour risquer un coup d'œil dans la pièce.

C'était une salle à manger, avec une grande table en bois qui semblait avoir été taillée dans un seul arbre. Le sol était également recouvert de bois poli, ainsi que les murs. Un lustre en fer forgé – qui devait peser une tonne – illuminait la pièce non pas de lumière électrique mais avec une centaine de bougies. Matt se demanda qui les avait allumées, et quand. Sans doute un domestique, pendant la réunion.

Trois hommes et une femme étaient assis autour de la table. Matt reconnut l'un d'eux et se figea. Il eut l'impression que le sol se dérobait sous ses pieds. Rodriguez ! Le policier qui l'avait passé à tabac à l'hôtel. Il portait un uniforme. Les deux autres hommes étaient en costume de ville, la femme en simple robe noire. Tous écoutaient attentivement les instructions qu'on leur donnait.

L'homme qui s'adressait à eux tournait le dos à la fenêtre, assis dans un haut fauteuil en osier. Matt n'apercevait rien de lui, hormis un bras et une main sur l'accoudoir. Il avait de longs doigts et portait un costume en lin. Il parlait vite, s'exprimait dans un très bon anglais, ne trébuchant que rarement sur un mot. Pourquoi la réunion se tenait-elle en anglais ?

— Je me moque de ce qui est possible et de ce qui ne l'est pas, disait l'homme. Je vous donne des ordres, vous obéissez. Le cygne d'argent doit être… *en la posicíon…* en position, dans cinq jours. À minuit exactement. Vous en êtes responsable. C'est compris, Miss Klein ?

La femme hocha la tête.

— Tout sera fait, dit-elle. (Son anglais était moins bon que le sien, avec un fort accent.) Mais j'aurai bientôt besoin de… (Elle chercha le mot.) Des coordonnées.

Matt avait maintenant la réponse à sa question. La femme était allemande et ne parlait pas l'espagnol. L'homme était hispanique et ne parlait pas l'allemand. Ils employaient donc l'anglais comme langue commune.

— Vous aurez les coordonnées dès que je les aurai moi-même, poursuivit l'homme. Mes agents sont dans le désert de Nazca mais n'ont pas encore trouvé la plate-forme.

— Le journal n'en indiquait pas l'emplacement ?

— L'emplacement approximatif. Et il est possible que nous en sachions maintenant suffisamment pour placer le cygne exactement où il doit être. Toutefois je préfère ne rien laisser au hasard. Nous sommes prudents mais les recherches continuent. Jusqu'à ce que tout soit prêt de votre côté.

— Bien sûr, Herr Salamanda. Tout sera fait selon vos instructions...

Ce fut tout. Matt écoutait la conversation, la tête contre le mur, juste à côté de la porte-fenêtre. Pedro se tenait légèrement en retrait derrière lui. Ce fut lui qui entendit le bruit de bottes sur le plancher de la véranda et comprit que deux gardes approchaient. Ceux-ci étaient encore hors de vue, mais allaient bientôt tourner l'angle.

Il n'y avait qu'une chose à faire. Pedro poussa Matt et ils passèrent rapidement devant la porte-fenêtre ouverte de la salle à manger, espérant que l'obscurité les dissimulerait, ou que personne ne réaliserait qu'ils n'avaient rien à faire là. Matt regretta de ne pouvoir rester pour en entendre davantage. Mais ils avaient filé juste à temps. Une seconde plus tard, les gardes apparurent, revêtus d'amples tenues kaki et armés de fusils qu'ils portaient à l'épaule. La véranda était vide.

Matt et Pedro ne s'arrêtèrent qu'une fois parvenus derrière la maison. Là, ils découvrirent une cour intérieure, à l'architecture élégante, avec des bancs anciens entourant un puits et un unique arbre vert sombre juste au milieu. Deux autres ailes de la maison donnaient sur les côtés de ce patio. Certaines des fenêtres du premier étage étaient munies de barreaux. Se pouvait-il que ce soit les cellules imaginées par Matt ? Richard était-il enfermé dans l'une d'elles ?

Matt chercha des yeux un moyen d'y monter. Sur le côté opposé du patio, il aperçut un escalier ouvert, avec une série d'arcs et une rampe en bois, menant à la galerie. Mais avant qu'il ait pu esquisser un mouvement, un troisième garde apparut sous une voûte de l'étage. Matt pesta contre lui-même. Comment avait-il pu imaginer entrer dans la maison, trouver son ami et sortir librement avec lui ? Était-il imaginable que l'un des hommes les plus riches et les plus puissants du Pérou n'ait pas un minimum de protection ? Sebastian avait raison. C'était stupide. Pire, c'était un suicide. Pedro et lui seraient capturés. Puis remis entre les mains du capitaine Rodriguez. Et personne ne les reverrait jamais plus, ni à Ayacucho ni ailleurs.

Pedro en arriva probablement à la même conclusion. Cette visite à l'hacienda était une très mauvaise idée. Il regarda Matt, qui hocha la tête. Ils allaient sortir et attendre. Plus tard, peut-être, au milieu de la nuit, il serait moins risqué de jeter un coup d'œil.

Ils contournèrent le patio en prenant soin de rester dans la pénombre. Les pièces étaient éclairées et des moustiques dansaient devant les fenêtres mais, par chance, il n'y avait aucune lumière extérieure. Une porte menait dans un bureau qu'ils avaient déjà aperçu depuis le devant de la maison. Ils pouvaient donc le traverser pour passer de l'autre côté.

Ils entrèrent.

Un coup d'œil rapide convainquit Matt qu'il s'agissait du bureau de Diego Salamanda. La pièce était luxueusement décorée, avec de riches tapisseries sur les murs, des tapis épais sur le sol. Une idée lui vint soudain. Si c'était le bureau personnel de Diego Salamanda, le journal du moine Joseph de Cordoba s'y trouvait peut-être ! Depuis l'enlèvement de Richard, Matt avait complètement oublié le moine fou, tant il était obsédé par l'idée de retrouver son ami. Mais si, par, chance il mettait la main sur le journal du moine, ce serait un excellent moyen d'échange. Le journal contre Richard. Nexus n'apprécierait sûrement pas, mais Matt s'en moquait. Que Salamanda et les Anciens fassent ce qu'ils voulaient. Lui n'avait qu'une envie : quitter le Pérou.

Pedro était déjà au milieu de la pièce.

— Attends ! chuchota Matt.

Pedro s'immobilisa et jeta un regard désemparé à Matt qui commençait à fouiller le bureau. C'était un meuble laid, pesant, démesuré, avec un carré de cuir incrusté sur le plateau et des poignées en or sur les tiroirs. Matt essaya d'en ouvrir un. Il n'était pas fermé à clé mais fit un tel bruit en s'ouvrant qu'on l'entendit probablement dans toute la maison.

— *Qué estas haciendo ?* souffla Pedro. Qu'est-ce que tu fais ?

— Le journal, répondit Matt.

Pedro comprit. Le mot était presque identique en espagnol.

Pedro se dirigea vers une rangée d'étagères fixées au-dessus d'un télécopieur ultramoderne. Mais alors qu'il s'apprêtait à examiner les livres rangés sur les étagères, il remarqua une feuille de papier sur le télécopieur.

— Matteo...

Matt abandonna les tiroirs, quasiment vides et sans intérêt, et rejoignit Pedro. La feuille de papier était recouverte d'une écriture manuscrite, probablement tracée avec un ancien stylo à plume, voire avec une plume d'oie. La feuille avait-elle été arrachée du journal ? Matt pesta intérieurement. C'était écrit en espagnol. Il ne comprenait pas un mot. Et Pedro ne savait pas lire. Décidément, ils jouaient de malchance.

Matt plia le papier et le glissa dans sa poche, espérant en découvrir le sens plus tard.

Soudain, un mouvement se produisit à la porte.

Pedro réagit le premier. Il se figea, les yeux exorbités. Matt remarqua son expression hébétée et fit volte-face. Un tremblement aussi violent qu'une décharge électrique lui traversa le corps jusqu'à la nuque.

Il ne pouvait distinguer l'homme qui se tenait de l'autre côté de la porte, dissimulé dans la pénombre, mais il devinait sa silhouette et s'aperçut que sa tête, aux proportions inimaginables – le double de la normale –, était monstrueuse. L'homme s'appuyait contre le chambranle et Matt comprit pourquoi : il avait besoin d'un support pour se tenir droit. Son cou n'avait tout simplement pas assez de force pour soutenir sa tête.

— Je pensais bien que c'était toi, dit l'homme en anglais, d'une voix sourde, comme étranglée. Je vous ai entendus passer sur la véranda. Mais ce n'est pas seulement le bruit. Je savais que tu étais là. Toute la soirée j'ai senti ta présence, comme je la sens maintenant. L'un des Cinq ! *Deux* des Cinq ! Dans mon hacienda ! À quoi dois-je le plaisir de votre visite ? Que voulez-vous ?

Nier n'aurait servi à rien. L'homme avait parfaitement percé à jour le déguisement de Matt. Il semblait tout savoir sur lui.

— Où est Richard ? demanda Matt.

— Ton ami le journaliste ?

Ses lèvres se crispèrent en ce qui pouvait ressembler à un sourire. Mais son visage était incapable de sourire normalement.

— Qu'est-ce qui te fait croire que je le retiens ici ? (Salamanda paraissait sincèrement intrigué.) Et comment es-tu arrivé jusqu'à moi ?

Matt se tut.

Salamanda se tourna alors vers Pedro et questionna :

— *Cúal es tu nombre ?*

Pedro cracha. Quelle qu'ait été la question, c'était sa réponse.

— Je crois que je vais bien m'amuser avec vous, marmonna Salamanda. C'est presque trop beau pour être vrai. Un cadeau, en quelque sorte. Et parfaitement minuté. D'ici une semaine, tout sera terminé. La porte sera ouverte et deux de ses gardiens entre mes mains ! Jamais je n'aurais imaginé une telle facilité.

Salamanda avança dans la lumière et Matt découvrit ses yeux sans couleur, sa bouche enfantine, sa peau marbrée, horriblement distendue. Cela lui suffit.

— Cours ! cria-t-il.

Pedro n'avait pas besoin d'encouragement. Ils tournèrent le dos à la porte, et foncèrent vers la fenêtre et le patio. Ils n'avaient aucun plan. Seulement le désir de fuir cette maison et le monstre qui l'habitait. Mais alors qu'ils sautaient de la véranda pour s'élancer vers le portail, les cloches de l'église se mirent à carillonner. L'écho de leur son métallique résonna dans la nuit. Des projecteurs qu'ils n'avaient pas remarqués en arrivant transformèrent la nuit en jour. Leur faisceau les aveugla. En même temps, ils aperçurent une demi-douzaine de gardes venant de toutes parts. Deux d'entre eux tenaient en laisse des bergers allemands à la gueule écumante. Le capitaine Rodriguez avait surgi du côté de la maison, furieux et incrédule. Le plus étrange était que personne ne paraissait pressé. On avait repéré deux intrus, donné l'alarme, pourtant les gardes avançaient d'un air presque nonchalant.

Matt comprit pourquoi. Avec un sentiment d'impuissance croissant, il prit conscience qu'ils ne pouvaient aller nulle part. Même s'ils parvenaient à fuir le domaine, il leur resterait huit kilomètres à parcourir jusqu'à la ville la plus proche, sans autre bâtisse ni cachette possible. Ils auraient beau courir, les hommes de Salamanda les pourchasseraient comme des rats. Matt déglutit et reconnut dans sa bouche le goût amer de la défaite. Il avait négligé les avertissements de Sebastian et foncé dans la gueule du loup.

Matt commençait à lever les mains pour se rendre quand, brusquement, il se produisit un changement radical. Il le perçut d'abord sur le visage des gardes, et l'entendit ensuite. Un rugissement de moteur creva la nuit. Matt se retourna et vit une voiture qui franchissait le portail pour s'engouffrer dans la cour. Un bref instant, il crut que c'était un des hommes de Salamanda qui leur coupait la retraite. Mais les gardes s'étaient arrêtés net et Rodriguez avait sorti son arme, beuglant des ordres.

La voiture freina brutalement.

— Montez ! hurla une voix, d'abord en anglais, puis en espagnol. *Consigna en el coche !*

Une fusillade éclata. Matt eut l'impression de revivre l'attaque, sur la route de l'aéroport. Personne ne lui avait jamais tiré dessus de toute sa vie, mais c'était la deuxième fois en quelques jours. Deux coups de feu avaient été tirés de la tour de guet. Une balle se perdit dans le sol, soulevant un nuage de poussière. La deuxième perfora le capot de la voiture. Matt savait maintenant à quoi s'en tenir. Le chauffeur était un ami.

Matt s'élança. D'autres coups de feu éclatèrent. Les gardes semblaient davantage viser la voiture que les fuyards. Obéissaient-ils à des instructions de Salamanda ? Leur patron les voulait probablement vivants. Matt s'aperçut que les chiens avaient été détachés. Ils bondissaient, les yeux étincelants, les mâchoires grandes ouvertes sur leurs crocs blancs. Matt se dit que si les balles ne les tuaient pas, ils seraient déchiquetés par les chiens avant d'atteindre la voiture.

— Vite ! cria le conducteur.

Pedro arriva le premier. Il ouvrit la portière arrière et se jeta sur le siège. Matt se rua sur la porte du passager. Et là, malgré la fusillade, malgré les chiens qui approchaient, effrayants dans la lumière crue des projecteurs, il se figea.

Le conducteur ne lui était pas inconnu. Ce visage un peu féminin. Ces longs cils. Ces pommettes sculptées sous la barbe naissante. La cicatrice en demi-lune près d'un œil.

C'était l'un des ravisseurs de Richard.

— Monte sinon tu mourras ! hurla l'homme.

Deux autres balles perforèrent la carrosserie. Une troisième fit exploser un rétroviseur latéral. Cela suffit à décider Matt. Il plongea vers le siège. En même temps, l'homme passa la marche arrière et effectua un dérapage contrôlé. Matt avait la moitié du corps à l'extérieur. Pedro était assis, étonnamment calme, sur la banquette arrière. La voiture continua sa course en arrière. Matt aperçut derrière eux un garde qui levait son arme. Il y eut un choc terrible et le garde disparut.

— La portière ! cria le conducteur.

Matt entendit un horrible grognement et se retourna juste à temps pour voir un des bergers allemands bondir sur lui. L'animal atterrit à moitié sur sa jambe, ses crocs à quelques centimètres de sa cuisse. Matt hurla. De son autre jambe il repoussa le chien d'un violent coup de pied en pleine tête. L'animal couina et retomba en arrière. Matt se hissa dans la voiture et claqua la portière. Le conducteur avait déjà changé de vitesse et la voiture bondit en avant.

Ce n'était pas terminé. Craignant de les voir s'échapper, les gardes firent feu tous en même temps. Les vitres volèrent en éclats. Le conducteur sursauta sur son siège et Matt sentit quelque chose éclabousser son visage. Il s'essuya la joue d'un revers de la main. Elle était couverte de sang.

Il n'était pas touché mais une balle avait atteint le conducteur. Cette fois, les rôles étaient inversés. L'homme à la cicatrice n'était plus l'assaillant mais leur allié. Et il était blessé. À l'épaule et au cou. Son sang avait giclé sur le tableau de bord et le siège, et rougissait rapidement sa chemise. Pourtant, il continuait de s'agripper au volant, le pied pressé sur l'accélérateur. La voiture vira brutalement vers le portail et s'engouffra dans l'obscurité. Le conducteur alluma les phares et s'engagea sur la piste.

— Ils vont nous suivre ! s'écria Matt, certain que les gardes avaient déjà bondi dans leurs voitures et camionnettes.

— Je ne crois pas, répondit le chauffeur.

Celui-ci s'efforçait de ne pas laisser la douleur percer dans sa voix, mais il était sérieusement blessé. Sa chemise était maintenant imbibée de sang. Il marmonna quelques mots en espagnol. Pedro se pencha derrière le siège. Lorsqu'il se redressa, il tenait une poignée de fils et de fusibles. Matt sourit. Leur sauveur s'était manifestement débrouillé pour pénétrer dans l'hacienda avant d'intervenir et avait mis les véhicules hors service.

— Qui êtes-vous ? demanda Matt.

— Je m'appelle Micos.

— Comment nous avez-vous trouvés ? Où est Richard ?

Les questions se pressaient sur les lèvres de Matt.

— Pas maintenant. Plus tard...

Matt se tut, comprenant que Micos n'avait pas la force de parler et de conduire en même temps.

Il leur fallut un temps interminable pour atteindre le bout de la piste. Il faisait nuit noire et les phares n'éclairaient qu'une petite portion de chemin juste devant la voiture. Matt se rendit compte qu'ils avaient enfin rejoint la route lorsque les roues, après une violente secousse, se mirent à rouler souplement sur l'asphalte. Quelques instants plus tard, Micos se rangea sur le bas-côté.

— Écoute-moi, dit-il d'une voix rauque.

Alarmé, Matt s'aperçut que Micos était plus gravement atteint qu'il ne le craignait.

— Allez à Cuzco.

Il toussa et déglutit péniblement. Un filet de sang apparut sur sa lèvre inférieure.

— Vendredi… le temple de Coriancha. Cuzco. Au coucher du soleil.

Micos prit une profonde inspiration, comme s'il s'apprêtait à leur en dire davantage.

— S'il te plaît, dis à Atoc…

Ce fut tout. Micos resta assis, immobile, les yeux fixés au loin. Matt réalisa qu'il était mort.

Sur la banquette arrière, Pedro émit un son plaintif.

— On ne peut pas rester ici, décréta Matt, sans se soucier si Pedro comprenait ou non. Salamanda va lancer ses hommes à notre poursuite. Il faut partir.

Ils descendirent. La voiture était garée sur le bord de la route, près d'une pente dégringolant dans des buissons. Matt éteignit les phares et desserra le frein à main. Il fit signe à Pedro et, unissant leurs forces, ils poussèrent la voiture qui dévala la pente et disparut.

Leurs poursuivants penseraient qu'ils avaient filé

en voiture. Personne n'imaginerait qu'ils étaient de nouveau à pied.

La lune était apparue, éclairant le paysage. Ica était à moins d'un kilomètre.

— Prêt ? demanda Matt.

— Oui.

Pedro avait compris, et répondu en anglais.

Ils se mirent en route côte à côte.

## 12

# La cité sacrée

Pedro et Matt se retrouvèrent à nouveau sur la grand-place d'Ica. Mais, cette fois, ils étaient beaucoup plus nerveux. Il n'était que cinq heures et demie du matin, pourtant il y avait déjà un peu de monde. La vie commençait tôt au Pérou. Néanmoins les touristes n'avaient encore pas fait leur apparition, ni les changeurs d'argent, et si les hommes de Salamanda venaient les chercher ici, ils n'auraient aucun mal à les repérer.

Cependant, Matt était quasiment certain que Salamanda n'enverrait personne fouiner ici. Il les croyait à cent ou deux cents kilomètres d'Ica, sur l'autoroute panaméricaine, l'unique axe traversant le pays. Mais Matt préférait ne pas prendre de risques. Il avait laissé à Pedro le soin d'acheter les tickets de bus pour le dernier tronçon du voyage, tandis que lui-même restait accroupi dans l'ombre, sur le bord du trottoir, les bras autour des genoux, feignant de dormir. D'ailleurs il ne faisait pas vraiment semblant. Il était épuisé et se demandait combien de temps il tiendrait encore à ce rythme.

Pedro revint avec les tickets et s'assit à côté de lui.

— Cuzco ? dit Matt.

— Cuzco, acquiesça Pedro en lui tendant les deux coupons.

Matt savait que Pedro aurait préféré rejoindre Ayacucho où les attendaient Sebastian et ses amis. Mais Pedro avait fait son choix et il s'y tenait.

Ils prirent un petit déjeuner composé de petits pains et de café achetés dans une échoppe, et montèrent dans le bus au tout dernier moment. Les sièges étaient presque tous occupés et ils durent s'asseoir séparément. Ce qui n'avait pas grande importance, songea Matt, puisqu'ils ne pouvaient pas discuter.

Cuzco.

Cela ne signifiait rien pour Matt. Un nom prononcé par un mourant. C'était une ville... située il ne savait où. Sans doute loin d'Ica car les tickets avaient coûté près de la moitié de l'argent qu'il leur restait. Le bus démarra en hoquetant puis traversa la place à moitié vide. Matt glissa un coup d'œil vers Pedro assis de l'autre côté de l'allée, coincé entre la fenêtre et un gros homme suant. À quoi songeait-il ? Depuis la fusillade de l'hacienda et la mort de Micos, il n'avait pas dit un mot et montré peu d'émotion. Bien sûr, Pedro avait souvent côtoyé la violence et la mort, mais il ne s'était sûrement pas attendu à un tel déferlement.

L'autoroute panaméricaine était longue, rectiligne, coupant le paysage comme la lame d'un couteau. Pendant les deux premières heures, le panorama resta assez terne. Pneus usagés, sacs en plastique déchiquetés, rouleaux de fil de fer emmêlés et tas de détritus semblaient décidés à les escorter tout au long du trajet. Matt n'avait jamais vu un tel spectacle. Il avait vu des amas d'ordures, en Angleterre – certains quartiers d'Ipswich étaient décrépits et déprimants –, mais la pauvreté de ce pays était infinie. Elle se propageait comme une maladie.

Le soleil se leva et soudain il fit chaud. Matt jeta un coup d'œil aux autres passagers : mélange de citadins, de paysans, d'Indiens et, là encore, d'animaux. La femme assise à côté de lui portait des vêtements très colorés, avec un châle rouge vif et un chapeau mou. Sa peau avait l'aspect du cuir tanné ; elle semblait avoir cent ans. Elle observait Matt avec curiosité et il se demanda si elle avait percé à jour son déguisement et détecté l'Anglais sous la teinture de la peau, la coupe de cheveux et les haillons. Il se détourna, craignant qu'elle lui adresse la parole.

Une autre heure s'écoula. Et plusieurs autres. Impossible de dire combien. Matt avait soif. La bouche et le nez pleins de poussière et de vapeurs de diesel. Il ferma les yeux et s'endormit presque aussitôt.

Pour se retrouver une fois encore sur l'île avec Pedro.

« On aurait mieux fait d'aller à Ayacucho, dit celui-ci.

— Je sais. Je suis désolé. Pourquoi as-tu décidé de venir ?

— À cause de l'homme qui est mort. Micos. Il est mort parce qu'il voulait nous aider. Dans son dernier souffle, il nous a demandé d'aller à Cuzco. C'était important pour lui. Si on ne le fait pas, son fantôme ne nous le pardonnera jamais.

— Qu'est-ce que tu sais de Cuzco ?

— Pas grand-chose. Sebastian y est allé une fois et ça ne lui a pas plu. C'est loin, très haut dans la montagne. Il paraît qu'on a du mal à respirer. Beaucoup de touristes vont là-bas. » Pedro réfléchit un instant avant d'ajouter : « Ce n'est pas très loin d'un endroit appelé le Machu Pichu, où habitaient les Incas autrefois.

— Et le temple de Coriancha ?

— Jamais entendu parler. »

Ils demeurèrent silencieux une minute. Mais, dans ce monde étrange, une minute pouvait représenter une heure ou un jour.

« À ton avis, qui était Micos ? reprit Pedro. Il nous a dit son nom, mais c'est tout. Et l'homme à la grosse tête ?

— Salamanda, dit Matt en frissonnant.

— Je n'avais encore jamais vu un homme comme lui. À Lima, il y a des gens sans bras ou sans jambes. On en voit tout le temps. Mais lui, c'est un monstre. Un vrai monstre. Et c'est le diable. On sent le mal sortir de lui. Il me donnait envie de vomir.

— Oui, à moi aussi. »

Matt jeta un regard vers la barque et songea que, bientôt, Pedro et lui devraient quitter l'île du rêve. Il y avait tout un monde à explorer.

« Écoute, Pedro. Les choses se sont passées tellement vite que je n'ai pas eu le temps de réfléchir. Mais maintenant je me rends compte que j'ai été stupide. J'ai tout compris de travers. »

Il fit une pause avant de poursuivre :

« Commençons par Salamanda. Il est notre ennemi. C'est lui qui veut ouvrir la porte. Il a dû payer quelqu'un pour tuer William Morton et voler le journal du moine. Mais ce n'est pas lui qui a enlevé Richard. Il me l'a plus ou moins dit lui-même. Il ne savait même pas que Richard avait été kidnappé.

— Qui, alors ?

— C'est la question que je me suis posée. À notre arrivée à Lima, le chauffeur qui nous a accueillis disait travailler pour Fabian. Il s'est présenté sous le nom d'Alberto, mais il a pu nous raconter n'importe quoi. Il comptait nous conduire dans un hôtel où nous attendaient le capitaine Rodriguez et la police. C'était un piège. Sur le chemin, un groupe d'inconnus nous a attaqués. Ils ont tiré sur le chauffeur et tenté de nous capturer. Ils ont réussi à avoir Richard. Moi je me suis échappé.

— Ils voulaient vous empêcher d'aller à l'hôtel parce qu'ils savaient que la police vous guettait !

— Exact, acquiesça Matt. Et Micos faisait partie du groupe. Je l'ai reconnu. Il était avec les autres à Lima. Et, hier soir, il nous a suivis à l'hacienda. Ou bien il s'attendait à ce qu'on y aille.

— Il aurait peut-être pu te dire où est ton ami.

— Oui. Il aurait pu nous apprendre des tas de choses. Qui il était et pour qui il travaillait.

— Et il y a ce temple…

— Coriancha. Si on le trouve, peut-être qu'on trouvera aussi Richard. » Matt ramassa un caillou et le jeta dans la mer. En touchant l'eau, le caillou ne fit pas un bruit. « C'est encore loin, Cuzco ?

— À Ica, on m'a dit qu'il y avait une vingtaine d'heures de voyage.

— Au moins, si on passe tout ce temps à dormir, on pourra discuter.

— Quel est cet endroit où nous sommes, Matteo ? Cette plage. Et comment se fait-il qu'on se comprenne… et qu'on se souvienne de tout à notre réveil ?

— Je ne sais pas, Pedro. Quand je t'ai vu arriver sur cet îlot, j'ai cru que tu pourrais me l'expliquer.

— Pas du tout. Je ne sais rien sur rien. Je suis juste moi. Je jongle et je vole les touristes. Tout ça est un mystère pour moi. Et le fait que nous soyons mêlés à la même affaire est le plus grand mystère de tous.

— Partons d'ici, proposa Matt en se levant. Je pense que nous devons quitter cette île. Tu as une barque. Prenons-la.

— Pour aller où ?

— Nous sommes cinq, Pedro. Tout repose là-dessus. Il faut trouver les trois autres. »

Ils tirèrent la barque sur les galets pour la mettre à l'eau. Matt grimpa dedans et Pedro la poussa. Soudain, le continent leur parut très lointain. Matt leva le yeux. Le ciel, toujours noir, était dégagé. Le cygne géant n'avait pas reparu.

Le cygne. Salamanda y avait fait allusion dans l'hacienda, pendant la réunion.

« Le cygne doit être en position dans cinq jours… »

Que voulait-il dire ? Salamanda avait-il le pouvoir de pénétrer dans leur monde rêvé ? De contrôler le cygne ?

Matt frissonna. Pedro sauta dans la barque, les jambes dégoulinantes d'eau. Le bateau semblait posséder une vie propre. Presque aussitôt, il s'éloigna de l'île et, gagnant de la vitesse, les emporta sur les flots.

Matt se réveilla de nouveau en sursaut.

Le bus venait de s'arrêter à un carrefour, devant quelques bâtisses délabrées et des échoppes vendant à boire et à manger. La vieille femme assise près de lui s'en alla et Pedro prit sa place, avec deux bouteilles d'eau et des beignets. Au moment où les portes se refermèrent en chuintant. Matt se souvint de la feuille de papier qu'il avait dérobée dans le bureau de Salamanda à l'hacienda.

C'était une photocopie d'une page du journal du moine. Il en était certain. La feuille était entièrement recouverte de lignes manuscrites, dont certaines composaient des formes. Il y avait une sorte de rectangle qui se rétrécissait à une extrémité. Une autre évoquait une araignée très élaborée. Les mots fourmillaient, courant dans toutes les directions, certains si petits qu'ils auraient été illisibles même écrits en anglais. Quatre lignes occupaient le centre de la page, comme une strophe de poème. Tout en bas, dans l'angle gauche, figurait un soleil éclatant, à côté de deux mots en lettres majuscules :

INTI RAYMI

Était-ce de l'espagnol ? Sans connaître la langue, ça n'y ressemblait pas. Que signifiait cette page d'écriture et pourquoi Salamanda avait-il éprouvé le besoin de la photocopier ? Matt replia la feuille de papier. Il tenterait de résoudre l'énigme plus tard, une fois qu'il aurait retrouvé Richard.

Le bus reprit la route.

Le paysage changea. C'était beaucoup plus montagneux et vert. La végétation était dense et luxuriante. La route, rectiligne jusque-là, serpentait en une série de virages en épingle à cheveux. Matt se rappela les paroles de Pedro et respira avec précaution. En effet, l'air se raréfiait. Même la couleur du ciel était différente, d'un bleu plus dur, plus électrique. Quelques fermes parsemaient les pentes ici et là, comme au hasard, ainsi que d'étranges forteresses, petites et circulaires, construites en pierres massives. Il paraissait impossible de faire pousser quoi que ce soit sur ces coteaux. Et pourtant, après un virage, Matt découvrit les fantastiques terrasses aménagées il y a des millénaires, à l'aide de gros rochers, par d'anciennes civilisations puis par les Indiens de la région, pour y cultiver la terre.

Ils traversèrent des villages et des bourgs. Tout était étrange, beaucoup plus ancien, spectaculaire, et très différent de l'autre Pérou. Les immenses montagnes encerclaient tout. Le bus atteignit le haut d'une vallée, au fond de laquelle s'étendait la cité de Cuzco. C'était une vision extraordinaire.

Cuzco ne ressemblait pas du tout à une ville. Ce fut la première pensée de Matt. Pas de gratte-ciel, pas d'immeubles de bureaux, pas de grandes avenues, pas de feux de croisement, pas de circulation. Cuzco donnait l'impression de sortir d'un livre de contes écrit il y avait très longtemps. Deux cathédrales espagnoles dominaient une place centrale. Tout autour, des maisons à façade blanche et toit ocre brun s'étiraient très loin, jusqu'au pied des montagnes.

Mais c'est seulement lorsqu'ils furent descendus du bus et engagés vers le centre que Matt prit la mesure de cette place. Cuzco était une cité magnifique, dotée d'arcades et de vérandas, de réverbères en fer forgé, de rues et de trottoirs pavés, si lustrés qu'ils auraient pu daller le sol d'une maison, d'un musée ou d'un palais. Chaque bâtiment abritait soit un restaurant, soit un café Internet ou encore un magasin gorgé de tissus, de bijoux et de souvenirs. Mais ici aussi, la pauvreté rôdait. Matt aperçut un petit garçon, pieds nus et sale, endormi sous un porche. De vieilles femmes, assises dans la rue, plissaient les yeux sous le soleil. De jeunes cireurs de chaussures cherchaient du travail aux abords des églises. Pourtant, à Cuzco, même la pauvreté paraissait pittoresque, image attrayante pour les touristes photographes.

Et des touristes, il y en avait partout, routards ou groupes organisés. En pénétrant sur la place principale, Matt entendit des voix anglaises. Un élan irrépressible le poussait à se jeter dans les bras de la première personne venue. Il avait besoin d'aide. Un riche touriste était la réponse idéale. Grâce à lui, il pourrait au moins contacter l'Ambassade pour se faire rapatrier.

Mais quelque chose au fond de lui l'empêcha de céder à son impulsion. D'abord, il y avait Richard. Matt ne pouvait pas l'abandonner. S'il quittait le pays, il le condamnait. C'était lui seul qu'ils voulaient. Richard n'avait aucune valeur à leurs yeux.

Ensuite, il y avait Pedro. Matt avait beau détester être au Pérou, il avait réussi à retrouver l'un des Cinq et ils étaient destinés à rester unis. La fuite n'aiderait personne. En dépit de tout, Matt savait qu'il devait aller jusqu'au bout.

Il s'effaça pour laisser passer un groupe de touristes anglais massés derrière une femme qui agitait une ombrelle. Puis il se mêla à eux. Il aurait au moins le réconfort d'entendre parler sa langue.

— Cuzco a toujours été connue comme la cité sacrée, disait la guide. Elle était en tout cas sacrée pour les Incas, qui en avaient fait la capitale de leur empire. Ils y régnaient en 1533, lors de l'invasion des conquistadors espagnols menés par Francisco Pizarro. Les Espagnols détruisirent une grande partie de la ville et, sur ses ruines, construisirent leurs propres palais et cathédrales. Néanmoins, aujourd'hui encore, on ressent l'influence inca. Vous observerez notamment les murs remarquables, assemblés sans ciment. Nous aurons tout le loisir d'étudier les méthodes de construction incas cet après-midi, lors de la visite du temple de Coricancha...

Coricancha ! Le temple cité par Micos ! Matt fut tenté de suivre le groupe, mais cela ne servait à rien. Au lieu de l'endroit secret et introuvable qu'il avait imaginé, Coricancha était un haut lieu du tourisme. De toute façon, il ne devait s'y rendre que le vendredi, au crépuscule. Quel jour était-ce ? Il n'en avait pas la moindre idée. Matt savait juste qu'il avait passé une journée entière dans le bus. Ce devait donc être mercredi. Ou bien jeudi. C'est à peine s'il savait où il était, et il ne se rappelait même plus le jour de son arrivée. D'une certaine manière, il était comme Pedro : un *desplazado*. Terriblement déplacé.

La femme à l'ombrelle avança. Le groupe lui emboîta docilement le pas. Matt se tourna vers Pedro, debout sur la place, l'air égaré. Le jeune Péruvien avait passé la plus grande partie de sa vie à Lima et Cuzco devait lui paraître aussi étrangère qu'à Matt.

— Il faut trouver un endroit où loger, dit Matt.

Pedro lui jeta un regard vide.

— Un hôtel..., ajouta Matt. Ils n'avaient pas les moyens de s'en offrir un, mais c'était le seul mot que Pedro comprendrait.

Pedro secoua la tête. Dubitatif.

Matt frotta son pouce contre son index, le signe universel pour désigner l'argent.

— Un endroit pas cher.

Ils quittèrent la place et s'engagèrent dans une rue étroite, bordée d'un côté par un mur haut de cinq mètres. Matt ne connaissait rien de l'histoire du Pérou ni de son architecture, mais il supposa que ce mur était l'œuvre des Incas, le peuple mentionné par la guide, et datait d'environ mille ans. Les pierres qui le composaient étaient énormes. Chacune devait peser une tonne. Toutes étaient de formes irrégulières, avec sept ou huit côtés. Pourtant elles s'imbriquaient parfaitement, sans mortier. Des touristes se prenaient mutuellement en photo devant le mur. Des marchands ambulants vendaient des cartes postales.

Le premier hôtel refusa de les loger. C'était une

petite auberge rudimentaire, remplie d'étudiants et de routards, qui fumaient et sirotaient de la bière dans le patio. Pour passer inaperçu, Matt s'accroupit sur le trottoir près de la porte tandis que Pedro discutait avec la réceptionniste – une femme âgée au regard soupçonneux. Elle ne voulait pas de son argent. Ce qu'elle voulait, c'était un passeport. D'ailleurs, leur argent était certainement volé ! Pourquoi deux va-nu-pieds péruviens voulaient-ils descendre dans un hôtel pour touristes sinon pour voler les clients ?

Le deuxième hôtel leur réserva le même accueil. Au troisième, Matt tenta sa chance en parlant anglais. Le propriétaire le dévisagea, visiblement abasourdi, et Matt comprit pourquoi. La langue qu'il parlait ne collait pas du tout avec son apparence. Il battit rapidement en retraite. La réaction de l'hôtelier lui rappela inutilement qu'il était recherché par la police.

La matinée touchait à sa fin. Matt avait soif et faim, il était épuisé et gêné par le manque d'oxygène. Chaque fois qu'il fournissait un effort, il devait s'arrêter pour reprendre son souffle. À quelle altitude se trouvait Cuzco ? Dans le bus, il avait eu l'impression de grimper pendant des heures.

Il se tourna vers Pedro et, joignant le geste à la parole, demanda : « Tu veux manger ? »

Pedro acquiesça. « *Soy muero de hambre.* »

Ils choisirent le restaurant le plus miteux et le plus tranquille, pourtant le patron n'accepta de les servir qu'après avoir été payé. Mais une fois l'argent encaissé, certain qu'ils ne s'enfuiraient pas, il les prit en pitié et leur apporta un énorme plat de *chicharrones* – morceaux de côtes de porc frits – et une carafe de chicha, une boisson sucrée et fruitée, version moderne de l'ancienne bière des Incas.

Matt et Pedro déjeunèrent en silence. Ils n'avaient pas le choix. Pourtant Matt se sentait plus proche de lui, comme d'un camarade d'enfance avec qui on n'a pas vraiment besoin de parler. Quelques autres voyageurs entrèrent sans leur prêter attention, et Matt put se détendre et réfléchir.

Un client attablé près d'eux lisait un journal péruvien. Il tourna une page et, à cette seconde, tout bascula. Pedro donna un coup de coude à Matt en lui montrant le journal, et Matt reconnut une photo de lui, prise à York par Richard. Il eut un choc devant la peau claire, les cheveux bien coupés, le visage souriant. Cette image appartenait à un autre temps, un autre monde. Matt avait du mal à croire que c'était lui.

Puis vint la peur. La police péruvienne avait-elle publié cette photo pour le rechercher ? Comment se l'était-elle procurée ? Matt ne voulait pas attirer l'attention mais il avait besoin de savoir ce que disait le journal. Oui, mais comment ? C'était toujours le même problème. L'article était écrit en espagnol et Pedro ne savait pas lire. C'est alors que le propriétaire du journal déplaça sa main et Matt vit les mots en anglais. Son nom, écrit en majuscules, suivi de ce message :

MATTHEW FREEMAN
CONTACTE-NOUS POUR SECOURS.
APPELLE À TOUTE HEURE.
N.

Le numéro de téléphone figurait dessous.

Quelqu'un avait donc enfin pris conscience de sa disparition et entrepris des démarches pour le retrouver ! Pour la première fois depuis son arrivée au Pérou, Matt reprit un peu espoir. Nexus allait l'aider. Il était tiré d'affaire.

Il mémorisa le numéro de téléphone et l'inscrivit sur la nappe en papier en se servant d'un cure-dents et de sauce tomate. Puis il déchira le coin de la nappe. Sitôt le repas terminé, il se précipita dans la rue.

— J'ai besoin d'un téléphone, dit-il à Pedro.

— *Si… un teléfono.*

En voyant la photo sur le journal, Pedro avait compris.

Presque tous les hôtels et cafés de Cuzco avaient des cabines téléphoniques et une connexion Internet. Matt entra dans le premier, jeta quelques pièces de monnaie sur le guichet et fit sa demande en anglais. Il n'avait plus à se soucier de sa sécurité. L'employé lui indiqua une cabine en bois vieillotte, où il sortit le bout de papier et composa le numéro. La ligne sonna, puis…

« Matthew ? C'est toi ? » Fabian avait la voix fatiguée et excitée à la fois. Matt songea que la ligne avait été spécialement ouverte à son intention et que Fabian attendait son appel à côté du téléphone.

« M. Fabian ?

— Où es-tu ? Comment vas-tu ? Tu n'as rien…?

— Non. Je vais bien.

— Je n'arrive pas à croire que c'est toi. Enfin ! Nous étions tellement inquiets pour toi. J'ai cru devenir fou en ne vous voyant pas à Lima. Puis Alberto m'a raconté ce qui s'est passé. Richard est avec toi ?

— Non. » Le seul fait de parler avec Fabian, d'entendre sa voix, réconfortait Matt. « Je vais bien mais j'ai besoin de votre aide.

— Bien entendu. Nous attendions ton appel. Tu n'as plus aucun souci à te faire, Matt. Dis-moi seulement où tu es et comment te joindre.

— Je suis à Cuzco.

— Cuzco ? » Fabian était surpris. « Que fais-tu à Cuzco ?

— C'est une longue histoire.

— Raconte-moi. Ensuite, je saute dans un avion… »

Une demi-heure plus tard, Susan Ashwood reçut un coup de téléphone chez elle, à Manchester. C'était Fabian. Il appelait de Lima.

« Je viens de parler avec Matthew, lui annonça-t-il.

Il a vécu des choses inimaginables mais il est sain et sauf. Il est à Cuzco. Ne me demandez pas comment il est arrivé là-bas. C'est une trop longue histoire. Mais j'ai déjà réservé un billet d'avion et j'y serai ce soir. Je le ramènerai. Il y a une autre excellente nouvelle, Miss Ashwood. Vous n'allez pas le croire. Matthew dit qu'il a retrouvé un autre gardien. Un des Cinq… »

Ils parlèrent un long moment. Fabian rapporta à Susan Ashwood ce que lui avait expliqué Matt. Après quoi Susan Ashwood téléphona à Nathalie Johnson.

« Matthew est à Cuzco, lui apprit-elle à son tour. Il a lu l'annonce dans le journal et appelé Fabian aussitôt… »

Les deux femmes discutèrent une dizaine de minutes.

Peu de temps après, Diego Salamanda reçut un appel téléphonique à son hacienda. Il prononça à peine quelques mots. Quand il collait le récepteur à son oreille, le micro se trouvait trop loin de sa bouche et, s'il voulait parler, il devait faire glisser l'appareil le long de sa joue.

La conversation terminée, Salamanda sourit et raccrocha. Son correspondant lui avait appris exactement ce qu'il voulait entendre.

À présent, lui aussi savait où était Matt.

# 13

# Volatilisés

Le premier vol disponible de Lima n'arrivant pas avant neuf heures du soir, Fabian avait donné rendez-vous à Matt et à Pedro une heure plus tard devant la cathédrale, sur la grand-place. Ils avaient donc le reste de la journée à tuer.

Ils le passèrent à déambuler dans Cuzco en s'efforçant d'éviter la foule. C'était une expérience insolite pour Matt. Normalement, un adolescent anglais aurait dû visiter la cité sacrée en touriste. Vêtu autrement, c'est cette image de voyageur étranger qu'il aurait montrée. Il s'imaginait en train de photographier les longues arcades de pierre et les boutiques grouillantes situées derrière.

Mais son accoutrement l'avait plongé au cœur même

de la cité. Il en faisait partie. Il fut même pris en photo par deux Américains alors qu'il se reposait avec Pedro sur les marches d'un musée ! La vue du zoom puissant et sûrement très cher pointé sur lui l'irrita. Il se leva d'un bond avant le déclic de l'appareil.

— Allez photographier quelqu'un d'autre ! jeta-t-il au couple abasourdi.

Après coup, il se trouva un peu injuste, mais il éprouva un fugitif sentiment de victoire en voyant le couple d'Américains battre en retraite, l'air déconfit.

Plus tard dans l'après-midi, ils tombèrent par hasard sur le temple de Coricancha. Ils auraient difficilement pu le manquer. C'était l'une des principales attractions touristiques, située dans la partie sud de la cité. Le temple était assiégé par les autocars. Un flot ininterrompu de visiteurs s'y écoulait. Là aussi il y avait des murs incas – surmontés d'une terrasse élevée d'où l'on jouissait d'une vue panoramique sur Cuzco –, et une église espagnole. En fait, l'église avait été construite par-dessus le temple. On l'aurait crue tombée du ciel. Pourquoi Micos les avait-il envoyés à Coricancha ? Matt n'en avait pas la moindre idée et il rechignait à dépenser le peu d'argent qu'il leur restait pour pénétrer à l'intérieur.

Ils traînèrent aux abords de l'entrée et écoutèrent les accompagnateurs de voyages organisés dispenser le même boniment à chaque groupe. Coricancha était un mot ancien signifiant « Enceinte de l'or ». Jadis s'élevait à cet endroit un vaste temple abritant quatre mille prêtres. Chaque mur était tapissé de panneaux d'or massif, les salles emplies de statues et d'autels également en or. Pour les Incas, c'était un centre religieux mais aussi un observatoire céleste. Les conquistadors l'avaient pillé. Ils avaient fondu l'or, enlevé les autels, et bâti leur propre église sur les ruines du temple.

Matt se demanda si Fabian les accompagnerait ici vendredi soir. Et s'il avait une chance d'y retrouver Richard. Un gardien sortit sur le seuil et leur fit signe de décamper. Pedro grogna quelques mots en espagnol et tira Matt par la manche. Le gardien les avait pris pour des mendiants. Décidément, les pauvres n'avaient pas leur place à Cuzco.

Le soir venant, ils regagnèrent la grand-place et s'assirent sur la longue allée entre la cathédrale et la fontaine. Matt s'interrogeait sur l'état d'esprit de Pedro. Il avait tenté de lui expliquer la venue de Fabian, mais n'était pas certain de s'être bien fait comprendre. Pedro semblait sombre – ce qui au fond n'avait rien d'étonnant. Pedro subissait les événements. Il n'avait rien demandé. Et il était complètement hors de son élément. Il espérait rentrer au plus vite à Lima et regrettait sans doute d'avoir croisé le chemin de Matt.

Enfin la nuit tomba. Et Cuzco se métamorphosa en un lieu presque magique. De jour, la lumière était déjà très particulière. De nuit, le ciel se teintait d'un bleu lumineux, au-dessus des montagnes d'un noir dense. Des milliers de lumières orange étincelaient dans les faubourgs et des réverbères éclairaient le pourtour de la grand-place. Après la chaleur du jour, venait la fraîcheur. Les restaurants se garnissaient, les trottoirs s'emplissaient de flâneurs semblables à des figurants sur une gigantesque scène en plein air.

La voiture de police pénétra sur la place juste après vingt et une heures. Matt la remarqua le premier. Un véhicule bas et blanc, avec une bande jaune et bleu, et un tube lumineux sur le toit, occupé par deux policiers. Matt observa la voiture longer lentement le côté le plus éloigné de la place et se garer devant l'un des bureaux de change. Les deux policiers restèrent à l'intérieur.

Matt n'en tira aucune conclusion. La police fourmillait à Cuzco. Comme à Lima. Sa fonction principale était de veiller au bien-être des touristes. Les étrangers rapportaient des millions à l'économie péruvienne. Il fallait qu'ils se sentent en sécurité.

Mais la vue d'une deuxième voiture de police rendit Matt un peu nerveux. Ils ne pouvaient tout de même pas être à sa recherche ! Hormis Fabian, personne ne savait qu'ils se trouvaient à Cuzco. Pedro lui donna un coup de coude en montrant la seconde voiture. L'expression de son visage était facile à déchiffrer. Dans ce pays, la présence de la police n'augurait rien de bon. On les avait délogés un nombre incalculable de fois au cours de la journée, et Matt savait qu'on pouvait les arrêter sans aucune raison. Quelle heure était-il ? Bientôt dix heures, probablement. Il regrettait sa montre.

Outre les deux véhicules de police, plusieurs policiers arrivaient sur la place de tous côtés, à pas lents, sans but évident. Que se passait-il ? Pedro s'agitait de plus en plus. Il y avait chez lui une sorte de réaction animale. Ses yeux étaient en alerte, ses muscles bandés. Il pressentait le danger sans le voir.

— On ferait mieux de filer, suggéra Matt.

Pourtant il n'en avait aucune envie. Fabian allait arriver d'une minute à l'autre et, avec un peu de patience, tout pourrait s'arranger. En s'enfuyant, ils risquaient d'attirer l'attention. Chaque fibre de son corps lui criait de ne pas bouger. Immobiles, ils étaient invisibles, à l'abri. Plus d'une douzaine de policiers se déployaient sur la place, tous armés. Étaient-ils là par hasard ou prévenus de leur présence ? Était-ce une simple ronde de routine ou une descente préméditée ?

La réponse vint presque aussitôt. Une portière d'une des voitures de police s'ouvrit et un homme en descendit. Le capitaine Rodriguez. Il se tenait juste sous un réverbère, dont le halo éclairait son visage rude et vérolé. Il avait l'air d'un boxeur montant sur le ring. Ses yeux se portèrent directement de l'autre côté de la place. Matt comprit alors, sans le moindre doute, que son appel téléphonique à Fabian avait été intercepté. C'était un nouveau piège et il s'y était jeté la tête baissée, entraînant Pedro avec lui.

Matt se leva, se forçant à ne pas céder à la panique. Rodriguez ne l'avait pas revu depuis l'hôtel Europa et ignorait donc sa transformation physique. Il y avait toujours foule sur la place. Pedro et lui allaient s'y fondre et disparaître.

Pedro enfonça la main dans sa poche de pantalon et en sortit son lance-pierre. Matt secoua la tête.

— Pas maintenant, Pedro. Ils sont trop nombreux.

Pedro fit la moue, mais parut comprendre. Il rangea son arme.

Le hurlement strident d'un sifflet déchira l'air.

Soudain, tous les policiers se mirent à converger vers les deux garçons comme s'ils avaient su où les trouver depuis le début et avaient simplement jouer la comédie. Une autre voiture arriva derrière eux, leur bloquant toute retraite. Rodriguez les désignait du doigt en criant. Les touristes se figèrent, bouche bée, effrayés, pris au milieu d'un incident auquel ils ne voulaient pas assister. Le visage amical du pays qu'ils visitaient s'était effacé, révélant sa brutalité cachée. Il y avait des hommes en armes partout.

Matt constata très vite que les quatre angles de la place étaient coupés. Le piège se refermait de toutes parts. Deux véhicules roulaient dans leur direction et les atteindraient dans quelques secondes. Cela ne leur laissait qu'une seule option : monter. Les voitures ne grimpaient pas les marches ! Il se tourna vers Pedro. Celui-ci était visiblement parvenu à la même conclusion car il avait déjà gravi la moitié du perron et se dirigeait vers un groupe d'Européens sur le parvis. Ces derniers s'apprêtaient à se faire photographier devant les portes de la cathédrale lorsque la police avait lancé sa descente, et ils assistaient à la scène, hébétés. Pedro fonça au milieu d'eux. Matt, d'abord étonné, comprit pourquoi en jetant un coup d'œil par-dessus son épaule. Les policiers avaient sorti leur arme et Pedro, sûr qu'ils n'oseraient pas tirer sur des étrangers, les utilisait comme un bouclier humain. Bien calculé.

Matt le rejoignit. Les touristes s'égaillèrent. Quelqu'un cria. Pedro filait à la vitesse du vent et Matt se demanda s'il aurait la force de le suivre. Il était quasiment impossible de courir à Cuzco car on suffoquait, l'air étant trop rare. Au bout d'une demi-minute de course, il avait un martèlement dans la tête, la gorge douloureuse, et l'impression d'être au bord de l'évanouissement. Il se força à continuer pour ne pas rester en arrière. Pedro était l'un des Cinq. Il ne pouvait pas le perdre maintenant.

Cela ne risquait pas de se produire car Pedro, de son côté, le cherchait du regard. Il lui cria un avertissement au moment où un policier débouchait à un angle. Matt plongea. Il y eut une détonation et l'une des marches de pierre cracha de la poussière. On lui tirait dessus ! Matt fut saisi d'un tremblement. Il n'en revenait pas. Rodriguez avait-il donné l'ordre de le capturer mort ou vif ?

Ce coup de feu était une erreur. La panique s'empara de la foule, qui se mit à détaler en tous sens. Pendant un instant, les policiers furent réduits à l'impuissance. Ils ne voyaient plus les fugitifs. Puis une chose étrange se produisit. Le policier auteur du coup de feu fit un bond en arrière et s'écroula. Matt aperçut le lance-pierre dans la main de Pedro. Pas de doute, il savait s'en servir. Le policier blessé étant seul à surveiller l'entrée d'une rue, la voie se trouvait désormais dégagée. Matt se força à inspirer un peu d'air et s'élança.

Disparaître. C'était la clé. Ils devaient trouver une cachette, gagner un peu de temps, et réfléchir. Pedro s'engagea sous un proche ouvert et fit signe à Matt de le suivre. Ils débouchèrent dans une cour rustique, avec des touffes d'herbe poussant entre des gravats, où se tenait un petit marché. Des échoppes, éclairées par des lampes à huile, se côtoyaient au hasard contre les murs. Malgré l'heure tardive, elles étaient ouvertes et quelques voyageurs déambulaient de l'une à l'autre, examinant les chapeaux, les ponchos, les tapis, les perles et les sacs. La masse imposante de la cathédrale se dressait en arrière-plan.

Les deux garçons ne s'arrêtèrent pas. Ils gagnèrent un deuxième porche, qui donnait dans une autre rue. Mais celle-ci n'était pas déserte.

Une très vieille Indienne était accroupie en face d'eux, devant un petit étal de bijoux artisanaux. Deux longues nattes encadraient son visage et elle serrait contre sa poitrine un bébé enveloppé dans une couverture rayée. Elle regarda Matt et Pedro droit dans les yeux tandis qu'ils faisaient halte pour reprendre leur souffle, hésitant sur le chemin à prendre. Soudain, elle sourit, exhibant des chicots jaunes. En même temps, elle indiqua du doigt une ruelle qui s'ouvrait derrière elle.

Matt hésita. La vieille femme donnait l'impression de les connaître. Elle semblait être restée là toute la soirée pour les attendre et leur indiquer le chemin. Il respira à fond pour ventiler ses poumons et chasser le vertige qui le saisissait.

— Par où ? cria-t-il à Pedro.

La vieille femme leva l'index devant ses lèvres. Pas le temps de discuter. À nouveau, elle pointa la ruelle dans son dos. Des cris leur parvinrent. Les policiers étaient sur la petite place du marché.

— *Gracias, señora*, murmura Pedro, décidant de lui faire confiance.

Ils s'élancèrent dans la ruelle et disparurent dans la pénombre. Des affiches déchirées pendaient sur les murs, des balcons en bois sortaient des façades au-dessus de leurs têtes. Sur la chaussée pavée, Matt avait du mal à garder ses sandales aux pieds.

Mais fallait-il vraiment continuer ? Des sirènes et des coups de sifflet résonnaient dans toute la ville, et Matt, le cœur serré, savait que Pedro et lui ne parviendraient pas à s'échapper. Ils étaient comme des rats pris au piège. Ils pouvaient courir dans toutes les rues et tous les passages de Cuzco jusqu'à perdre haleine, et même trouver une maison où se cacher, cela ne changerait rien. La police y mettrait peut-être la nuit, mais elle finirait par les débusquer. Cuzco était entouré de montagnes. Il n'y avait aucune issue.

Quelque part, hors de vue, une voiture s'arrêta. Deux bottes se posèrent avec un bruit sourd sur les pavés. Un coup de sifflet retentit. Pedro lui-même commençait à ralentir. La sueur dégoulinait sur son visage. Tout serait bientôt terminé.

La ruelle conduisait à une autre, qui se terminait en T. Pedro se remit à courir mais s'arrêta presque aussitôt en voyant une camionnette bleue freiner brutalement et trois policiers en surgir. L'un d'eux brailla quelque chose dans la radio de bord tandis que les deux autres sortaient leur arme et commençaient à se diriger vers les garçons. Matt n'avait plus la force de bouger. Son cœur allait éclater. Il en était réduit à observer les deux policiers approcher.

Or, de nouveau, il se produisit une chose étrange.

Un Indien sortit d'un porche en poussant une lourde carriole chargée de nourriture et de boissons. Il était vêtu d'un pantalon blanc et d'une veste noire, sans chemise. Ses longs cheveux masquaient presque son visage. Il arrêta sa carriole sur la chaussée, bloquant complètement le passage, et Matt eut la nette impression qu'il le faisait exprès. L'Indien les avait guettés et cherchait à leur donner un peu de temps. Furieux, les policiers le houspillèrent. L'un d'eux tenta de forcer le passage. L'Indien hocha la tête et sourit aux garçons qui, ragaillardis, reprirent leur course de l'autre côté.

Quelque chose était en train de se produire à Cuzco. Des gens tentaient de les protéger. D'abord la vieille femme. Maintenant le marchand ambulant. Qui étaient-ils ? Comment avaient-ils appris leur présence en ville ? Matt se demanda si son imagination ne lui jouait pas des tours. De toute façon, même si ces gens s'efforçaient de les aider, il ne voyait toujours pas d'issue.

Ils tournèrent un autre angle de rue. Aussitôt, Matt reconnut les lieux. C'était l'une des rues les plus célèbres de la cité. Quelques heures plus tôt, elle grouillait de groupes de touristes et de guides. À présent elle était totalement déserte et seulement éclairée par la lueur du ciel. D'un côté s'élevait l'ancienne muraille inca de dix mètres de haut. Pedro, pantelant, était adossé contre l'une des énormes pierres si ingénieusement assemblées.

— Et maintenant ? demanda Matt.

Pedro haussa les épaules. Soit il était trop exténué pour parler, soit il avait abouti à la même conclusion que Matt. Quels que soient leurs efforts, c'était sans espoir.

Ils se remirent en route, lentement, dans la rue désertée. Alentour, des voix désincarnées criaient dans la nuit, comme des créatures nocturnes. Leurs poursuivants se rapprochaient.

La rue ne menait nulle part. Elle se terminait par un haut portail en fer, fermé à clé.

Toute retraite était impossible. Des pas accouraient dans leur direction. Dans quelques secondes, la police serait là. Matt n'avait plus le courage de fuir ni de se cacher. Il s'approcha de la grille et la secoua. Elle était trop haute pour songer à l'escalader. Pedro avait renoncé, lui aussi. Il avait l'air furieux et épuisé. L'amertume de la défaite se lisait dans ses yeux.

— *Amigos !*

La voix surgit dans leur dos. Matt se retourna. Chose incroyable, un jeune homme se tenait dans la rue à deux mètres d'eux. Il portait un poncho rouge et mauve, un jean et un bonnet de laine dont les rabats pendaient sur ses oreilles. Il semblait avoir surgi de nulle part.

Matt aurait juré le connaître. Pendant un instant étrange et troublant, il crut voir Micos. Or Micos était mort. Alors qui… ?

— *Amigos,* répéta le jeune homme. Venez vite !

*Amigos*. Amis. C'était à peu près le seul mot d'espagnol que Matt connaissait.

Le jeune homme fit un geste. Matt regarda derrière lui et eut une vision incroyable. Une partie de la muraille s'était ouverte, révélant une porte dérobée qui avait au moins sept côtés. Il était impossible d'imaginer le mécanisme qui permettait de l'ouvrir, mais, fermée, elle était invisible. Matt et Pedro étaient passés devant sans la remarquer. Et des millions de touristes avant eux. Matt s'avança. Un passage était aménagé à l'intérieur de la muraille. Un étroit couloir s'enfonçait dans les ténèbres.

— Non, murmura Pedro, visiblement effrayé.

Le jeune homme lui parla en espagnol d'une voix basse et rapide, avant de s'adresser en anglais à Matt :

— La police sera bientôt là. Si vous voulez vivre, il faut me faire confiance. Venez…

— Qui êtes-vous ?

Le jeune homme ne répondit pas. Ce n'était pas le moment. Un secret incroyable venait de leur être révélé. Il fallait refermer la porte dérobée avant l'arrivée de la police.

Pedro regarda Matt, guettant sa décision. Matt hocha la tête et ils pénétrèrent dans la muraille. Le jeune homme les suivit et la porte se referma derrière eux.

Ténèbres.

Matt n'entendait rien sinon sa propre respiration. L'obscurité était totale. Il songea qu'il était peut-être mort. Pour lui, la mort ressemblait à ça. Ils avaient été coupés de la cité de Cuzco dès l'instant où la muraille s'était refermée. Une légère humidité flottait dans l'air, qui collait à la peau. Hormis cela, il n'avait pas d'autre sensation. Il dut se forcer à réprimer la panique qui menaçait de le submerger, à chasser l'idée qu'on l'avait enterré vivant.

Puis le jeune homme au poncho alluma une torche électrique. Le faisceau éclaira un passage exigu et un escalier qui descendait. Ils se trouvaient à l'intérieur de la muraille, encadrés par les énormes pierres. Où menaient ces marches ? Matt n'essaya même pas de le deviner.

La torche éclairait aussi le visage de leur sauveur. Matt l'avait tout juste entrevu dans la rue et les rabats de son bonnet dissimulaient en partie ses traits. De près, sa ressemblance avec Micos était frappante. La cicatrice en moins. Il était un peu plus mince, avec un menton étroit où poussait un début de barbe. Il n'avait pas plus de vingt-deux ou vingt-trois ans.

— Qui êtes-vous ? répéta Matt.

Il craignit un instant que sa voix porte dans la rue. Mais c'était peu probable. Les murs faisaient au moins un mètre d'épaisseur.

— Mon nom est Atoc.

Le jeune homme avait un accent étrange. Atoc était le nom prononcé par Micos juste avant de mourir. Avait-il voulu lui transmettre un message ? Le jeune homme était-il son frère ? Matt espérait que non, mais leur ressemblance était trop forte.

— Où sommes-nous ?

— C'est un ancien passage secret des Incas. Peu de gens le connaissent.

— Où mène-t-il ?

— Je vous conduis dans un endroit sûr, où Salamanda ne risquera pas de vous trouver. Des amis nous y attendent. Mais c'est très loin et nous rencontrerons d'autres dangers en chemin. Il y a des policiers partout. Nous n'avons pas le temps de discuter.

Atoc dit quelques mots en espagnol à Pedro, pour

lui traduire sans doute ce qu'il venait de dire à Matt. Pedro acquiesça.

— Par ici, reprit Atoc, braquant sa torche sur l'escalier. Nous allons descendre. Bientôt, ce sera plus facile.

La descente commença. Matt essaya de compter les marches mais, à vingt-cinq, il y renonça. Les parois très étroites étaient oppressantes et il avait conscience du poids de la terre au-dessus d'eux. Il éprouvait une sensation de pression dans les oreilles. L'air fraîchissait. On ne distinguait que quelques marches à la fois. La torche n'était pas assez puissante pour en éclairer davantage. Au bas de l'escalier débutait un second passage, incurvé. Matt perçut alors une étrange lueur jaune. Ils firent quelques pas et Atoc éteignit sa torche. Devant eux, le chemin était éclairé, mais pas par une lumière électrique. Après une nouvelle courbe, Matt demeura bouche bée.

Aussi loin que portait le regard, le couloir était éclairé par des flammes brûlant dans des coupelles en argent fixées dans les parois, sans doute alimentées par des réservoirs d'huile. Mais c'étaient les murs eux-mêmes qui captaient la lumière, l'amplifiaient et la reflétaient. Car les murs, sur des kilomètres, étaient tapissés de feuilles qui semblaient être en cuivre mais qui étaient, Matt le devina, de l'or massif.

Il avait toujours pensé que l'or était un métal précieux parce que rare. Les explications du guide devant le temple de Coricancha lui revinrent en mémoire.

Les conquistadors espagnols avaient pillé la cité. Leur cupidité les avait rendus fous. Ils avaient volé tout l'or qu'ils avaient pu trouver. Du moins le pensaient-ils. Car, visiblement, ils n'en avaient dérobé qu'une partie. Des tonnes d'or avaient été utilisées pour orner ce tunnel secret incroyable. Les murs s'étiraient à l'infini, captant la lumière des lampes pour transformer la nuit en jour.

Il n'était pas prévu de leur faire parcourir tout le trajet à pied. Un autre Indien, vêtu comme Atoc, les attendait avec quatre mules. Matt s'étonna que les animaux supportent de rester si loin sous terre, mais sans doute étaient-ils habitués. L'Indien s'inclina à leur approche. Matt lui sourit, de plus en plus mal à l'aise.

— Vite, s'il vous plaît, dit Atoc. Il faut se dépêcher.

Matt et Pedro enfourchèrent les deux premières mules. Atoc et l'Indien les deux suivantes. Il n'y avait pas de selles, juste des couvertures de couleurs vives. Matt n'était jamais monté sur un animal de sa vie et n'avait pas la moindre idée de la façon dont on les guidait. Mais la mule savait ce qu'elle avait à faire. Dès qu'ils furent tous montés, elle partit au petit trot. Les sabots piétinaient en rythme la terre tendre du sol.

L'une après l'autre, les lampes à huile éclairaient leur progression. Personne ne parlait. Matt remarqua que certains panneaux d'or, sur les murs, s'ornaient de dessins martelés : visages et silhouettes de guerriers brandissant des armes. Au bout d'un moment, le passage s'élargit et ils passèrent devant des trésors inestimables, alignés le long des murs : jarres et cruches, coupes et plateaux, idoles et masques funéraires, dont la plupart étaient en argent ou en or.

Combien de temps leur faudrait-il pour atteindre leur destination ? Le fait de n'avoir aucune idée rendait le voyage plus long. Et il était presque impossible de mesurer le temps écoulé. La seule chose dont Matt fût certain, était qu'ils montaient. La pente s'était inversée depuis qu'ils avaient trouvé les mules. Pourtant, le plafond semblait peser toujours aussi lourd, et Matt n'avait pas l'impression d'approcher de la surface. Donc, ils s'éloignaient de Cuzco et gravissaient la montagne. C'était la seule explication possible.

Après au moins une heure, peut-être deux, ils s'arrêtèrent brusquement. Malgré lui, Matt s'était assoupi et l'arrêt soudain de la mule faillit le faire basculer en avant. Le frottement constant contre le poil rugueux de l'animal lui brûlait l'intérieur de jambes. Et l'odeur de la mule s'était ajoutée à toutes celles qu'il traînait avec lui depuis Lima.

— À partir d'ici, il faudra marcher, annonça Atoc.

Ils mirent pied à terre et abandonnèrent les mules à l'Indien qui n'avait pas dit un mot, même pas son nom. Matt supposa qu'il existait une autre sortie du tunnel, par laquelle les mules rejoindraient l'air libre. Devant eux se dressait un nouvel escalier étroit, et un levier encastré dans le mur. Atoc mit un doigt devant ses lèvres et tira le levier. Il y eut un léger grincement : le pivot d'une roue. Matt supposa qu'il s'agissait du même mécanisme que celui qui leur avait ouvert le mur dans Cuzco.

Atoc attendit un instant, aux aguets. Quelqu'un siffla, deux notes simples, comme un oiseau. Aussitôt Atoc se détendit et annonça :

— Nous pouvons y aller.

Ils commencèrent à monter. Un cercle apparut devant eux, éclairé par une lumière blanche qui semblait accrochée dans le lointain. Une sorte de rideau déchiré pendait. Ce fut seulement après l'avoir franchi que Matt s'aperçut qu'il s'agissait de l'entrée d'une caverne entourée de feuillage, et que la lumière blanche était la lune. Il déboucha à l'air libre, sur le flanc d'une montagne surplombant Cuzco. Deux Indiens en poncho s'inclinèrent devant lui, comme celui du tunnel.

Pedro le rejoignit, suivi d'Atoc, et les deux Indiens le saluèrent également. Matt se retourna. L'entrée de la grotte n'était plus qu'un trou rond dans le sol, d'un ou deux mètres seulement, adossé à la paroi rocheuse. Les marches avaient disparu. Matt comprit que, cette fois encore, Atoc avait manœuvré un levier qui faisait pivoter un gros rocher devant l'ouverture. Il était désormais impossible de découvrir l'accès du tunnel.

Et maintenant ?

Sur un signe des deux Indiens, Matt les suivit sur le versant de la montagne, dans ce qui ressemblait aux ruines d'un ancien stade de football, d'un théâtre, d'une forteresse, ou peut-être d'un mélange des trois. Il y avait une étendue plate, de forme grossièrement circulaire, recouverte d'herbe et entourée de rochers géants disposés en zigzag. C'étaient les trois niveaux du stade. Quelle qu'ait été l'activité menée dans cette arène, elle devait s'adresser à des milliers de spectateurs, debout ou assises tout autour. Le site était éclairé par des lampes à arc et une trentaine de touristes se promenaient dans les ruines. Aucun ne leur prêta attention. Ils avaient surgi de nulle part et Atoc avait fait en sorte que personne ne les voie arriver.

— Cet endroit s'appelle Sacsayhuaman, dit-il à Matt. Ça signifie « aigle royal ». Jadis, avant la venue des Espagnols, c'était une grande forteresse. Là-bas, c'est le trône de l'Inca !

Il pointa le doigt de l'autre côté, vers un siège taillé dans la roche. Une jeune fille vêtue d'une veste polaire s'y faisait photographier. Atoc fit une grimace écœurée.

— Partons, dit-il.

Quelques taxis et un bus étaient garés dans le parking, de l'autre côté des ruines, d'où une route en lacet descendait vers Cuzco. Ils prirent la direction opposée. Pour la deuxième ou troisième fois de la nuit, Matt se figea de stupéfaction. Juste devant eux, masqué par le trône inca, un hélicoptère les attendait, gardé par deux Indiens qui surveillaient les alentours avec anxiété. Matt découvrait avec ébahissement l'ampleur de l'organisation mise en œuvre pour les secourir. Depuis l'instant où Pedro et lui avaient fui la grand-place de Cuzco, un filet invisible s'était déployé au-dessus d'eux, prêt à les ramasser.

— Vous n'êtes pas sérieux, murmura-t-il.
— C'est un long trajet, répondit Atoc.
— Où est le pilote ?
— C'est moi.

L'hélicoptère n'avait que quatre sièges : deux à l'avant, deux derrière. La cabine était une bulle de verre dans une armature en métal, avec les rotors au repos sur le toit. L'un des Indiens leur ouvrit la porte. Matt hésita, puis songea que tout valait mieux que Cuzco, où l'attendait le capitaine Rodriguez. L'hélicoptère les emmènerait loin de la ville. Peut-être même hors du Pérou.

Mais avant qu'il ait pu faire un pas, le bruit tant redouté déchira le silence. Des sirènes de police. Quelqu'un avait dû apercevoir l'hélicoptère se poser. Soudain, deux voitures surgirent sur la route en contrebas, à peine plus grosses que des jouets. Elles étaient encore loin mais n'allaient pas tarder à arriver. Atoc poussa Matt en avant. Le temps pressait.

Pedro, lui, ne bougeait pas. Tétanisé, les poings serrés, il refusait de partir et déversa sur Atoc un torrent d'invectives en espagnol. Atoc s'efforça de le raisonner. Matt se rappela de sa propre réaction au moment de décoller de Heathrow. Il n'avait pas cessé de transpirer de tout le voyage. Pour Pedro, qui n'avait jamais pris l'avion de sa vie, l'hélicoptère devait lui apparaître comme une sorte de gros insecte cauchemardesque.

Les voitures de police approchaient. Leurs phares se projetaient sur la route, comme s'ils étaient impatients d'arriver les premiers. Pedro ne bougeait toujours pas. Le doigt pointé sur l'hélicoptère, il vociférait. Atoc leva les mains dans un geste de capitulation, mais se remit à parler, d'une voix douce malgré l'urgence. La première voiture de police était à environ quatre cents mètres.

Enfin Pedro regarda Matt et lui demanda :

— *Qué piensas ?*

— Pas de problème, répondit Matt, devinant le sens de sa question. Il faut partir.

Pedro poussa un profond soupir, il desserra les poings, se jeta en avant et sauta dans l'appareil. Matt vit l'effort que cela lui coûtait. Il monta à côté de lui. Atoc s'installa aux commandes et mit les rotors en marche.

Était-il déjà trop tard ? Il fallait plusieurs minutes à un hélicoptère pour décoller. Les pales tournaient si lentement que Matt les distinguait. Et les voitures de police étaient si proches qu'il pouvait voir les hommes à l'intérieur. Pedro ne regardait pas. À l'instant où le moteur se mit à rugir, il devint livide et se figea, les yeux levés vers le ciel. La première voiture atteignit le parking et fit voler le gravier, fonçant droit vers eux. Soudain, le pare-brise de la voiture explosa et Matt s'aperçut que l'Indien qui leur avait ouvert la porte tenait une fronde. La même arme que celle de Pedro. Le projectile avait atteint sa cible. La voiture de police fit une embardée et freina. Trop brusquement. La seconde voiture la percuta de plein fouet et lui fit faire un tonneau. Les deux véhicules s'immobilisèrent.

Les portières s'ouvrirent et des policiers en uniforme en sortirent, tirant leur revolver de leur harnais. Les deux Indiens tournèrent les talons et s'enfuirent à toutes jambes. Matt avait conscience que l'hélicoptère était une cible fixe et donc facile. Les pales ne tournaient pas encore assez vite. Il jeta un coup d'œil vers le parking et vit les touristes se mettre à couvert. L'un des policiers visa.

Cette fois, les rotors avaient atteint leur pleine vitesse. Un nuage de poussière enveloppa les policiers et les aveugla. Pedro cria. La cabine se souleva avec un soubresaut. Atoc poussa le manche et l'hélicoptère bondit vers le ciel, resta un instant en suspens, puis pivota et s'élança vers la Lune. Derrière eux, les ruines de Sacsayhuaman rapetissèrent.

Les policiers se frottèrent les yeux en jurant. Mais le temps qu'ils puissent à nouveau se servir de leurs armes, l'appareil avait disparu.

# 14

# La forêt de nuages

On ne voyait rien. Dans l'hélicoptère qui bourdonnait dans la nuit, Matt était aussi désorienté qu'il l'avait été en pénétrant dans la muraille. Les lumières de Cuzco s'étaient depuis longtemps éclipsées derrière eux. Pendant quelque temps, la Lune fut leur seul guide. Puis la Lune disparut à son tour, avalée par des nuages si épais qu'on avait du mal à croire qu'ils puissent rester en l'air. Atoc était crispé sur les commandes, le visage éclairé par la douce lueur verte des instruments de bord. Les pales de l'hélicoptère hachaient l'air avec un claquement sourd. Pourtant, Matt avait parfois l'impression que l'appareil n'avançait pas, englué dans l'immobilité poisseuse de la nuit.

Pedro n'avait pas dit un mot depuis le décollage.

Ni jeté un regard par la vitre. Le corps rigide, il gardait les yeux fixés sur le pilote comme s'il doutait des capacités d'Atoc à faire voler cet engin. Il finit pourtant par s'endormir, et Matt dut en faire autant car ils se retrouvèrent soudain ensemble, sur la mer, dérivant avec le courant, dans un autre genre de voyage.

« Tu crois encore que je suis l'un des Cinq ? demanda Pedro.

— Évidemment. Pourquoi cette question ?

— Je suis un imbécile et un lâche. J'avais une peur bleue de monter dans l'hélicoptère. À cause de moi, la police a failli nous rattraper. Même dans mon sommeil, je suis encore mort de frousse.

— Tu n'es pas un lâche, Pedro. Si tu veux la vérité, moi aussi j'ai peur en avion.

— J'en ai vu décoller de Lima, quand je jonglais sur la route de l'aéroport. Je n'ai jamais compris comment des engins aussi lourds réussissaient à tenir dans le ciel. Et je ne comprends toujours pas. » Pedro fronça les sourcils et répéta : « Tu crois vraiment que je suis un des Cinq ?

— J'en suis certain. Et content de t'avoir avec moi. Je n'ai jamais eu de véritable ami.

— Pourtant j'ai volé ta montre !

— Aucune importance. J'en aurai une autre... »

Ils s'éveillèrent tous les deux au même instant. L'hélicoptère venait d'atterrir.

Matt regarda par la vitre tandis qu'Atoc s'étirait et bâillait. Ils s'étaient posés dans un champ, au milieu de nulle part. Trois lampes à huile avaient été placées sur l'herbe pour permettre au pilote de se repérer. C'étaient les seules lumières. Elles éclairaient une rangée d'arbres, la lisière de ce qui devait être une jungle épaisse. Une main tapa contre la vitre de l'hélicoptère. Matt sursauta, mais Atoc le rassura :

— Tout va bien. Ce sont des amis.

Deux Indiens les attendaient dans le champ. L'un d'eux ouvrit la porte et aida les garçons à descendre. Ils portaient des ponchos, des bonnets tissés, et gardaient la tête baissée comme s'ils voulaient éviter leur regard. Il faisait beaucoup plus froid qu'à Cuzco. Matt supposa que l'altitude était plus élevée. Il respira. Très peu d'oxygène pénétra dans ses poumons. Pas de doute, ils étaient nettement plus haut qu'à Cuzco. Mais où ? Le second Indien se précipita pour leur donner des ponchos. Ceux-ci étaient magnifiquement tissés : un fil d'or dessinait des motifs complexes sur un fond vert sombre. Matt glissa la tête dans l'ouverture et laissa le tissu pendre autour de lui, étonné de son efficacité contre le froid.

— Nous resterons ici cette nuit, annonça Atoc. Demain, nous voyagerons de jour.

— Où sommes-nous ? questionna Matt.

— Vilcabamba.

La réponse ne l'éclaira pas davantage.

— La forêt de nuages, précisa Atoc. Demain, il faudra marcher de longues heures. Impossible de continuer en hélicoptère.

— Où allons-nous dormir ?

— Là-bas. Tout est prêt.

Les Indiens les conduisirent à l'orée de la clairière, où trois tentes avaient été montées. Atoc indiqua aux garçons celle qu'ils partageraient.

— Vous avez besoin de sommeil, dit-il. Demain sera un jour difficile.

Il se retira. La tente était neuve. À l'intérieur, deux sacs de couchage étaient déroulés sur de fins matelas de mousse. Une lampe à pile était suspendue au piquet. Matt ne prit pas la peine de se déshabiller. Il enleva simplement le poncho et le roula pour s'en faire un oreiller. Puis il se glissa dans le sac de couchage. Pedro fit de même.

Pendant un court instant, Matt songea à Richard et se demanda si ce voyage l'éloignait de son ami. Et Fabian ? Errait-il dans Cuzco à leur recherche ?

Mille questions sans réponse tournaient dans sa tête mais il était trop fatigué pour y réfléchir maintenant. Il s'endormit comme une masse. D'un sommeil sans rêve pour une fois.

Il fut réveillé par la lumière qui essayait de filtrer à travers la tente. Pedro dormait encore, en chien de fusil, tourné de l'autre côté. Matt s'étira avec difficulté dans le sac de couchage. Le mince matelas de mousse n'avait guère amorti les aspérités du sol et il avait le dos et les épaules endoloris. Il songea à rester là dans l'espoir de se rendormir, mais c'était trop inconfortable. Et Pedro ronflait. Faisant le moins de bruit possible, il rampa hors de la tente en prenant son poncho. Une fois à l'extérieur, il l'enfila.

Il faisait encore froid. L'aube avait pointé mais le soleil restait invisible. Frissonnant dans l'air vif, Matt examina les alentours. Dans la nuit, il avait cru apercevoir une jungle, une végétation très dense et des montagnes. Mais jamais il n'aurait pu imaginer ce qu'il découvrit alors.

Il eut l'impression d'être au bord du monde. L'aire d'atterrissage de l'hélicoptère avait été creusée dans le flanc d'une montagne presque à pic. En haut ou en bas, on ne voyait que du vert. Un enchevêtrement d'arbres et de buissons, entrelacés de plantes grimpantes et de lianes, qui s'étendait à perte de vue. Atoc leur avait annoncé une longue marche, mais Matt n'en voyait pas le point de départ. Il n'y avait pas de sentier pour monter ; la végétation était trop touffue. Et descendre conduirait inévitablement à dégringoler dans un tourbillon de verdure. Hormis la terrasse plate où ils se trouvaient, tout le reste était vertical. On aurait dit que le monde s'était renversé.

Atoc et les deux Indiens étaient déjà debout et s'affairaient à préparer un petit déjeuner composé de pain et de fromage. Ils avaient allumé un petit feu pour faire chauffer de l'eau.

Atoc s'approcha de Matt.

— Bien dormi, Matteo ? Nous allons bientôt manger…

— Merci.

De jour, Atoc paraissait plus jeune et moins inquiétant que dans la pénombre de Cuzco. Et il ressemblait davantage encore au jeune homme qu'ils avaient connu trop peu de temps.

— J'ai une chose à vous demander, commença Matt, un peu nerveux.

— Je répondrai si je peux.

— À Lima, j'ai rencontré quelqu'un qui vous ressemblait beaucoup. Ensuite, je l'ai retrouvé à Ica.

— Micos.

— Oui. (Matt hésitait à continuer.) Votre frère ?

— Oui. Tu sais où il est ?

— Je suis désolé, Atoc. Micos est mort.

Atoc hocha lentement la tête, comme s'il s'attendait à cette nouvelle, mais ses yeux noirs se chargèrent de chagrin et il demeura totalement silencieux en écoutant Matt lui raconter ce qui s'était passé à l'hacienda.

— Je regrette sincèrement qu'il soit mort à cause de moi, conclut Matt.

— Et moi je suis heureux, s'il devait mourir, que ce soit pour toi, répondit Atoc. Micos était mon jeune frère. Nous avions deux ans d'écart. Dans notre langue, Micos signifie singe. De nous deux, il était le comique, celui à qui il arrivait toujours des ennuis. Atoc signifie renard. J'étais censé être le plus intelligent. Pourtant, quand j'avais huit ans, j'ai lancé une pierre sur mon frère et j'ai failli lui crevé un œil. Il avait une cicatrice… juste là. (Du bout de l'index,

Atoc traça un croissant de lune sur sa tempe.) Mon père m'a fouetté avec sa ceinture. Mais Micos m'a pardonné.

Atoc prit une profonde respiration avant de continuer :

Micos voulait t'aider parce qu'il croyait en toi. Tu es l'un des Cinq, Matteo. Micos ne regretterait pas d'être mort s'il savait que vous êtes tous les deux sains et saufs. Donc je ne dois pas non plus être triste. Il y aura d'autres morts. Beaucoup. Il faut s'y habituer.

Atoc tourna la tête et fixa un point dans le lointain.

— Maintenant, je vais aller marcher seul un moment. À mon retour, nous oublierons cette conversation et n'en parlerons plus jamais.

Matt regarda Atoc s'enfoncer dans les arbres.

— Matteo ! le héla Pedro, qui s'était réveillé.

Une volute incertaine de fumée blanche s'élevait du feu de camp dans le ciel matinal.

Après le petit déjeuner, les Indiens éteignirent le feu et plièrent les tentes. Ils avaient déjà amarré l'hélicoptère et l'avaient recouvert d'une bâche verte pour le dissimuler aux éventuels avions de recherche. Ces Indiens – dont Matt ne savait pas précisément qui ils étaient – pensaient à tout.

Atoc avait partagé leur repas. Il ne laissait plus rien paraître de son chagrin. Au moment du départ, il fit signe à l'un des Indiens, qui approcha avec deux paires de tennis neuves, et il dit aux garçons :

— Vous ne pouvez pas marcher avec ces sandales.

Matt se débarrassa avec gratitude des sandales en pneu qu'il portait depuis Lima. Il ne fut même pas surpris que les tennis soient à sa taille. Tout avait été parfaitement planifié. Pedro, lui, contemplait les siennes d'un air ébahi. Le jeune Péruvien n'avait probablement jamais possédé un vêtement neuf de toute sa vie.

Lorsqu'ils furent chaussés, Atoc plongea une main dans son poncho et en sortit des feuilles vert foncé et ce qui ressemblait à deux petits cailloux.

— Mettez ça dans votre bouche, expliqua-t-il, en anglais d'abord puis en espagnol pour Pedro.

Il emballa les cailloux dans les feuilles.

— Les feuilles sont de la *coca*. Le caillou s'appelle *llibta*. Les deux, mélangés dans la bouche avec la salive, donnent de la force.

Matt suivit ses indications. Les feuilles de coca avaient un goût écœurant et il ne voyait pas quel effet cela pouvait avoir, mais discuter ne servait à rien.

Ils se mirent en route. Les deux Indiens ouvraient la marche. Suivaient Matt puis Pedro – lequel trébucha à plusieurs reprises avant de s'habituer à ses nouvelles chaussures –, et enfin Atoc. Matt avait espéré qu'ils descendraient la montagne, mais apparemment le chemin n'allait pas cesser de monter. En réalité, la jungle n'était pas aussi impénétrable qu'elle le paraissait à première vue. Autrefois, il y avait très longtemps de cela, des hommes avaient taillé à l'intérieur une sorte d'escalier. Les marches en étaient presque invisibles, irrégulières et couvertes de lichen, mais elles serpentaient entre les arbres pour gravir la montagne.

— Si vous avez besoin de repos, dites-le, recommanda Atoc.

Matt serra les dents. Il avait à peine parcouru quelques mètres que déjà il avait envie de s'arrêter. Ce n'était pas le degré de la pente qui était pénible, mais le manque d'oxygène. L'air était encore plus rare qu'à Cuzco. Marcher trop vite déclenchait des élancements dans la tête et une sensation de brûlure dans les poumons. Le secret était d'avancer à une allure mesurée, un pas après l'autre, et de ne pas lever les yeux pour ne pas se laisser décourager par la distance à parcourir. Matt fit tourner la *llibta* sous sa langue. Maintenant il comprenait pourquoi il en aurait besoin. Restait à espérer que c'était vraiment efficace.

Le Soleil grimpa dans le ciel et soudain il fit chaud. La sueur ruisselait dans son dos. Tout était humide. Matt s'appuya à un tronc d'arbre pour s'équilibrer et sa main s'y enfonça comme dans une éponge. Des gouttelettes d'humidité restaient en suspension dans l'air. De l'eau lui dégoulinait dans les cheveux et sur les joues. Pedro s'arrêta pour ôter son poncho. Matt en fit autant. L'un des Indiens vint prendre les ponchos pour les porter, montrant clairement qu'il ne servirait à rien de discuter. Matt n'y trouva d'ailleurs rien à redire. Il avait besoin de toutes ses forces pour continuer d'avancer. Il avait dû gravir environ cinq cents marches, et l'escalier donnait l'impression de ne jamais finir.

Quelque chose le piqua. Il poussa un petit cri et se tapa le bras. Une seconde plus tard, nouvelle piqûre, dans le cou cette fois. Il avait envie de pleurer, de jurer, de hurler. Quelles autres épreuves leur réservait encore ce voyage ? Atoc lui tendit un linge contenant une pommade à l'odeur infecte.

— Des moustiques, expliqua-t-il. Nous les appelons *puma waqachis*. Ce qui veut dire : insectes qui font pleurer le puma.

— Je comprends ce que ressent le puma, grogna Matt.

Il prit un peu de pommade et s'en frotta. Elle se mélangea aussitôt à sa sueur. Ses vêtements se plaquaient sur lui comme une seconde peau. Un autre moustique le piqua à la cheville. Matt ferma les yeux un instant, puis se remit en marche.

Ils s'arrêtèrent deux fois pour boire. Les guides indiens portaient des bouteilles en plastique dans leurs sacs à dos. Matt se força à n'en boire que très peu, conscient qu'ils étaient cinq à partager les mêmes réserves. Le Soleil était maintenant très haut et il se demanda s'il n'avait pas des problèmes de vue. La forêt lui paraissait voilée et floue. Puis il se rendit compte que, dans la chaleur, l'humidité ambiante se transformait en vapeur. Ils furent bientôt enveloppés dans une épaisse brume blanche. C'est à peine si Matt distinguait l'homme qui marchait devant lui.

— Restez groupés ! cria Atoc.

Sa voix surgit de nulle part. Il aurait pu se trouver sur une autre planète.

— Ce n'est plus très loin...

Ils émergèrent de la forêt de nuages de façon soudaine et inattendue. Tout à coup, alors qu'il bataillait pour se frayer un passage dans la végétation, Matt déboucha à l'air libre, au bord d'un immense et profond canyon. Le ciel était clair. Une vaste chaîne montagneuse s'étirait devant lui, la plupart des cimes couvertes de neige. Matt était à bout de forces. Il avait le corps trempé de sueur et une violente migraine. Pourtant il éprouvait une sorte de jubilation. Jamais il n'aurait imaginé que des montagnes puissent être aussi immenses. Certaines semblaient frôler l'espace. En bas, dans le canyon, il pleuvait. Mais eux étaient au-dessus de nuages.

— Tu vois, là-bas... ?

Atoc désigna l'une des montagnes. De l'endroit où ils étaient, le sommet ressemblait à une tête humaine.

— C'est Mandango. Le Dieu endormi.

Pedro rejoignit Matt, pantelant, au bord de l'abîme, et dit quelques mots d'une voix rauque. Atoc sourit pour la première fois et traduisit ses paroles.

— Pedro dit qu'il se sent dans un état pitoyable, mais que tu as l'air pire que lui.

— Où va-t-on, maintenant ?

— Ce ne sera plus très long, répondit Atoc. Mais, attention, si tu tombes, la chute sera longue, elle...

Atoc n'exagérait pas. Un sentier étroit et bien tracé descendait sur le flanc de la vallée. Visiblement taillé dans la roche par la main de l'homme, il était plat et sa surface presque aussi polie que les rues de Cuzco. Mais il n'était pas large. Par endroits, il y avait un mètre à peine entre la paroi rocheuse et le précipice vertigineux. Un faux pas et c'était la chute. Matt avait l'impression d'être aussi haut que dans l'hélicoptère. C'était peut-être le cas. Il aperçut un troupeau de moutons, ou de lamas, qui broutaient dans une prairie, tout au fond du canyon, gros comme des têtes d'épingles. Aucun arbre ne protégeait les marcheurs du soleil et Matt sentait le soleil lui brûler le visage et les bras. Il n'était rien dans ce paysage grandiose. À la merci de la pluie et du soleil. Jamais, de toute sa vie, il n'avait éprouvé un tel sentiment d'insignifiance.

Ils marchèrent pendant plus d'une heure, sans jamais cesser de descendre. Et le changement de la pression de l'air était perceptible dans les oreilles. Combien de temps s'était écoulé depuis le petit déjeuner ? Matt n'en avait aucune idée mais il savait qu'il ne pourrait plus continuer ainsi très longtemps. Il avait les jambes douloureuses et des ampoules aux pieds. Tout à coup le sentier s'incurva et déboucha sur une plate-forme rocheuse, avec des marches qui descendaient de l'autre côté. Matt respira. Le voyage touchait à sa fin.

Ils étaient arrivés.

Une ville miniature était bizarrement construite au

bord de la vallée. Une ville ancienne. Certaines parties rappelaient Cuzco et Matt supposa qu'elle avait été bâtie par le même peuple, probablement à la même époque.

D'abord, on avait taillé des terrasses dans le roc. C'étaient les fondations de la ville. Il y en avait une cinquantaine qui sortaient du flanc de la montagne comme des étagères géantes. Certaines étaient cultivées, d'autres servaient de pâtures pour les moutons et les lamas. La ville elle-même se composait de temples, de palais, de maisons et de greniers, tous construits en pierres que l'on avait sans doute acheminées à travers la forêt de nuages. Un grand rectangle d'herbe traversait la cité : lieu de rassemblement, terrain de sport, cœur de la vie quotidienne. De toute évidence, il n'y avait ici ni électricité ni voitures. Rien de l'ère moderne. Et ce n'étaient pas des ruines. La cité vivait. Les habitants fourmillaient.

— Comment s'appelle cet endroit ? murmura Matt, ébahi.

— Vilcabamba !

C'était Pedro qui avait répondu. Atoc hocha lentement la tête.

— Vilcabamba, la cité perdue des Incas. De nombreux hommes illustres l'ont recherchée. Pendant des centaines d'années. Aucun ne l'a trouvée. Vilcabamba ne peut pas être découverte. Personne ne peut l'atteindre.

— Pourquoi ? s'étonna Matt.

Après tout, ils y étaient arrivés sans trop de difficulté. N'importe qui pouvait suivre le sentier qu'ils avaient emprunté.

— Le chemin…

— Il n'y a pas de chemin, dit Atoc.

— Ce que je veux dire, c'est…

Matt revint sur ses pas jusqu'au tournant.

Incroyable !

Le sentier n'était plus là. La paroi du canyon plongeait à pic. Le chemin taillé dans le roc par lequel ils étaient descendus avait disparu.

— Ne pose pas de questions, dit Atoc. Des amis t'attendent.

— Oui, mais…

Atoc posa une main sur son épaule et le ramena à la plate-forme. Pedro et les deux Indiens avaient déjà pris de l'avance. Matt les aperçut passer sous une voûte de pierre et se fondre dans la foule. En même temps, un homme apparut et se mit à gravir les marches vers lui. Il était pressé. C'était un Européen.

L'homme se rapprocha et Matt sentit son cœur bondir. De joie et de soulagement. Il poussa un cri et courut se jeter dans les bras de Richard Cole.

## 15

# Les derniers des Incas

— Tu n'imagines pas à quel point je suis content de te voir, Matt. Tout le monde a été très gentil avec moi. Ces gens sont… tu le découvriras par toi-même. Mais depuis cette pagaille monstre à Lima, je me fais un sang d'encre pour toi. Je m'en veux de t'avoir laissé venir au Pérou. J'avais peur de ne plus jamais te revoir.

— Où sommes-nous, exactement ?

— Dans la cité de Vilcabamba, répondit Richard, le regard émerveillé. C'est l'une des grandes légendes du Pérou. Autant dire qu'elle n'est pas censée exister. C'est un peu comme l'Eldorado. Une multitude d'explorateurs l'ont cherchée. Certains ont cru l'avoir trouvée. Mais nous, nous y sommes ! C'est fabuleux !

Richard avait entraîné Matt vers la petite maison en pierre où il logeait, sur l'une des terrasses supérieures de la cité. Ils étaient dans la pièce principale, une salle de séjour avec des lits, une banquette et un tapis multicolore jeté sur le sol de pierre. Deux des murs étaient percés de fenêtres aux formes étranges, plus étroites en haut qu'en bas, un peu comme des triangles aux angles coupés. Matt avait remarqué les mêmes formes à Cuzco. Il n'y avait pas de vitres aux fenêtres, pas plus que d'eau courante ou d'électricité. La nuit, on s'éclairait avec des bougies. De l'autre côté de Vilcabamba, coulait un torrent, un affluent de la rivière Chamba, où se trouvaient les bains publics.

On leur avait apporté à manger : un grand bol de *locro*, mi-soupe, mi-ragoût de viande et de légumes. Richard et Matt étaient seuls. Atoc avait emmené Pedro se reposer dans une autre maison, et Matt se réjouissait de partager ce moment de tranquillité avec Richard. Cela lui rappelait la vie presque normale qu'ils avaient menée quelque temps.

Matt raconta le premier son histoire, à commencer par sa rencontre avec Pedro, la Ville Poison, l'évasion de l'hacienda de Salamanda. Puis le long voyage jusqu'à Cuzco, la poursuite nocturne dans les rues de la ville, et enfin leur arrivée ici. On leur avait servi une sorte de bière – le même breuvage qu'à Cuzco. Et Richard avait terminé le pichet lorsque Matt eut fini son récit.

— Donc, Pedro est l'un des Cinq, résuma le journaliste.

— Oui.

— Et vous discutez ensemble dans vos rêves.

— Exact.

Richard poussa un soupir et ajouta :

— Tu sais ce qui me tracasse le plus ? C'est que je te crois ! Il y a six mois, si quelqu'un m'avait raconté ça, je lui aurais éclaté de rire au nez. Au fait... est-ce que Pedro possède... tu sais... des pouvoirs spéciaux ? Est-ce qu'il lit l'avenir ou un truc de ce genre ?

— Non. Pedro est très normal. Et il ne veut se mêler de rien.

L'histoire de Richard était plus simple.

Après son enlèvement sur la route de l'aéroport, on l'avait conduit dans une chambre, à Lima, où il s'était trouvé face à ses ravisseurs. À présent, Matt les connaissait. L'un était Atoc, l'autre son jeune frère, Micos.

— J'étais assez content de moi parce que tu avais réussi à filer, dit Richard. Je pensais que je ne les intéressais pas et qu'ils me laisseraient partir. Mais ils m'ont expliqué qu'ils étaient de notre côté et qu'ils avaient tenté de nous intercepter pour nous éviter de tomber dans un piège tendu par la police.

— Oui. Rodriguez nous guettait à l'hôtel.

— Atoc et ses amis étaient au courant de notre venue au Pérou. Ils nous attendaient. L'ennui, c'est que Salamanda et ses hommes nous attendaient aussi.

Les Incas ont donc décidé de nous enlever pour nous arracher à eux. Évidemment, ta fuite les a beaucoup contrariés. Depuis ce jour, ils n'ont pas cessé de te chercher. Ils ont des amis dans le pays tout entier. Quant à moi, ils m'ont emmené en voiture sur un aérodrome privé, puis en avion jusqu'à Cuzco, et enfin en hélicoptère au milieu de nulle part. Comme toi. Je me suis fait piquer au sang dans la forêt de nuages, et j'ai failli vomir de trouille en descendant dans la vallée. J'ai le vertige. Tu le savais ?

— Non.

— Bref. Depuis, je n'ai pas bougé d'ici. On veille sur moi et la cuisine est bonne. Mais j'étais mort d'inquiétude à ton sujet. Je n'ai pas voulu les croire quand ils m'ont annoncé qu'ils t'avaient retrouvé à Cuzco. J'aurais adoré voir ce passage secret. Un jour, peut-être, tu me le montreras. Avant de quitter le Pérou...

— Qui sont ces Indiens, Richard ? Je n'arrive toujours pas à comprendre. Ils disent que cet endroit est la cité perdue des Incas. Mais il n'y a plus d'Incas de nos jours, n'est-ce pas ?

— Normalement, non. Leur peuple s'est éteint.

Richard souleva le pichet de bière, s'aperçut qu'il était vide et le reposa.

— Ceux qui vivent ici sont les seuls survivants. Les descendants des dizaines de milliers d'Incas massacrés jadis. Cette cité est un peu leur quartier général. Tu as remarqué le sentier qui surplombe la vallée ? Ils ont un moyen de le faire disparaître après leur passage. Et aucun avion ne peut survoler le canyon à cause de certains courants atmosphériques. Personne ne connaît cet endroit à l'exception des habitants. Et de nous deux, maintenant.

— Et ils veulent nous aider.

— Oui. D'un côté, tu as Diego Salamanda. De l'autre, les Incas. Cette fois, au moins, on sait qui sont les méchants.

— Pourquoi est-ce qu'ils n'arrivent pas à arrêter Salamanda ? Ils savent qui il est. Ils savent où le trouver...

— Que veux-tu qu'ils fassent de lui, Matt ? Qu'ils le tuent ?

— Ce ne serait pas une mauvaise idée, répondit Matt avec un haussement d'épaules.

— Il faudrait d'abord qu'ils arrivent à l'approcher. Et il est bien protégé.

— Ils pourraient faire appel à la police.

— Salamanda a la police dans sa poche. C'est l'un des hommes les plus riches du Pérou. Et le plus escroc de tous. S'il quittait le monde des affaires, la moitié du pays sombrerait. Médias, télécommunications, logiciels informatiques... La semaine dernière, il a même envoyé un satellite de cinquante millions de dollars dans l'espace, payé de sa poche. Il joue aux échecs avec le président par téléphone. Et c'est lui qui installe les lignes téléphoniques.

— Si Salamanda est aussi riche, pourquoi veut-il ouvrir la porte ? Qu'est-ce qu'il y gagnera ?

— Je ne sais pas, Matt. Peut-être que les Anciens ont la recette pour lui rapetisser la tête. Ou lui offrir la vie éternelle. Pourquoi est-ce que les autres, à Lesser Malling, voulaient l'ouvrir ? Si tu veux mon avis, ils sont tous fous.

Richard se tut. Dehors, devant la maison, quelqu'un jouait de la flûte de Pan. Les notes flottaient dans l'air, surnaturelles. Par la fenêtre, Matt observa l'autre versant du canyon. Il avait oublié à quelle altitude ils étaient. Le précipice semblait infini.

— Richard, tu as dit que les Incas nous attendaient. Mais comment étaient-ils au courant de notre arrivée ?

— J'ai posé la question à Atoc. J'aimerais pouvoir te dire qu'ils ont appris la nouvelle dans le journal, mais c'est un peu plus compliqué. Les Incas savent plus ou moins tout ce qui se passe au Pérou. Ils ont des amis partout. Mais il y a autre chose. Ils utilisent la magie.

— La magie ?

— Chez eux, il y a ce qu'ils appellent des *amautas*. Ce sont des sortes de sorciers... un peu comme cette chère Miss Ashwood. Ils connaissent les Anciens. Et ils te connaissent. Tu en rencontreras peut-être un, plus tard. C'est un vieillard. J'ai passé un peu de temps avec lui. Je crois qu'il a cent douze ans.

Il fallut un moment à Matt pour absorber ces informations.

— Donc, ils savaient que j'allais venir. Salamanda aussi. Comment l'a-t-il appris, lui ?

— J'y ai réfléchi. Je crains qu'il y ait un mouchard à Nexus.

— C'est aussi ce que je pense. J'ai téléphoné à Fabian, mais la police est arrivée avant lui.

— Je n'ai aucune preuve, pourtant Tarant me paraît le plus suspect. Tu te souviens de lui ? C'est le gros bonnet de la police qui nous a donné les faux passeports. Une bonne partie de nos ennuis vient de là. Les faux passeports ont fait de nous des criminels. Or l'idée était de Tarant.

— Et maintenant, qu'est-ce qu'on fait ?

Richard réfléchit un instant :

— En tout cas, on ne cherche pas à contacter Nexus. Puisqu'on ne peut pas se fier à eux. On ne peut compter que sur nous.

— Une fois de plus…

Matt bâilla, vaincu par la fatigue.

— Tu ferais bien de dormir. Tu dois être exténué. Après, tu iras te laver et changer de vêtements. J'avoue que je t'ai à peine reconnu. Tu as l'air ridicule.

— Merci.

— Ensuite tu me présenteras ton ami Pedro et nous irons sur la grande place au coucher du Soleil. Les Incas donnent une fête. Nous sommes invités.

Matt dormit jusqu'au milieu de l'après-midi. À son réveil, Richard le conduisit aux bains publics : une rangée de cabines en bois dans un bâtiment en pierre, avec un jet d'eau se déversant par un trou dans le mur en un flot continu. L'eau était glacée mais d'une pureté étincelante. Matt ne parvint pas à se débarrasser de la teinture sur son corps mais il en sortit rafraîchi.

On lui avait remis de nouveaux vêtements. Les Indiens de Vilcabamba portaient des tenues mêlant bizarrement l'ancien et le moderne : des ponchos et des chapeaux colorés, sur des jeans et des tennis. À la sortie des bains publics, Matt reçut un poncho, rouge sombre avec un motif de diamant vert sur la bordure. Le plus étonnant était qu'il le portait maintenant avec le plus grand naturel. Après les bouleversements intervenus au cours des dernières semaines, il ne savait plus très bien qui il était.

Ensuite, on les conduisit, Richard et lui, jusqu'à un grand édifice, deux fois plus haut que les autres, au cœur de la cité. Partout, les Indiens préparaient le festin. Ils dressaient des tables, alimentaient des feux, transportaient des plateaux de nourriture et de boissons. Le Soleil avait viré au rouge et déclinait rapidement derrière les sommets, à leurs pieds. C'était étrange de contempler le Soleil de cette altitude. Normalement, on levait les yeux pour le voir. Ici, on avait l'impression d'être au-dessus de lui et de le voir glisser derrière le bord du monde.

L'édifice était sans aucun doute un palais. Deux sentinelles, jambes nues, vêtues de tuniques et armées de lances d'or, selon le cérémonial d'usage, gardaient l'entrée. D'autres étaient postées le long du couloir, à l'intérieur. Puis, sur une plate-forme, face aux visiteurs, se dressait un trône. Sur le trône se tenait un homme, revêtu d'une longue robe, portant une coiffe et des disques d'or aux oreilles. Il était à peine plus vieux que Richard mais il émanait de lui une assurance et une gravité qui le faisaient paraître sans âge. Matt s'arrêta et s'inclina. Les Incas, apparemment, avaient un prince.

— Sois le bienvenu, Matteo, dit celui-ci dans un anglais parfait.

Il avait le même accent qu'Atoc. Un accent étranger mais pas espagnol. Sa langue maternelle était le quechua. La langue parlée par les Incas avant l'arrivée des Espagnols.

— Je me nomme Huascar et je suis heureux de faire enfin ta connaissance. Je t'attends depuis longtemps. Mon peuple attend depuis plus longtemps encore. Je vous en prie, prenez un siège.

Quatre tabourets bas étaient alignés devant le trône. Richard et Matt s'assirent. Peu après, Pedro et Atoc apparurent par une porte latérale. Pedro était habillé de neuf. Il portait un poncho bleu pâle. Il salua le prince inca et s'assit à côté de Matt. Atoc prit place sur le quatrième tabouret.

— Toi aussi, Pedro, sois le bienvenu, poursuivit Huascar.

Il continua de parler en anglais, pour Matt et Richard, Atoc se chargeant de traduire à voix basse pour Pedro.

— Nous avons très peu de temps devant nous et beaucoup de sujets à aborder.

Il leva une main. Aussitôt des serviteurs apportèrent quatre gobelets en or contenant du vin rouge qu'ils déposèrent devant les invités. L'Inca, quant à lui, s'abstint de boire.

— Il y a environ cinq cents ans, reprit-il, l'un des plus puissants empires jamais fondés s'écroula et s'éteignit. Avec la venue de Francisco Pizarro et des conquistadors espagnols, tout ce que mon peuple avait bâti fut détruit. Nos cités incendiées, notre or volé, nos temples profanés, mes ancêtres massacrés sans pitié. Commença alors pour nous l'ère des ténèbres.

» Aujourd'hui, la gloire du monde inca est presque tombée dans l'oubli. Nos cités sont en ruine, leurs vestiges offerts en pâture aux touristes, notre art enfermé dans des musées. Seul ce site, Vilcabamba, demeure préservé. C'est l'unique endroit où nous pouvons vivre comme nous vivions jadis. Nous sommes les derniers des Incas.

Il se tut un instant. Atoc chuchota à l'oreille de Pedro, puis se tut à son tour.

— Mais nous n'avons pas perdu notre force, reprit Huascar en regardant Matt droit dans les yeux. Vous n'avez entrevu qu'une petite partie de notre monde secret, une fraction de l'or que nous avons caché aux Espagnols. Nous ne vivons pas ici tout le temps. Nous ne pouvons pas nous extraire de la vie moderne. Mais nous sommes venus ici, de tout le Pérou et de l'Amérique du Sud, pour nous montrer à vous. Car, lorsque viendra le combat final, sachez que vous pourrez compter sur nous.

» Ce millénaire est davantage qu'un nouveau millénaire. Nous sommes au seuil d'un nouveau monde et nous croyons qu'un jour viendra où nous pourrons reconquérir la place qui nous revient. Les Incas revivront. Avec nos propres lois, notre justice, notre paix. Mais pour cela nous devrons combattre, et nos ennemis sont bien plus redoutables que ne l'étaient les conquistadors. Nous savons qui sont les Anciens. Nous l'avons toujours su. Ils veulent détruire le monde nouveau avant même qu'il voie le jour. Et ils sont ici, au Pérou.

À nouveau Huascar leva la main et un homme entra dans la salle du trône, s'aidant d'une canne. Son poncho était aussi gris que sa personne, son corps voûté, ses bras et ses jambes décharnés. Richard donna un léger coup de coude à Matt. C'était l'*amauta* dont il lui avait parlé.

— Explique-leur, ordonna Huascar.

— Avant que le Soleil se lève et se couche trois fois, les Anciens franchiront la porte qui fut créée au Pérou avant le commencement du monde, dit l'*amauta*. (Il s'exprimait en anglais, d'une voix étonnamment forte.) J'ai lu les signes dans le ciel et sur la terre. Les oiseaux voleront là où ils ne devraient pas voler. La nuit, brilleront trop d'étoiles dans les cieux. Un désastre terrible et imminent nous menace, qui réduira peut-être tous nos espoirs en cendres. Un garçon se dressera contre les Anciens, et un garçon, seul, tombera. Peut-être mourra-t-il.

» Mais tout ne sera pas perdu. Cinq ont vaincu les Anciens à l'aube des temps, et Cinq les vaincront encore. Telle est la prophétie. Ce garçon est l'un des Cinq. Celui-là aussi.

Il pointa le doigt d'abord sur Matt, puis sur Pedro.

— Les autres suivront et, quand les Cinq seront réunis, ils auront la force d'anéantir les Anciens. Alors la dernière grande guerre aura lieu et le monde nouveau débutera.

L'*amauta* se tut.

— Vous dites que la porte s'ouvrira dans trois jours, murmura Richard. Savez-vous où ?

Le prince inca secoua la tête.

— Nos recherches n'ont abouti à rien.

— Alors que suggérez-vous ?

Richard eut conscience d'avoir été impoli malgré lui. Il se raidit, se demandant s'il allait découvrir l'effet produit par une lance d'or de deux mètres qui vous transperce le corps.

Mais l'Inca ne parut pas offensé. Son visage resta impassible. Il fit un signe à Atoc, qui sortit un morceau de papier et le déplia devant eux. Matt reconnut la photocopie que Pedro et lui avaient dérobée à l'hacienda. Quand Atoc la lui avait-il subtilisée ?

— Voici le seul indice, dit Atoc.

— Qu'est-ce qui est écrit ? demanda Matt, curieux de connaître enfin le sens de l'étrange quatrain.

— *La nuit où volera l'oiseau blanc*
*Devant le site de Qolca*
*Une grande lumière apparaîtra*
*Lumière qui sera la fin de toute lumière.*

Dessous, figuraient les deux mots : INTI RAYMI, et le dessin du Soleil éclatant.

Atoc lut les vers à voix haute et Matt ressentit un pincement au cœur. La page avait paru suffisamment importante à Salamanda pour qu'il éprouvât le besoin de la photocopier. Mais pourquoi fallait-il que ce message fût aussi compliqué ? Matt avait espéré en tirer des informations utiles sur la porte. Or il ne lui apprenait rien.

Le vieil *amauta* secoua la tête et ajouta :

— Inti Raymi.

— Inti Raymi est la date la plus importante du calendrier inca, expliqua Huascar. C'est le solstice d'été. Le jour où le Soleil est à son point le plus au sud de l'équateur. Le vingt-quatre juin. Aujourd'hui, nous sommes le vingt et un.

Il restait donc trois jours. Comme l'avait dit l'*amauta*.

— Et Qolca, vous savez où ça se trouve ? demanda Richard.

L'*amauta* jeta un regard au prince avant de répondre :

— Qolca est un mot nazcan.

— Je les ai entendus parler de Nazca ! intervint Matt, tout excité. Salamanda et ses amis. Ils disaient qu'ils recherchaient une plate-forme dans le désert de Nazca.

— Les dessins sur la feuille de papier évoquent en effet le désert de Nazca, acquiesça Huascar. Mais cela se trouve de l'autre côté du Pérou. D'où vous venez. Il nous faut donc bien réfléchir à ce que nous allons faire. Si cette page a renseigné Salamanda, elle peut aussi nous renseigner. Il y a un professeur, à Nazca, qui a mené de nombreuses recherches sur le site. Si une personne dans ce pays est capable d'interpréter ce document, c'est bien elle. Je vais la contacter ce soir.

— Vous avez le téléphone ? sursauta Richard.

Huascar sourit pour la première fois.

— C'est une cité ancienne, où nous vivons très isolés. Mais c'est quand même le XXI^e^ siècle, señor Cole. Nous avons des téléphones portables, et même une connexion Internet. Soyez gentils, ne nous prenez pas pour des sauvages.

Il se mit debout et ajouta :

— Mon peuple souhaite vous voir. Le fait que deux des Cinq soient parmi nous est une cause de réjouissances, quoi que l'avenir nous réserve.

Il leva les mains et proclama :

— Que la fête commence !

La nuit était tombée et les étoiles brillaient par millions. La cité de Vilcabamba tout entière regorgeait de lumière et de musique, le son frêle des flûtes flottait au-dessus du martèlement sourd des tambours. Plusieurs feux avaient été allumés et des porcs rôtissaient sur des pics, des poulets et des agneaux cuisaient sur la braise dans des marmites en terre, des ragoûts mijotaient dans des chaudrons. La brise portait les odeurs de couenne grillée, des flammèches bondissaient.

Cinq cents personnes au moins – hommes, femmes et enfants – s'étaient rassemblées sur la place sacrée. Ce grand pré rectangulaire autour duquel s'organisait la cité. D'autres se tenaient sur les plates-formes et les terrasses. La plupart des Incas avaient revêtu leurs habits de cérémonie. Coiffes de plumes et d'or, longues robes chamarrées, colliers et bracelets d'or, boucliers, épées et bijoux en or merveilleusement ciselés en forme de pumas, de guerriers bondissants et de dieux. Certains dansaient. Beaucoup mangeaient et buvaient. Tous voulaient voir Matt, l'accueillir, lui serrer la main.

Matt était assis avec Richard et Pedro, qu'il avait présentés l'un à l'autre avant le début de la fête.

« Très heureux de te connaître, Pedro, avait dit Richard. Merci d'avoir veillé sur Matt. » Pedro avait hoché la tête, mais Matt n'était pas certain qu'il eût compris.

La nuit se prolongea. La musique enfla, le vin et la bière coulaient à flots. Richard vida plusieurs gobelets et Matt s'aperçut qu'il avait bu lui-même plus de bière qu'il n'aurait dû. Et pourquoi pas, après tout ! Pour une fois, il se sentait en sécurité, avec des amis. Toutefois, les paroles de l'*amauta* le poursuivaient. La porte s'ouvrirait dans trois jours. Un garçon se dresserait contre les Anciens. Un garçon tomberait. Lui ou Pedro ? À moins que l'*amauta* n'ait parlé de quelqu'un d'autre. Quoi qu'il en soit, Matt savait que c'était sa dernière occasion de se détendre et de s'amuser avant de replonger dans les dangers qui le guettaient. Richard l'avait prévenu. Ils partaient le lendemain.

Soudain, la musique s'arrêta, la foule se tut et le prince des Incas s'avança sur la terrasse devant son palais. Là encore, il s'exprima en anglais, par égard pour Matt et Richard, et sa voix retentit.

— Voici comment le monde inca a commencé, clama-t-il. Voici comment l'histoire a été rapportée de génération en génération…

Quelque part, un bébé pleura et sa mère le fit taire à voix basse.

— Selon nos ancêtres, jadis régnaient les ténèbres. La terre était nue et les hommes vivaient comme des animaux. Puis, le père de toutes choses – nous l'appelons Viracocha, le Soleil – décida d'envoyer son fils sur la terre pour enseigner aux hommes à vivre décemment, à cultiver les champs et construire des maisons.

» C'est ainsi que Manco Capac est né au monde. Il a surgi des eaux du lac Titicaca. Fils du Soleil, premier des Incas. Manco a traversé toute l'Amérique du Sud jusqu'à son arrivée dans une vallée proche de Cuzco. Là, il a plongé un piquet d'or dans la terre, car c'est le lieu qu'il avait choisi pour fonder l'Empire inca.

» Pendant de nombreuses années, Manco Capac a gouverné avec force et sagesse, avant de regagner les cieux. En ce temps-là, une image de lui, une seule, a été faite. Elle fut gravée sur un grand disque d'or. Ce trésor, plus précieux pour nous que tout autre, fut appelé le Soleil de Viracocha. À l'arrivée des conquistadors, il fut caché. Depuis, malgré d'innombrables recherches, personne ne l'a vu.

Il leva une main. Sur le côté opposé de la place, deux rangs de soldats avancèrent, brandissant des torches enflammées. Puis huit Incas apparurent, ployant sous le poids d'une immense litière. Dessus reposait un objet plat et circulaire, recouvert d'un tissu. Dans toute la cité, les regards convergèrent. Les porteurs déposèrent la litière sur l'herbe, juste devant la table où se tenaient assis Matt et Pedro.

— Pourquoi célébrons-nous cette journée ? reprit

l'Inca d'une voix forte. Observez bien le visage de Manco Capac et vous comprendrez.

Le tissu fut retiré.

Pendant un instant, le disque d'or étincela et Matt ne put rien distinguer. Le disque semblait posséder sa lumière propre. Posé sur le côté, il était presque aussi haut que Matt. Il était sculpté en forme de soleil, avec des flammes torsadées tout autour. Matt plissa les yeux. Peu à peu, il parvint à discerner un visage gravé sur la surface. Un visage qu'il reconnut aussitôt. Pourtant c'était impossible. Le disque datait de plus de mille ans. Matt entendit Richard pousser une exclamation. À côté de lui, Pedro se leva et recula, à la fois incrédule et horrifié.

Les deux visages étaient identiques.

Il n'y avait aucun doute possible.

Le disque d'or représentait Manco Capac, fondateur de l'Empire inca. Pourtant Pedro contemplait un portrait de lui-même.

# 16

# Professeur Chambers

Ils retrouvèrent le prince inca le lendemain matin, dans la salle du trône. Richard, Matt et Pedro devaient partir avant midi.

— J'ai parlé avec le professeur Chambers, dit Huascar. Elle accepte de vous recevoir. Elle vit à Nazca, sur la côte ouest. Ce qui vous oblige à une autre longue journée de voyage. Atoc aimerait vous y accompagner.

— Je traduis pour Pedro, expliqua Atoc. Et, de toute façon, mon destin est avec vous. Je dois terminer ce que mon frère a commencé.

Huascar les regarda longuement et Matt crut déceler un voile de tristesse dans ses yeux.

— Nous nous reverrons un jour à Vilcabamba,

reprit l'Inca. Le plus important est votre sécurité. Salamanda tient peut-être la police et la majeure partie du gouvernement dans sa main, mais moi, j'ai des hommes partout. Et maintenant que nous vous avons trouvés, nous veillerons sur vous. Avez-vous des questions à me poser ?

Richard et Matt échangèrent un coup d'œil. Des questions, ils en avaient des tas. Comment une image gravée mille ans plus tôt pouvait-elle à ce point ressembler à Pedro ? L'un des deux garçons serait blessé devant la porte, peut-être tué. Mais lequel ? Et, pour Matt, la question la plus brûlante de toutes : si les Anciens franchissaient la porte – comme l'*amauta* l'avait prophétisé –, à quoi bon tenter de les en empêcher ?

Pourtant, ni l'un ni l'autre ne dit mot. Matt devinait que les réponses n'étaient pas faciles. Il avait la sensation d'être tombé dans un torrent. S'il luttait ou tentait d'en sortir, il perdrait ses forces et se noierait. La seule solution était de nager avec le courant et voir où il l'emportait.

Le prince inca se leva et tendit les mains, paumes en avant.

— Je vous souhaite bon voyage et bonne chance. Puisse l'esprit de Viracocha vous accompagner.

L'audience était terminée. Richard, Atoc, Matt et Pedro se levèrent, inclinèrent la tête, et commencèrent à reculer. Mais Huascar n'en avait pas tout à fait fini.

— Señor Cole ! J'aimerais, si vous le voulez bien, avoir une dernière conversation avec vous. En privé…

Richard s'arrêta net et souffla à Matt :

— Ne t'inquiète pas. S'il me demande de rester à Vilcabamba, c'est non…

Il attendit que Matt, Pedro et Atoc soient partis et, sur un signe de Huascar, revint vers le trône. L'*amauta* était là, lui aussi. Richard ne l'avait pas vu entrer.

— Que pensez-vous de tout ceci, señor Cole ?

— Je pense que, un jour, j'écrirai cette histoire. Vous essaierez peut-être de m'en empêcher, mais je l'écrirai. Quelle importance ? Personne ne me croira, de toute façon. Quand j'y réfléchis, je n'y crois pas moi-même.

— Laissez-moi vous poser une question. Pourquoi, à votre avis, le garçon a-t-il été choisi ?

— Matt ? (Richard haussa les épaules.) C'est l'un des Cinq…

— Pedro aussi. Mais pourquoi vous ?

— Pourquoi j'ai été choisi ? (Richard ne put retenir un sourire.) Je vois les choses autrement. Matt a débarqué un beau jour dans mon bureau à Greater Malling. Si j'avais été absent, je ne l'aurais pas connu. Il se serait adressé à quelqu'un d'autre, Kate ou Julia, mes anciennes collègues du journal. Et l'une d'elles serait peut-être à ma place aujourd'hui.

— Non, señor Cole. Vous faites erreur. Vous aussi, dans cette aventure, vous jouez un rôle écrit pour vous bien longtemps avant votre naissance.

— Vous voulez dire que je n'ai pas le choix ?

— Nous avons tous des choix à faire. Mais nos décisions sont déjà connues.

Huascar tendit une main et l'*amauta* sortit un petit sac de cuir, fermé par deux cordons qui permettaient de le porter en bandoulière ou autour du cou.

— J'ai un présent pour vous, señor Cole. Ne me remerciez pas. Un jour, vous me maudirez pour vous l'avoir offert. Néanmoins, il vous est destiné. Il a été fait pour vous.

L'*amauta* ouvrit le sac et remit à Richard un objet doré d'environ quinze centimètres de long. Une statue en or. C'est du moins ce que Richard crut d'abord. Une figurine inca, avec un regard fixe, une expression sévère, les bras croisés devant la poitrine, debout, au sommet d'un triangle allongé, à la pointe très effilée. L'objet était en or massif, serti de pierres semi-précieuses : jade et lapis-lazuli. Richard ignorait son ancienneté mais estima sa valeur à plusieurs milliers de livres.

Enfin, il réalisa ce qu'il tenait dans la main. De façon instinctive, il avait saisi l'objet dans sa paume, la pointe saillant à l'extérieur. Ce n'était pas une statuette. C'était une sorte de poignard.

— Nous appelons cela un *tumi*, expliqua l'Inca. C'est un couteau sacrificiel. Les bords de la lame ne sont pas aiguisés, mais la pointe l'est. Conservez-le précieusement.

— Il est magnifique, dit Richard.

Puis il se rappela l'avertissement de Huascar.

— Pourquoi dois-je avoir un poignard ? Et que voulez-vous dire par... il a été fait pour moi ?

— Ce *tumi* porte un autre nom, dit Huascar, sans répondre à la question, ce qui lui était habituel. On l'a toujours appelé la lame invisible. Vous voyez le *tumi.* Mais nul ne peut le trouver. Quand vous le porterez sur vous, personne ne remarquera sa présence.

— Même dans les aéroports ? questionna Richard, songeant aux détecteurs de métaux. Les douaniers deviendraient dingues s'il essayait de passer avec un tel objet.

— Vous pouvez l'emporter où bon vous semble, señor Cole. Aucun policier ni aucun douanier ne le découvrira sur vous. Désormais, il fait partie de vous. Un jour, vous en découvrirez l'usage.

— Eh bien... merci.

Richard prit le sac de cuir, y glissa le poignard et le ferma. Sa légèreté le surprit.

— Merci de votre aide. Et merci d'avoir retrouvé Matt.

— Bonne chance, señor Cole. Veillez sur Matteo et Pedro. Ils ont besoin de vous.

Richard tourna les talons et quitta la salle du trône. Le prince et son *amauta* le suivirent des yeux jusqu'à ce qu'il eut disparu.

L'hélicoptère les déposa à Cuzco, où un avion Cessna de cinq places les attendait pour les emmener à Nazca. Matt était sidéré par l'efficacité sans faille de l'organisation. Aucun passeport ni document de voyage ne leur fut nécessaire. Ils atterrirent tranquillement sur l'aéroport de Cuzco, traversèrent le tarmac, embarquèrent à bord du Cessna et décollèrent. Personne ne jeta un regard dans leur direction. Visiblement, les Incas avaient encore une grande influence au Pérou. Tant que Matt serait avec eux, il ne risquerait rien.

Le vol de Cuzco à Nazca durait trois heures. Pedro semblait plus à l'aise dans l'avion qu'il ne l'avait été dans l'hélicoptère. C'est à peine s'il avait dit un mot depuis qu'on lui avait montré le disque d'or à Vilcabamba, et Matt imaginait les pensées qui devaient tourbillonner dans sa tête. Richard aussi observait un silence inhabituel. Il n'avait rien dévoilé de sa conversation avec le prince inca mais apparemment ça ne l'avait pas rendu très gai. Matt ne lui avait posé aucune question.

Atoc, qui avait piloté l'hélicoptère, se contentait d'être simple passager dans le Cessna. Il était assis à l'arrière, plongé dans ses réflexions. Le pilote était quasiment invisible sous son blouson, son casque et ses lunettes d'aviateur. Il n'avait pas prononcé un mot quand ils étaient montés à bord, ni pendant le vol, mais, soudain, il se mit à leur crier quelque chose d'une voix forte pour couvrir le bruit du moteur. Atoc se pencha et dit :

— Regardez par les fenêtres ! Nous survolons les « lignes de Nazca ».

L'avion piqua vers le sol comme s'il allait atterrir. Matt sentit son estomac se retourner. Ils étaient très au-dessous des nuages et survolaient un désert plat et aride, mais il ne voyait pas ce qu'il était censé regarder. Les lignes de Nazca ? Apparemment, il n'y avait rien du tout.

Soudain, il retint son souffle.

Une ligne, tracée dans le sol, courait droit à travers le désert aussi loin que portait le regard. La ligne était creusée dans la terre et ne devait rien au hasard. Elle était trop précise. À côté, Matt distingua une forme, un immense rectangle, plus étroit d'un côté, de près de deux kilomètres de long. Une piste d'atterrissage ? Non. Comme la ligne droite, le rectangle était simplement tracé dans le sol.

— Là-bas…, dit Richard en se penchant.

D'autres lignes, courant dans toutes les directions, s'entrecroisaient, droites comme des flèches. Matt n'avait jamais rien vu de tel. Le désert tout entier ressemblait à un fantastique carnet de croquis à échelle géante. Impossible d'imaginer comment cela avait été réalisé. Ni quand. Impossible aussi de comprendre comment ces traits avaient survécu, au lieu d'être balayés par le premier coup de vent.

Le pilote cria de nouveau pour les alerter et l'avion

s'inclina sur le côté. Cette fois, Matt découvrit des motifs bien plus incroyables encore que les lignes. Le premier représentait un colibri. Le dessin n'était pas d'une précision naturaliste mais on ne pouvait pas se tromper. Le bec long et pointu, les ailes et la queue étaient reconnaissables. Difficile d'évaluer la taille, mais si on pouvait le voir aussi nettement de cette altitude, il devait mesurer au moins cent mètres de long.

Une à une, les créatures d'une fabuleuse ménagerie apparurent à la surface du désert. Un singe avec une queue en spirale, une baleine, un condor, une immense araignée avec un corps boursouflé et huit pattes, identique à celle dessinée sur la page du journal du moine photocopiée par Salamanda.

Les dessins étaient simples, presque enfantins, mais aucun enfant n'était capable de dessiner à cette échelle. Chaque créature avait sans doute nécessité le travail de plusieurs dizaines d'hommes. Et une précision extrême dans l'exécution. Les pattes de l'araignée, par exemple, étaient symétriques, de même que les ailes de l'oiseau. Chaque trait rectiligne. Chaque cercle parfaitement formé. Il ne faisait aucun doute, même au premier regard, que cette tapisserie géante était le fruit d'une précision mathématique.

Une route unique traversait le désert, coupant plusieurs lignes. C'était l'autoroute panaméricaine. Bien que droite, elle aussi, elle paraissait froide et sans vie à côté des dessins. Symbole du vandalisme moderne, l'autoroute passait au milieu d'une œuvre d'art ancienne.

Le pilote se retourna sur son siège, et ôta son casque et ses lunettes. Matt découvrit alors qu'il ne s'agissait pas d'un homme mais d'une femme, âgée d'une cinquantaine d'années, avec un visage carré et quelconque, de longs cheveux presque sans couleur. Elle n'était pas maquillée et n'aurait rien gagné à l'être. Une vie passée au soleil et aux vents du désert lui avait tanné la peau. Mais elle avait un regard bleu et pétillant.

— Alors, qu'est-ce que vous en dites ? lança-t-elle.

La surprise les laissa sans voix.

— Je suis Joanna Chambers. Il paraît que vous vouliez me voir, alors je suis venue vous chercher moi-même.

L'avion vibra, aspiré par un trou d'air, et elle reprit les commandes pour le stabiliser avant de se tourner de nouveau vers ses passagers.

— On m'a dit que vous veniez au Pérou chercher une porte. Eh bien, si cette porte existe, vous feriez bien d'ouvrir l'œil. Cinq cents kilomètres carrés d'un des déserts les plus arides du monde. C'est là que se trouve votre porte.

Le professeur Joanna Chambers vivait à un ou deux kilomètres du joli petit aérodrome qui servait surtout aux touristes désireux de visiter les lignes de Nazca. Elle possédait l'une des plus belles maisons que Matt eût jamais vues. C'était une construction de plain-pied, blanche, avec un toit rouge et une large véranda ombragée, au milieu d'un jardin de la taille d'un parc, où des lamas s'ébattaient en liberté sur les pelouses, et où des dizaines d'oiseaux emplissaient le ciel de couleurs et de chants. Un mur bas et blanc entourait la propriété, mais il n'y avait ni grille ni gardes. Tout suggérait aux visiteurs qu'ils étaient les bienvenus.

Richard, Matt, Pedro et Atoc étaient assis dans la salle à manger, devant un déjeuner composé de viande froide et de chips de *yucca* – une sorte de patate douce. La pièce au sol carrelé, munie d'un ventilateur, menait directement à la véranda. Madame le professeur Chambers présidait en bout de table. Maintenant qu'il avait tout le loisir de l'examiner, Matt constata qu'elle avait un corps massif, une apparence assez masculine, mais beaucoup plus de charme qu'il ne l'avait cru d'abord. Elle faisait penser à un prof de gym de collège huppé pour jeunes filles. Joanna Chambers avait troqué sa tenue de pilote contre un pantalon et une chemise ample, blancs tous les deux. Elle tenait une bouteille de bière glacée dans une main, et un cigarillo dans l'autre. L'odeur du tabac flottait autour d'eux.

— Je suis ravie de faire votre connaissance, dit le professeur. Soyez les bienvenus dans ma maison.

— Une très jolie maison, remarqua Richard.

— J'ai eu la chance de pouvoir l'acheter avec l'argent que m'ont rapporté mes livres. J'ai écrit plusieurs ouvrages sur le Pérou, notamment sur les lignes de Nazca.

— De quoi s'agit-il exactement ? demanda Matt.

Joanna Chambers suçota son cigarillo, dont le bout rougeoya, comme pour refléter son irritation.

— Je m'étonne que vous n'en ayez jamais entendu parler ! Ces lignes sont tout simplement l'un des plus grands mystères de notre planète. Voilà bien le résultat du nivellement par le bas dans nos sociétés ! On ne vous apprend donc plus rien à l'école ?

— Moi non plus, j'en n'en ai jamais entendu parler, avoua Richard.

— C'est insensé ! (Le professeur Chambers avala sa fumée de travers et eut une quinte de toux. Elle but une gorgée de bière et se renversa contre le dossier de sa chaise.) Je ne vais tout de même pas vous faire un cours d'histoire. En tout cas, pas tout de suite. D'abord, je veux savoir qui vous êtes. J'ai reçu un coup de téléphone d'un ami très... spécial. Donc, vous venez de Vilcabamba ?

Personne ne répondit. Ils ignoraient ce qu'elle savait exactement.

— Je suis verte de jalousie ! s'exclama Joanna Chambers. Je sais que les Incas ont survécu. Ils me considèrent comme leur amie et je discute souvent avec eux. Mais ils ne m'ont jamais invitée dans leur cité perdue. Autant que je sache, personne n'y va, à moins d'avoir du pur sang inca dans les veines. Sauf vous. (Son regard s'attarda sur Matt et Pedro.) Ils doivent avoir une haute opinion de vous car c'est un immense honneur, je peux vous l'assurer !

— Matt et Pedro sont des gardiens, dit Atoc à voix basse, apparemment choqué par la liberté de ton du professeur.

— Des gardiens ! Mais oui, bien sûr. Deux des Cinq ! Les Anciens…

— Vous êtes aussi au courant de ça ? s'étonna Richard.

— Je suis au courant de bien des choses, M. Cole.

Elle se pencha pour prendre une grappe de raisin dans une coupe et la jeta par la fenêtre. Un gros oiseau tropical descendit en piqué pour la saisir au vol.

— J'ai entendu pas mal d'histoires au sujet du moine fou de Cordoue et de son récit… parallèle. Je n'ai jamais su s'il fallait le croire ou non. Mais avec la venue de ces deux garçons, je suppose qu'il n'y a plus de doutes à avoir. Bien, parlons un peu de cette page de journal.

Matt sortit la photocopie de sa poche. Joanna Chambers la parcourut rapidement et conclut :

— C'est tout ce qu'il y a de simple. Du moins en partie. Le lieu : Qolca. La date : Inti Raymi. C'est dans deux jours. Ça ne nous laisse guère de temps. Je suis moins sûre de moi à propos de ce grand oiseau blanc. Ce pourrait être un condor…

— Pourquoi pas un cygne ? suggéra Matt

— Un cygne ? D'où te vient cette idée ?

— J'ai entendu Salamanda parler d'un cygne,

expliqua Matt. Il songea à mentionner son rêve mais y renonça. Salamanda disait que le cygne devait se trouver en position. À minuit.

— Tu en es certain ?

— Certain.

Joanna Chambers avait agacé Matt et elle s'en aperçut.

— Excuse-moi, Matt. Mais tout cela paraît si invraisemblable. Parmi les figures du désert de Nazca, il y a un condor et un colibri. Vous les avez vus ce matin. Mais il n'y a pas de cygne. D'ailleurs, à ma connaissance, il n'y a pas de cygnes au Pérou.

— C'est pourtant ce que Salamanda a dit, insista Matt.

— Et le reste du poème ? demanda Richard.

— La page entière se réfère aux lignes de Nazca. Cela ne fait aucun doute. Qolca, par exemple. (Joanna Chambers s'interrompit.) Mais je parle dans le vide si vous ne savez pas ce que sont les lignes de Nazca. Finalement, je vais vous donner un petit cours d'histoire. Il me faudrait une semaine pour vous décrire les lignes. Et encore, je ne ferais que survoler le sujet. Mais nous n'avons pas une semaine. De toute façon, les jeunes n'ont plus aucune concentration. Je vais donc tâcher de vous présenter cela aussi simplement que possible.

Le professeur Chambers se leva pour aller se servir une autre bière, qu'elle décapsula à l'aide d'un canif. Matt fut presque étonné qu'elle n'utilise pas ses dents.

— Il existe dans le monde de nombreux mystères, commença-t-elle. Même de nos jours, au XXIe siècle. Il y a Stonehenge, en Angleterre. Les pyramides d'Égypte. Uluru, la montagne sacrée des Aborigènes d'Australie. Autant de sites que la science ne peut expliquer. À mes yeux, les lignes de Nazca sont le plus grand mystère de tous.

» Voyons d'abord le désert de Nazca proprement dit. C'est un désert immense, plat et aride. Il y a environ deux mille ans, les Indiens décidèrent de venir y dessiner une série de figures extraordinaires. Ils réalisèrent les dessins en ôtant les pierres plus sombres qui couvraient la surface pour exposer la terre plus pâle. Comme il n'y a pratiquement jamais de pluie ni de vent à Nazca, les lignes ont survécu. Vous me suivez ?

Elle jeta un coup d'œil à Atoc qui traduisait au fur et à mesure pour Pedro. Il hocha la tête.

— Bien. Certaines de ces figures sont magnifiques. Vous les avez vues d'avion. Il y a des animaux : une baleine, un condor, un singe, un colibri, une immense araignée. Et il y a des motifs géométriques : des triangles, des spirales, des étoiles, ainsi que plusieurs centaines de lignes parfaitement rectilignes, dont certaines s'étirent sur quarante kilomètres.

Le professeur Chambers sirota une gorgée de bière avant de poursuivre son exposé.

— Or c'est là que commence le mystère. On ne peut voir les lignes de Nazca que du ciel ! D'ailleurs, elles n'ont été découvertes qu'en 1927, lorsque le premier aéroplane du Pérou les survola. Comme j'aurais aimé être à bord ! Bref, toujours est-il que les Nazcas n'avaient pas d'avions. Donc, la question est : pourquoi se sont-ils donné tant de mal pour tracer des lignes et des motifs s'ils ne pouvaient pas les voir ?

» Les théories de toutes sortes abondent, évidemment. Un écrivain a même imaginé un aéroport pour vaisseaux spatiaux venus d'une autre planète. Il est vrai que l'une des figures représente un personnage avec une tête toute ronde, et certaines personnes y voient un astronaute. Bref, beaucoup de gens supposent que ces dessins s'adressaient aux dieux des Nazcas. Étant dans les cieux, seuls les dieux pouvaient les admirer. Mon sentiment personnel est que les lignes ont un lien avec les étoiles. Peut-être servaient-elles à des prédictions. Ou bien… (Elle s'interrompit.) Je me suis souvent demandé si les lignes n'étaient pas là pour nous prévenir de quelque chose.

Le bout de son cigarillo rougeoya. Une volute de fumée rampa le long de sa joue. Joanna Chambers se laissa un instant absorber par ses pensées. Puis, soudain, elle se redressa.

— De très nombreuses théories. Mais aucune certitude jusqu'à présent.

— Est-ce que Qolca se trouve dans le désert ?

— Oui. Ça aussi, vous l'avez vu d'avion. Qolca est un mot quechua, la langue des Incas, qui signifie grenier. C'est le nom donné au grand rectangle que nous avons survolé ce matin.

— Devant le site de Qolca..., dit Matt, rappelant le second vers du poème. Cela signifie donc que la porte se trouve en face du rectangle !

— Cela peut aussi ne rien signifier de tel ! objecta sèchement le professeur Chambers. Il n'y a pas de porte dans le désert. Plus exactement, il n'y a pas de monolithe, de pierre, de jalon, ni de construction. Uniquement la terre et les lignes.

— Mais il y a une plate-forme, rétorqua Matt. Salamanda a dit qu'il avait besoin de trouver la plate-forme.

— Bonne chance à lui ! J'ai traversé le désert dans tous les sens plus d'un millier de fois et je n'ai jamais vu de plate-forme. (Le professeur Chambers tapota sa cendre dans une soucoupe.) Évidemment, elle pourrait être enterrée, reprit-elle à mi-voix. C'est une possibilité.

— Et vous êtes certaine qu'il n'y a pas de cygne ? insista Richard.

Elle écrasa son cigarillo et s'écria :

— M. Cole ! Quand j'ai commencé à étudier les lignes de Nazca, vous étiez encore dans vos couches-culottes. Comment osez-vous suggérer...

Matt crut qu'elle allait lui jeter quelque chose à la tête, mais elle se força au calme.

— Excusez-moi, dit-elle. Mais essayez de comprendre. Les lignes de Nazca sont ma vie. Je leur ai consacré toute mon existence. La première fois que je les ai vues, j'avais vingt-trois ans. Depuis, elles m'obsèdent. Vous pouvez comprendre ça ? Très peu de choses dans le monde restent inexpliquées. La science a trouvé réponse à tout. Pourtant, il y a cette énigme prodigieuse. Un désert entier couvert de dessins que personne ne comprend. Mon unique but est de résoudre ce mystère avant ma mort.

» Et aussi le mystère de votre arrivée dans ma vie, trois jours avant Inti Raymi... Vous débarquez avec votre histoire extraordinaire et vos révélations vont peut-être tout résoudre ! J'attends cela depuis plus de trente ans. Alors je ne dois pas me quereller avec vous. Laissez-moi réfléchir à ce que vous m'avez appris.

— Inti Raymi, murmura Richard.

Les paroles de l'Inca lui revinrent en mémoire.

Avant que le Soleil se soit levé et couché trois fois.

— En effet, M. Cole. C'est notre seule certitude. Nous avons moins de quarante-huit heures. Dans deux jours, à minuit, la porte s'ouvrira.

# 17

# Nuit dans le désert

Ils démarrèrent alors que le Soleil commençait à se coucher. Le professeur Chambers conduisait. Richard était assis près d'elle, Matt, Pedro et Atoc sur la banquette arrière. Le véhicule, une Jeep décapotable inconfortable, avait une suspension très dure, et chaque trou, chaque crevasse se ressentait. Malgré les fenêtres fermées, la poussière pénétrait sous la capote et il était souvent difficile de respirer. Le moteur faisait un bruit assourdissant et toute la carcasse vibrait. Matt avait l'impression de voyager dans un lave-linge surdimensionné.

— J'aurais de loin préféré faire cette route de jour, cria Joanna Chambers. Mais on risque de manquer de temps. Et puis, on sera plus à l'aise pour fouiner sans avions chargés de touristes bourdonnant au-dessus de nos têtes.

— Il n'y a pas de gardes ? s'enquit Richard.

— Normalement, si. Mais ils ne sont jamais assez nombreux. Et ceux qui sont là dormiront probablement. De toute façon, j'ai une autorisation spéciale pour circuler dans le désert. Ce qui n'est pas le cas de M. Salamanda ! Si je les trouvais, lui et ses hommes, en train de piétiner les lignes, je leur mettrais les tripes à l'air ! Tout VIP qu'il soit !

Matt observa Pedro qui regardait par la fenêtre, bien qu'il n'y eût pas grand-chose à voir.

— Ça va, Pedro ?

Pedro hocha la tête.

— Vous devriez dormir un peu, tous les deux. La nuit va être longue.

Deux heures plus tard, elle s'arrêta pour consulter la carte. Le soleil avait quasiment disparu derrière l'horizon mais une lueur rouge s'attardait dans le ciel. Le professeur Chambers enclencha la position quatre roues motrices et vira brusquement. La Jeep quitta le bitume et se mit à cahoter sur les pierres et les cailloux du désert.

Ils roulèrent une autre heure. Le professeur regardait la carte de temps à autre mais elle connaissait le chemin. Après tout, elle écumait le site depuis plus de trente ans et le moindre centimètre carré lui était familier. Enfin, elle arrêta la Jeep.

— Maintenant, nous allons marcher, annonça-t-elle. Il y a des pelles à l'arrière. Et aussi des bouteilles d'eau, des sandwichs et, le plus important, du chocolat. Je vous signale que le chocolat péruvien est excellent. Rien de commun avec ces petites barres chocolatées écœurantes que vous avez en Angleterre.

Matt descendit de la Jeep.

Il supposait que le grand rectangle – le site de Qolca – se trouvait quelque part devant lui, mais il ne voyait strictement rien. Et le soir qui tombait n'arrangeait rien. Il comprenait maintenant pourquoi les lignes de Nazca était restées si longtemps inconnues. Au niveau du sol, on ne remarquait rien d'autre qu'un plateau aride. Matt se faisait l'impression d'une fourmi rampant sur une table. Le paysage était tout simplement trop vaste pour être décrypté. Les figures n'étaient apparentes que d'en haut. À ras de terre, elles devenaient invisibles.

— Regardez ! s'écria le professeur Chambers.

Elle pointa sa lampe torche vers le sol. Le faisceau éclaira des traces de pneus apparemment récentes. Ce désert était un peu comme la surface de la Lune : toutes les marques y restaient de façon permanente. Le professeur suivit les traces sur une courte distance, puis promena sa torche alentour. Deux véhicules étaient venus. Et avaient stationné. Tout autour, des dizaines d'empreintes de pas s'entrecroisaient, appartenant à plusieurs personnes.

— Ça va être plus facile que je ne le pensais, grommela le professeur Chambers.

— Que voulez-vous dire ? demanda Richard.

— Le poème indique de rester devant le site de Qolca. Nous y sommes. Quelque part devant nous, il devrait donc y avoir… quelque chose. Or, comme je vous l'ai dit, ce quelque chose est forcément enterré sinon je l'aurais remarqué. Et je pensais que nous risquions de passer la moitié de la nuit à creuser. Heureusement, ce n'est pas le cas. Il nous suffit de suivre les traces de pas. M. Salamanda se croit très malin, mais il nous a ouvert la voie.

Pour suivre les empreintes, ils durent s'éloigner de la Jeep et s'engager plus loin dans le désert. Au bout de deux cents mètres, ils arrivèrent à un endroit qui avait visiblement fait l'objet de fouilles. La terre avait été retournée. À la lumière de la torche, la couleur du sol était nettement différente.

— C'est ici ! s'exclama Richard.

— Oui, acquiesça le professeur Chambers en lui confiant la torche. Vous quatre, commencez à creuser. Je retourne à la Jeep.

— Pourquoi ?

— Ce n'est pas évident ? Je vais faire du thé !

Chacun muni d'une pelle, ils commencèrent à creuser. La lumière était si faible qu'ils y voyaient à peine. Eux-mêmes n'étaient plus que des ombres. Il régnait encore une chaleur oppressante. Au bout de quelques pelletées, Matt avait déjà la gorge pleine de poussière.

Elle lui brouillait la vue, empesait ses cheveux. La sueur traçait des sillons crasseux sur son visage. Pedro avait cessé de creuser et tenait la torche pour éclairer les autres.

La terre, déjà bêchée une fois, cédait facilement. En quelques minutes, ils avaient creusé une tranchée de cinquante centimètres de profondeur. Pendant ce temps, le professeur Chambers avait rapporté un panier de pique-nique et un réchaud. Le gaz émit un sifflement puis s'embrasa avec un petit bruit sec, et elle mit alors de l'eau à chauffer pour le thé. De toute évidence, elle ne craignait pas d'être vue. En effet, dans l'immensité du désert, la flamme du réchaud n'était qu'une pointe d'épingle, et il y avait peu de chances de rencontrer un garde dans les parages.

La pelle d'Atoc produisit un son métallique.

— Il y a quelque chose..., dit-il.

Richard et Matt approchèrent. Atoc avait heurté un objet solide.

— Attention ! s'écria le professeur Chambers.

Craignait-elle ce qu'ils risquaient de trouver ? Ou voulait-elle éviter qu'ils n'abîment un objet présentant un intérêt archéologique ?

Rapidement, ils entreprirent de déblayer la terre. La torche que braquait le professeur Chambers éclaira une masse lisse et plate. Elle fit courir le faisceau sur la surface et révéla une plate-forme en brique, décorée d'un dessin central. Ils chassèrent le reste de terre pour mieux dégager le dessin.

Le professeur Chambers l'examina en fronçant les sourcils.

— Je suppose que c'est le symbole dont tu m'as parlé, Matt. Le symbole des Anciens.

— Oui, murmura Matt en frissonnant, comme si la chaleur s'était brusquement évaporée. C'est leur signe.

— Mais sur quoi est-il gravé ? demanda Richard.

— Une plate-forme.

Le professeur Chambers l'étudia plus attentivement.

— Une plate-forme d'environ cinq mètres carrés, je dirais. Les briques sont de l'andésite. Ce qui n'a rien d'inhabituel. Mais le dessin ! Ces flèches et ces lignes courbes. C'est très mauvais !

Pedro posa une question, Atoc traduisit :

— Que fait ce signe ici ?

— Vous le savez, professeur ?

— J'en ai une petite idée, répondit-elle en balayant une dernière fois la surface avec le faisceau de sa lampe. Avant de tout recouvrir, nous allons boire un thé et je vais vous l'expliquer.

Ils revinrent au réchaud et le professeur Chambers servit cinq gobelets de thé chaud et sucré, agrémenté de feuilles de menthe cueillies dans son jardin. Hormis le sifflement du réchaud à gaz, le désert était totalement silencieux.

— Je vais m'efforcer d'être simple, commença-t-elle. Pourtant ça ne l'est pas. C'est même horriblement compliqué. Je vous ai parlé du mystère des lignes de Nazca. Maintenant je vais vous exposer ma théorie sur ce mystère. J'ai écrit un livre à ce sujet il y a déjà quelque temps, mais peu de gens m'ont crue. (Elle se tut un moment.) Salamanda l'a peut-être lu. Il se peut que j'aie une part de responsabilité dans tout ceci. Bon, je vais essayer d'être claire.

» Comme je vous l'ai dit, j'ai passé ma vie à étudier les lignes de Nazca. Elle m'ont fascinée dès le premier jour. Au début, j'ai pensé que c'était parce que je les trouvais très belles… parfaites. Puis avec les années, j'ai découvert que je m'étais trompée. Je ne peux pas vous expliquer comment ça s'est produit mais, peu à peu, m'est venue l'idée que ces lignes étaient maléfiques. Les figures d'animaux sont magnifiques. Je ne le nie pas. Pourtant je me suis aperçue que, pour l'ancien peuple nazcan, il y a deux mille ans, elles devaient également paraître terrifiantes. Araignées géantes, baleines monstrueuses. Même le singe est grotesque, avec ses bras grêles. Il n'a que quatre doigts à une main. À votre avis, pourquoi les auteurs de ces dessins ont-ils omis un doigt ?

— Ils ne savaient peut-être pas compter, suggéra Richard.

— Non. Non. Ils savaient parfaitement compter. Voyez-vous… dans les sociétés primitives, la difformité est un mauvais présage, une chose qui fait peur. C'est peut-être l'explication. Il se peut que les animaux aient été dessinés pour faire peur.

Le professeur Chambers sortit un cigarillo et l'alluma. Sur le ciel noir, la fumée brilla, argentée.

— La plupart des observateurs pensent que les lignes de Nazca ont un rapport avec les étoiles, poursuivit-elle. J'ai étudié l'astronomie à l'université, il y a longtemps. Et, dès le début, j'ai pensé que les lignes de Nazca n'étaient qu'une gigantesque carte du ciel.

» Voici comment cela fonctionnerait. Une ligne désignerait une étoile à un certain moment de l'année. Pour être plus claire : en vous plaçant sur la ligne et en regardant vers son extrémité, si vous voyez une étoile se lever à l'horizon devant vous, vous savez que c'est le cinq avril et qu'il est temps de commencer à semer le grain, par exemple. Facile ! Par la suite, j'ai poussé mes réflexions plus loin. Que se passerait-il si, à un temps donné, pas plus de quelques minutes en mille ans peut-être, toutes les lignes pointaient toutes les étoiles visibles au même instant exactement ? Ce serait… Elle se tut puis demanda : Je t'ennuie, Matthew ?

Matt scrutait le ciel nocturne. Il avait suivi le début de l'exposé du professeur Chambers, puis quelque chose l'en avait distrait. Mais quoi ? Le désert était silencieux. Avait-il rêvé ? Non. Le son revenait. Une sorte de battement doux, comme un drapeau agité par le vent. Il attendit, l'oreille aux aguets. En vain. Le bruit s'était estompé.

— Tu m'écoutes ? insista le professeur Chambers.

— Heu… oui, bien sûr, assura Matt en se tournant vers elle.

— Tant mieux. Parce que c'est là que les choses se compliquent. Comme je le disais, j'étais curieuse de savoir si les étoiles pouvaient s'aligner sur les lignes de Nazca. Mais comment ? Imaginez que vous vous allongiez sur le sol du désert pour photographier le ciel nocturne. Vous obtiendriez une grande feuille de papier avec une foule de points minuscules. Ensuite, vous pourriez prendre un avion et photographier les lignes de Nazca pour obtenir une seconde image. Ce que je recherchais, c'était un instant où les étoiles de la première image correspondraient exactement aux lignes de la seconde.

— Comme ces jeux où l'on relie des points entre eux par des traits, dit Richard. En version cosmique.

— Exactement. Bien entendu, cela ne pourrait pas se produire très souvent. Ou même pas du tout. Les étoiles semblent se mouvoir en permanence quand on les observe de la Terre. La raison en est que la Terre tourne sur son axe. Si bien que les étoiles ont l'air de n'être jamais au même endroit.

» D'autant que la Terre ne se contente pas de pivoter sur elle-même. Elle tourne en orbite autour du Soleil. Et, en effectuant cette orbite, elle tremble. Les astronautes appellent ce phénomène la précession. Conclusion : la Terre se trouve exactement à la même position une fois tous les vingt-six mille ans seulement.

» Donc, pour revenir à mon sujet, la question que je me posais et que j'ai traitée dans mes livres était de savoir si les lignes de Nazca constituaient une sorte d'avertissement terrible. Supposons que les Nazcans, en traçant les lignes, ont enregistré le moment, en vingt-six mille ans, où elles seraient dans l'axe des étoiles et annonceraient la fin du monde. Cela expliquerait pourquoi les figures sont effrayantes. Et pourquoi elles ont été dessinées.

— Et, selon votre théorie, les lignes seront dans l'axe des étoiles dans deux nuits ? demanda Richard.

— Je n'ai jamais pu vérifier mon hypothèse car je n'ai jamais disposé d'une plate-forme d'observation. N'oubliez pas que ce désert couvre cinq cents kilomètres carrés ! Il aurait fallu que je sache à quel endroit me placer pour voir les étoiles dans leur bonne position.

— Et, maintenant, vous le savez.

— Oui…

Soudain, Pedro se leva d'un bond.

— Pedro ? tressaillit le professeur Chambers. *Quién es él ?*

Matt se leva à son tour et dit :

— J'ai déjà entendu ce bruit tout à l'heure.

Le réchaud brûlait toujours. Le mince filet de gaz jetait une lueur bleutée sur le sol. La nuit avait fraîchi et une brise légère s'était levée. Matt leva les yeux sur les millions d'étoiles scintillantes. Un bref instant, il crut voir deux minuscules lumière vertes. Il secoua la tête. Les étoiles vertes n'existent pas.

— Vous rêvez, tous les deux. Il n'y a rien.

Pedro et Matt se rassirent avec réticence.

— La plate-forme marque le lieu exact où il faut se placer pour observer l'alignement des étoiles, poursuivit le professeur Chambers. C'est ce que dit le poème. *Devant le site de Qolca, une grande lumière apparaîtra…*

— La lumière qui sera la fin de toute lumière, termina Matt.

Le professeur Chambers hocha la tête d'un air grave.

— Nous y sommes. C'est le lieu. Et nous connaissons le moment. Inti Raymi. Dans deux jours.

— Alors la porte s'ouvrira.

— Sauf que nous ne savons pas où est la porte, remarqua Richard. Il n'y a aucun cercle de pierres dans le désert.

— Pourquoi un cercle de pierres ?

Soudain, Atoc poussa un cri et tendit le bras. Elles étaient là. Deux lumières vertes, brûlant dans le ciel, très haut, qui commençaient à descendre. Matt scruta l'obscurité. Derrière les lumières, se profilait une masse imposante. Et des ailes.

Un cri strident et affreux retentit. Matt plongea à plat ventre au moment où un oiseau énorme fondait sur lui, ses serres cherchant son visage. Une douleur cuisante lui traversa l'épaule et il sentit le tissu de sa chemise se déchirer. Puis l'oiseau disparut et le silence retomba, à l'exception du battement d'ailes dans la nuit.

Matt roula sur lui-même et se releva, étourdi.

— *Quién era él ?* demanda Pedro.

— C'était un condor, répondit le professeur Chambers. Pourtant c'est impossible. Il n'y a pas de condors dans cette région du Pérou.

À nouveau, Matt songea à la prophétie de l'*amauta*. « *Des oiseaux volent où ils ne devraient pas voler.* » Des condors. Dans le désert de Nazca. La nuit.

— Il revient ! hurla Richard.

Un second cri strident et un battement d'ailes éclatèrent dans le silence. Tous se jetèrent à terre pour éviter l'attaque de l'oiseau monstrueux. Des yeux verts étincelants. Noir et blanc, le cou cerclé d'un collier de plumes, un corps immense sur lequel son plumage pendait comme un manteau en haillons. Le bec recourbé à la manière d'une dague. Les serres en avant, leurs pointes acérées comme des couteaux. L'espace d'un instant, il resta en suspens au-dessus d'eux et ils sentirent l'air battre contre leurs visages. Une odeur de viande pourrie planait. Le condor reprit son envol et disparut dans l'obscurité.

Richard s'empara du réchaud comme d'une arme, mais la petite flamme semblait bien dérisoire.

— Courez à la Jeep ! cria-t-il. Vite…

— Attention ! avertit Matt.

Un autre oiseau plongeait. Richard se laissa tomber

sur un genou et l'animal manqua sa tête de quelques centimètres. Ses ailes immenses claquèrent. Lui aussi empestait la charogne.

— À la Jeep ! hurla de nouveau Richard.

Un troisième condor fondit sur eux. Puis un quatrième et un cinquième. Soudain, le ciel entier s'emplit de créatures criardes et sauvages. Atoc hurla. L'un des condors venait de se poser sur son épaule et, sous le regard horrifié de Matt, se mit à lui attaquer le cou, déchiquetant la chair à coups de bec. Malgré ses efforts, Atoc ne parvenait pas à s'en débarrasser. Le sang ruisselait sur son cou. Matt s'élança. Il avait saisi une pelle et, de toutes ses forces, abattit la partie métallique sur l'oiseau, à quelques centimètres de la tête d'Atoc. Le condor s'écrasa à terre, le cou brisé. Mais il refusait de mourir. Il tournait sur-lui même en battant inutilement des ailes, le bec poisseux de sang.

— Matteo !

C'était la voix de Pedro. Un oiseau s'était juché sur son dos, utilisant ses serres comme des grappins de fer. Son bec s'enfonçait dans ses cheveux épais et lui piquetait sans relâche le crâne. On aurait dit que le garçon et l'oiseau ne faisaient qu'un. Pedro gesticulait, deux ailes gigantesques déployées dans son dos.

Richard le sauva. D'une main, il arracha l'oiseau des épaules de Pedro, de l'autre, il enfonça le réchaud allumé dans ses plumes. L'oiseau s'embrasa instantanément, telle une torche, et poussa d'horribles cris avant de s'effondrer à terre. Ses pattes remuèrent faiblement quelques instants encore, puis il ne bougea plus.

Le réchaud s'était éteint.

— Pedro ? Ça va ? demanda Richard.

Pedro palpa l'arrière de sa nuque puis retira sa main. Elle était collante de sang.

— Retournons vite à la Jeep…

Le professeur Chambers y était déjà. Indemne. Elle sortit fébrilement les clés de sa poche et sauta derrière le volant. Au moment où elle tendait la main pour fermer sa portière, un nouveau condor surgit, visant son bras. Elle lui claqua la portière sur la tête, tourna la clé et mit le moteur en marche.

Richard, Pedro et Matt, chacun armé d'une pelle, s'élancèrent en direction de la Jeep en agitant les pelles au-dessus d'eux. Matt soutenait Atoc qui titubait, étourdi, une main pressée sur son épaule blessée. Le sang coulait entre ses doigts. Le moteur rugit. La Jeep fonça vers eux et freina brutalement. Matt aida Atoc à monter à l'avant. Il vit Richard faire des moulinets avec sa pelle et entendit un bruit mat. Un cadavre d'oiseau tomba lourdement sur le sol.

Ils réussirent à se glisser à l'arrière de la Jeep.

— C'est incroyable ! répétait le professeur Chambers.

— Sortez-nous de là ! cria Richard. On discutera plus tard.

Joanna Chambers écrasa la pédale d'accélérateur et

les roues de la Jeep patinèrent. Pendant un instant atroce, Matt crut qu'ils allaient rester immobilisés. Enfin les pneus trouvèrent une prise et la voiture bondit en avant.

Mais ils n'en avaient pas encore terminé.

Tandis que Matt se laissait aller avec soulagement contre le dossier, quelque chose martela le toit souple de la Jeep. Un instant après, il y eut un bruit de déchirure et la tête d'un condor surgit dans l'habitacle. En même temps, deux autres oiseaux se jetèrent contre les flancs de la Jeep et s'agrippèrent à la capote avec leurs serres pour percer la toile à coups de bec. La Jeep se mit à zigzaguer. Matt et Pedro étaient projetés de droite à gauche. Matt crut que le professeur Chambers avait perdu le contrôle. En fait, elle tournait frénétiquement le volant pour obliger les oiseaux à lâcher prise.

Richard lança son poing vers le haut et heurta le poitrail d'un des condors, qui disparut, avalé par la nuit. Une douleur vive arracha un cri à Matt. Un autre condor avait réussi à allonger le cou à l'intérieur de la Jeep et lui donnait des coups de bec sur la joue. Deux centimètres plus haut et il lui crevait l'œil.

— Attention ! Ils entrent ! hurla-t-il.

— Vous ne pouvez pas rouler plus vite ? s'emporta Richard.

— Pas sur cette surface ! répondit le professeur Chambers. Je vais aussi vite que je peux !

— On n'y arrivera pas !

Richard regarda la capote déchirée à plusieurs endroits. Les condors s'y agrippaient toujours. On les apercevait à travers les trous. L'un des oiseaux poussa un cri à glacer le sang et se jeta par une ouverture à l'intérieur de la Jeep. Boule puante de plumes, d'os et de serres. Il se rua sur Matt.

C'est alors que retentit une explosion assourdissante. Sur la banquette arrière, Atoc pressait toujours son épaule blessée d'une main mais, de l'autre, il tenait un revolver. Arme dont il n'avait révélé l'existence à personne. À présent qu'il était presque trop tard, il s'en servait pour tirer à bout portant sur l'oiseau. Le bec du condor s'ouvrit, démesurément. L'éclat de ses yeux s'éteignit. Et il disparut de leur vue. Atoc vida son chargeur à travers la toile et les autres condors s'évanouirent dans la nuit.

Enfin ils atteignirent la route et la Jeep prit aussitôt de la vitesse. Matt regarda en arrière. Quelques condors tournoyaient encore dans le ciel, au loin.

— Je… suis désolé, dit Atoc. J'avais laissé le revolver dans la Jeep.

— Comment tu te sens ? demanda Richard.

— La blessure n'est pas trop grave.

— J'ai une trousse de secours à la maison, intervint le professeur Chambers.

La Jeep fonçait sur l'autoroute panaméricaine, laissant dans son sillage un nuage de poussière. Les derniers condors la regardèrent disparaître, avant de retourner dans les ténèbres d'où ils étaient venus.

# 18

# L'étoile maléfique

— Je me suis trompée, déclara le professeur Chambers. Je ne comprends pas. J'ai vérifié et revérifié.

— Que voulez-vous dire ? demanda Richard.

— Les étoiles ! J'étais certaine d'avoir raison. Mais je les ai bien étudiées et ça ne colle pas.

Il était onze heures, le lendemain matin. Matt, Pedro et Richard avait pris un petit déjeuner tardif que Joanna Chambers leur avait servi dans le jardin. Ils se sentaient un peu coupables, sachant qu'elle avait travaillé toute la nuit. Pourtant elle ne semblait pas du tout fatiguée. Atoc se reposait dans sa chambre. Un médecin avait recousu sa blessure, lui avait administré de la pénicilline, et fait une injection contre le tétanos. Il souffrait encore mais se rétablirait vite.

Pedro avait eu plus de chance. Le crâne étant la partie la plus dure du corps humain, il avait bien résisté aux attaques du condor. Bien sûr, il lui manquait un peu de peau et de cheveux par endroits, et lui aussi avait eu droit à une injection antitétanique, mais en dehors de cela il allait bien.

Matt avait pu parler avec lui pendant leur sommeil.

— D'où venaient les condors ? demanda Pedro.

— De chez les Anciens. Ce sont sûrement des gardiens. Ils protègent le site de Qolca. Dès que nous sommes arrivés là-bas, j'ai senti quelque chose de… malsain.

— Il faisait froid.

— Oui. Quand un événement grave va se produire, j'ai toujours froid.

— Moi aussi.

Le continent approchait. Bientôt, ils pourraient débarquer.

— Le vieil homme de Vilcabamba. L'*amauta*… Il a dit que l'un de nous tomberait, murmura Pedro. Et mourrait.

— Mourrait *peut-être*, rectifia Matt.

— Lequel de nous deux ?

— Je ne sais pas.

— Il a dit aussi que celui qui tomberait serait seul. Mais ça n'arrivera pas. Je ne te quitterai pas d'une semelle.

— J'aimerais que ce soit aussi facile, soupira Matt. J'ai l'impression que tout est déjà décidé.

— Non, Matteo. Personne ne prend de décision à ma place. Toi et moi… nous sommes responsables.

Le professeur Chambers ramena Matt à la réalité en étalant une liasse de feuilles d'imprimante sur la table. Dans ce superbe jardin, par cette chaude matinée d'été bercée par le chant des oiseaux et le ronronnement de la tondeuse à gazon du jardinier, il était très étrange de parler de la fin du monde.

— J'ai basé mes calculs sur la position de la plateforme et celle des étoiles dans quarante-huit heures, le jour de Inti Raymi, poursuivit le professeur Chambers. Vous vous souvenez de ce que je vous ai expliqué ? De ma théorie ?

— L'alignement des étoiles, répondit Richard.

— J'ai dit que cela arrivait une fois tous les vingt-six mille ans et que, chose extraordinaire, cela se produira très bientôt… demain soir. C'est incroyable. C'est ce que je prévois depuis trente ans. Mais une étoile manque. J'ai refait mes calculs plus de dix fois. Il n'y a pas d'erreur. Une étoile manquera au rendez-vous.

— Laquelle ? demanda Matt.

— Cygnus. En fait, c'est une constellation composée de sept étoiles. On la connaît aussi sous le nom de Croix du Nord. Elle est soixante-dix mille fois plus brillante que le Soleil, et tellement lointaine que, lorsque vous la voyez, c'est sous l'aspect qu'elle avait à l'époque du Christ. De la plate-forme de Qolca, il faudrait la chercher entre les deux chaînes de montagnes. Toutes les autres étoiles seront en position, mais Cygnus restera invisible. À trente degrés de sa trajectoire, cachée derrière la Lune.

— Alors... c'est fini ! s'exclama Richard. Salamanda a volé le journal du moine et tenté d'éliminer Matt pour rien ! Malgré toute sa fortune et sa puissance, il ne peut rien faire. Il n'a pas le pouvoir de déplacer une étoile.

— Trop d'étoiles brilleront, murmura Matt.

— Comment ?

— C'est la prophétie du vieil *amauta*. Les oiseaux voleront là où ils ne devraient pas voler. La nuit, trop d'étoiles brilleront dans les cieux. Ce sont les signes qui annoncent l'ouverture de la porte.

— En ce qui concerne la première partie, il ne s'est pas trompé, remarqua Richard.

— Mais pourquoi *trop* d'étoiles ? s'étonna le professeur Chambers. Il aurait dû dire qu'il en manquait une !

Tout le monde se tut. Le jardinier, un homme jovial coiffé d'un chapeau de paille, avait fini de tondre la pelouse et entrepris de tailler un massif. On entendait le cliquetis de son sécateur.

— Le moine Joseph de Cordoba a prédit que la seconde porte s'ouvrirait le jour d'Inti Raymi, résuma Richard, tandis que Joanna Chambers se penchait à l'oreille de Pedro pour lui traduire ses paroles. Il était peut-être ici avec les conquistadors. Il a découvert le secret des lignes et ça l'a rendu fou. Salamanda a volé le journal du moine pour apprendre ce secret. Et il n'a pas abandonné ! Il a pourchassé Matt à travers le Pérou parce qu'il avait peur de lui. Salamanda doit donc savoir une chose que nous ignorons.

— *Qué tipo de pájaro en su sueño ?*

— Pedro te demande, Matt, quel est oiseau que tu vois dans ton rêve, traduisit le professeur Chambers.

Même sans Atoc, Pedro parvenait de mieux en mieux à suivre les conversations.

— À quoi fait-il allusion ? voulut savoir le professeur Chambers.

— J'allais vous en parler, dit Matt. Je ne l'ai pas fait jusqu'ici car je n'étais pas certain que c'était important pour vos recherches. Pedro a raison. J'ai fait des cauchemars avec un cygne.

— Seigneur ! s'écria Joanna Chambers, en fermant les yeux un instant. Je suis une idiote. Cygnus, c'est le mot latin pour...

— Cygne, termina Richard à sa place.

Le professeur leva la main pour imposer le silence. Matt devinait la progression de ses pensées. Jamais son regard bleu n'avait été aussi pétillant. Enfin, elle se redressa et déclara :

— Écoutez-moi. Je pensais que les lignes étaient un avertissement, mais je n'avais qu'à moitié raison. Imaginons qu'elles soient davantage que cela. Toi, Matt, tu viens au Pérou à la recherche d'une porte.

Nous ignorons encore où elle se trouve. Mais elle est close et quelque chose doit la maintenir fermée.

— Vous voulez dire... une sorte de serrure ?

— Exactement. Dans ce cas, pourquoi ne serait-ce pas une serrure à combinaison ?

— Je ne comprends pas.

— C'est simple. Considérez les lignes de Nazca comme une fantastique serrure commandée par une minuterie. Elles restent là, immobiles, gardant la porte close. C'est leur raison d'être. C'est pour cela qu'elles ont été réalisées. Et c'est seulement lorsque les étoiles composent le dessin approprié que la porte s'ouvre et libère les Anciens. Voilà le mécanisme.

— Pourtant, le but de cette porte est justement de ne *jamais* s'ouvrir, objecta Richard.

— En effet, acquiesça le professeur Chambers. C'est la raison pour laquelle les gardiens ont fait en sorte que les étoiles ne s'alignent jamais. Mais, le soir d'Inti Raymi, presque toutes les conditions sont réunies. Sauf une. Il manque une étoile. Une seule...

— Et Salamanda va la remplacer ! coupa Matt. Quand on était à l'hacienda, il a dit quelque chose au sujet d'un cygne d'argent. Il y avait aussi une histoire de coordonnées. Il devait placer le cygne dans la bonne position.

Il se tut. Soudain, la réponse devenait évidente.

— Un satellite, ajouta Matt.

— Tout juste, acquiesça le professeur Chambers. Salamanda a lancé un nouveau satellite il y a une semaine. On en a parlé dans la presse. Tout le monde est au courant. Et il compte le positionner à la place que devrait occuper Cygnus. Une étoile artificielle au lieu d'une vraie. Le satellite complètera le dessin. La serrure à minuterie sera activée et...

— La porte s'ouvrira, conclut Matt.

— On peut l'arrêter ! s'écria Richard.

— Je ne vois pas comment, dit le professeur Chambers. Le satellite est déjà dans l'espace. Salamanda le contrôle par radio. Si on connaissait la fréquence, on pourrait peut-être brouiller le signal. Mais, pour ça, il faudrait avoir le matériel adéquat et je ne saurais même pas par où commencer. De toute façon, l'émetteur doit se trouver dans les locaux de la Salamanda New International, la SNI, à Paracas. Jamais on ne pourra y pénétrer.

— Où se trouve Paracas ? demanda Matt.

— Pas très loin d'ici. C'est l'endroit idéal pour Salamanda. Sur la côte, à environ cinq cents kilomètres au nord. Pas très loin des lignes de Nazca.

— On peut y aller ?

— Oui, on peut s'y rendre en voiture. Mais je suis passée devant deux ou trois fois et, tu peux me croire, Matt, il faudrait une petite armée pour y entrer.

Le centre de recherche et de télécommunications de Salamanda, à Paracas, était situé à deux ou trois kilomètres de la côte pacifique. Un complexe d'aspect futuriste en plein désert. Deux clôtures le ceinturaient. La première, d'une dizaine de mètres de haut, était surmontée de barbelés. La seconde s'ornait de pancartes jaunes avertissant les intrus potentiels en trois langues qu'elle était électrifiée. L'espace de sécurité entre les deux était surveillé nuit et jour par des gardes patrouillant avec des chiens. Deux miradors dominaient le désert. L'unique accès était la grille coulissante électronique par où passaient les véhicules. Mais il y avait un poste de contrôle, et une barrière qui ne se levait qu'une fois l'identité du conducteur vérifiée.

Le site lui-même se composait d'un groupe de bâtiments bas et laids en brique rouge, recouverts de panneaux en verre réfléchissant. Les chercheurs et le personnel pouvaient voir à l'extérieur sans être vus. Un pylône supportait des antennes paraboliques orientées vers le ciel. Le bâtiment le plus proche était aussi le plus moderne, surmonté d'un dôme de verre, mais sans aucune fenêtre. Sans doute le centre de contrôle.

Trois rangées de maisons identiques, avec des murs de chaux, étaient construites près de la clôture d'enceinte. Elles avaient un aspect plus primitif et Matt supposa qu'elles abritaient le personnel. Elles étaient disposées autour d'un espace cimenté et nu, qui devait servir à la fois de réfectoire en plein air et de terrain de football. Il y avait même un poste de télévision perché sur un support métallique, devant des bancs en bois. Le soir, les employés regardaient probablement la télévision dehors.

Des centaines de personnes devaient travailler au centre de recherche. Matt en aperçut quelques-unes, habillées d'une combinaison grise avec le logo SNI imprimé en rouge sur les manches, certaines en blouse blanche, sans doute des scientifiques et des ingénieurs, d'autres en costume. Salamanda possédait un parc de véhicules électriques, plus petits que des voitures de golf, chargés de transporter le personnel d'un bâtiment à l'autre. Il y avait également une aire de lancement, sur laquelle stationnait un petit hélicoptère noir. Des gardes armés, en tenue militaire, patrouillaient à pied sur l'ensemble du site, et des caméras de surveillance, montées dans les angles, balayaient le périmètre en permanence.

Allongés sur une dune de sable à quelque distance, Matt, Pedro, Richard et Atoc observaient le complexe avec les jumelles que le professeur Chambers leur avait données. Atoc, le cou et l'épaule bandés, se déplaçait lentement, mais il avait insisté pour les accompagner.

— Qu'en pensez-vous ? demanda Richard à ses compagnons.

— Le professeur Chambers a raison, répondit Matt. Il faudrait une petite armée pour y entrer.

— Oui, acquiesça Atoc. Et nous en avons une.

Ils arrivèrent avec le Soleil couchant. Il leur avait fallu vingt-quatre heures pour traverser le Pérou, en voiture ou en train, mais ils avaient répondu à l'appel de Matt et ils étaient là, rassemblés sur la plage de Paracas.

L'armée inca se composait d'une cinquantaine de combattants, vêtus de jeans et de chemises noirs, prêts pour l'attaque prévue pour le soir même. Mais si leurs tenues étaient modernes, leur armement ne l'était pas. Ils avaient apporté avec eux les armes et l'armure utilisées par leurs ancêtres. Malgré leur aspect meurtrier, Matt ne pouvait s'empêcher de trouver le mélange bizarre.

Certains Incas portaient des vestes en coton matelassé. D'autres, des casques sculptés dans un bois noir comme le charbon et dur comme le fer. D'autres encore portaient des boucliers en bois couverts de peau de daim. Beaucoup avaient un gourdin, terminé par une étrange tête en pierre, en forme d'étoile. C'était la *macana*, l'arme préférée des anciens Incas. Un seul coup pouvait fendre un crâne ou briser un membre.

Mais il y en avait bien d'autres. Matt aperçut des lances, des frondes, des hallebardes – combinaison d'épée, de crochet et de hache au bout d'un long manche. Quelques Incas portaient des *bolas* : trois boules de cuivre liées ensemble par des cordons de cuir. Lancées habilement, elles s'entortillaient autour du cou de la victime pour l'étrangler, en même temps qu'elles l'assommaient.

Le professeur Chambers assista à leur arrivée dans un silence abasourdi. Si elle avait douté de la survivance des Incas, elle n'en doutait plus. Physiquement, les soldats se ressemblaient beaucoup. Ils avaient un type indien marqué. Et leurs armes les identifiaient. Joanna Chambers s'assit pesamment sur un rocher et commença à s'éventer. Un crabe détala devant elle. Elle le chassa du bout du pied.

Cinquante hommes. Alignés en silence. Derrière eux, les vagues argentées se brisaient sur le sable. Quelques pélicans les lorgnaient avec méfiance, posés sur une jetée délabrée. Un flamant rose, effrayé, s'enfuit à tire-d'aile. Il n'y avait personne d'autre en vue. Peut-être la nouvelle s'était-elle répandue. Peut-être les habitants de la région se tenaient-ils à distance prudente.

Atoc avait donné ses instructions aux combattants en quechua. Il se tourna vers Matt et annonça :

— Nous sommes prêts, Matteo. Tu restes ici avec Pedro, le professeur et ton ami. Une fois la mission accomplie, nous reviendrons ici.

— Non, Atoc, répondit Matt.

Il avait parlé d'instinct, sans trop savoir pourquoi. Quelques semaines auparavant, en Angleterre, il ne voulait pas venir au Pérou.

Depuis, tout avait changé. Chaque fibre de son

corps lui disait qu'il ne pouvait pas laisser les Incas mener seuls son combat.

— Je viens avec vous. J'ai commencé et je veux aller jusqu'au bout.

— *Yo también*, dit Pedro.

Atoc hésita un instant. Puis, dans le regard de Matt, il décela une lueur nouvelle et, lentement, il hocha la tête.

— Nous t'obéirons, Matteo. Huascar a dit vrai. Tu as été envoyé pour nous mener…

— Dans ce cas, je viens aussi, intervint Richard.

— Tu n'es pas obligé, Richard, dit Matt. Reste avec le professeur.

— Tu ne te débarrasseras pas de moi aussi facilement, soupira Richard. Je te l'ai déjà dit, à York. Mon rôle est de veiller sur toi et c'est ce que je vais faire. Pour le meilleur et pour le pire.

— Alors, allons-y.

Matt leva une main. Dès cet instant, il devint le chef d'une armée qui s'était rassemblée pour lui obéir et le suivre.

Ils se mirent en marche comme un seul homme.

La nuit d'Inti Raymi était arrivée.

Le centre de recherche de Salamanda était devant eux.

# 19

# Centre de contrôle

La nuit était déjà tombée lorsque les Incas prirent position devant le centre de recherche. Matt avait encore du mal à y croire. Mille ans plus tôt, l'armée inca avait investi l'Amérique du Sud : rapide, impitoyable, invincible. À présent, ses descendants étaient de nouveau en guerre, mais à l'appel de Matt et de Pedro cette fois. Pedro se trouvait dans leurs rangs avec Atoc. Il ne paraissait pas effrayé. À le regarder, on aurait même pu croire qu'il les commandait. Matt ne reconnaissait plus en lui le mendiant des rues de Lima. À chaque minute qui passait, Pedro ressemblait de plus en plus au personnage gravé sur le disque d'or : Manco Capac, le premier seigneur des Incas.

Les barbelés surmontant la clôture extérieure se

dressaient au-dessus d'eux. Atoc fit un signal, paume tournée vers le sol, et tous mirent un genou à terre. Il était dix heures du soir mais le complexe était encore animé. Des lumières brillaient dans de nombreux bâtiments et des véhicules électriques circulaient de l'un à l'autre, avec leur bourdonnement de gros moustiques.

Atoc désigna le mât d'antennes et dit quelques mots en quechua. Matt comprit. Le pylône était la première cible. Une fois l'émetteur hors d'état, Salamanda ne pourrait plus diriger le satellite, son cygne d'argent. Matt leva la tête. Déjà les étoiles apparaissaient dans le ciel. Elles scintillaient au-dessus des montagnes, s'ajustaient dans les positions imposées vingt-six mille ans plus tôt. Mais l'une d'elles était factice : une tonne d'aluminium et d'acier qui se faufilait pour parachever une combinaison mortelle. Laquelle était-ce ? Matt crut discerner une pointe d'épingle plus lumineuse que les autres et qui se déplaçait plus vite, mais il n'en était pas sûr. Tout ce qu'il savait c'était que le cygne rôdait là-haut comme il avait rôdé dans ses cauchemars et que, si on ne l'arrêtait pas, il se mettrait en place.

Deux des Incas avancèrent furtivement jusqu'à la clôture, chacun muni d'une lance en bois de trois mètres de long, dont la pointe avait été durcie au feu. Ils attendirent sans bouger. Atoc jeta un dernier regard circulaire, puis leur fit un signe de la tête. Les deux Incas prirent leur élan et jetèrent leurs lances vers le ciel avec une force et une précision stupéfiantes.

Les lances s'élevèrent dans la nuit au-dessus du centre de recherche. Il y eut deux bruits mats et, dans les miradors, deux sentinelles s'affaissèrent. L'une disparut de leur vue. L'autre bascula en avant sur la rambarde et resta immobile, la tête et les bras pendants, le corps transpercé.

L'assaut avait commencé. Cependant il leur restait à pénétrer à l'intérieur du centre, ce qui impliquait de franchir le portail électronique. Atoc fit un deuxième signal, et un camion bas, sa benne recouverte d'une bâche, roula jusqu'à la barrière de sécurité. Le chauffeur se pencha à la vitre et klaxonna, avec l'air renfrogné et énervé de l'homme pressé de rentrer chez lui. Trois gardes, tous armés, sortirent à sa rencontre. Méfiants. Ils avaient probablement l'ordre de ne laisser entrer personne. Pas ce soir. Le centre entier devait être en état d'alerte.

— *Quiénes son Usted ? Qué desea Usted ?*

Les voix étaient faibles, distantes. Le chauffeur marmonna quelque chose, si bas que le premier garde dut se pencher dans la cabine du camion pour l'entendre. Grosse erreur. Un bras gicla et lui enserra le cou. En même temps, la bâche arrière fut repoussée et deux silhouettes bondirent, chacune armée d'un gourdin à tête en forme d'étoile. Une seconde plus tard, les trois gardes étaient inconscients ou morts. Le chauffeur leva une main à l'attention d'Atoc.

— C'est parti, murmura Richard.

Matt hocha la tête. L'emploi de ces armes sans âge

pour attaquer un centre de recherche du XXIe siècle paraissait farfelu. Pourtant, jusqu'à présent, elles s'étaient révélées terriblement efficaces.

Tout le rang des combattants se dressa pour se mettre en marche. Pendant ce temps, l'avant-garde se faufilait dans le poste de contrôle de l'entrée pour lever la barrière et ouvrir la grille électronique. Matt avait la bouche sèche. Tout semblait trop facile. Pourquoi personne ne montait la garde dans l'enceinte ? Puis il se rappela que les sentinelles des miradors avait déjà été réduites au silence. De plus, tous vêtus de noir, les Incas se fondaient dans la grisaille du désert. Silencieux et invisibles.

Pedro fut le premier à entrer. Suivi d'Atoc et des autres. Ils se déployèrent, cherchant un abri près des murs les plus proches. Pendant un instant, il n'y eut personne en vue. Seules les lumières aux fenêtres et un lointain ronflement de machinerie avertissaient qu'ils n'étaient pas seuls. Matt et Richard furent parmi les derniers à entrer. Ce qui leur permit d'avoir une vison précise de ce qui se passa ensuite.

Un groupe de quatre Incas courut vers le pylône de télécommunications et commença à l'escalader, couvert par le reste de la troupe. Personne n'avait encore détecté leur présence. Pourtant, à la dernière seconde, ce fut un mort qui les dénonça : le garde du mirador affalé sur la rambarde. Son corps bascula soudain dans le vide et heurta un toit de tôle ondulée dans un fracas assourdissant. Tout le monde se figea.

Tout le monde retint sa respiration. Était-il possible qu'un tel vacarme passât inaperçu ?

Une sirène d'alarme fit voler le silence en éclats. En même temps, des projecteurs s'allumèrent et ce qui, quelques instants plus tôt, n'était qu'un rassemblement d'ombres et de silhouettes indistinctes se trouva subitement illuminé. Les Incas apparurent comme en plein jour. Matt et Richard, accroupis sur un terrain plat et découvert, étaient les moins bien placés. Des portes s'ouvrirent bruyamment. Des gardes surgirent. Une mitraillette commença à tirer. Des éclats de brique giclèrent des murs. Un groupe d'Incas fut fauché par une pluie de balles. Richard empoigna Matt et le tira derrière une pile de bidons d'essence. Une petite voix lui soufflait qu'il était stupide de se cacher derrière des réservoirs d'essence pendant une fusillade. Une autre petite voix lui soufflait que les hommes de Salamanda ne seraient pas assez fous pour tirer dans cette direction.

Les Incas se dispersèrent pour s'abriter. D'autres coups de feu éclatèrent. Des gardes étaient perchés sur les toits. La porte de la plus grande des bâtisses s'ouvrit et un homme apparut, un pistolet à la main. Apparemment indifférent au chaos qui régnait, il visa avec soin et tira. L'un des grimpeurs qui avait escaladé la moitié du pylône poussa un cri et tomba. Matt sentit son sang se glacer. Il connaissait le tireur. C'était Rodriguez, le capitaine de police de Lima. Rodriguez se mit à couvert dans l'embrasure de la porte tout en beuglant un ordre derrière lui. Que faisait le chef de la police ici ? Matt savait qu'il travaillait pour Salamanda, mais, cette fois, il semblait avoir totalement abandonné ses fonctions officielles pour prendre en charge la sécurité du centre de recherche.

Quelque chose étincela dans la lumière crue. Une lance fila devant Rodriguez et se ficha dans le panneau de la porte. Le policier éclata d'un grand rire et tira un deuxième coup de feu. Matt vit ensuite quelque chose tourbillonner dans le vide : trois boules de cuivre reliées par des cordons de cuir, qui s'évanouirent dans l'obscurité. Un instant après, un garde dégringola du toit, à demi étranglé, les cordons serrés autour de sa gorge. Il s'écrasa à terre, aux pieds du chef de la police.

D'autres mitraillettes crépitèrent. Il semblait y avoir des gardes partout. Ils se déversaient par les portes des divers bâtiments et prenaient position. L'angoisse s'empara de Matt. Les Incas étaient surpassés en nombre. Et où était Pedro ? Matt commençait à regretter cette attaque insensée. Il ne pouvait pas aider les Incas. Il était impuissant. À moins que… Richard et lui se trouvaient devant une petite bâtisse en brique, signalée par une pancarte ornée d'une tête de mort et d'un mot qu'il avait remarqué à l'aéroport de Lima : *Peligro*. Danger. À l'intérieur, ronronnait une machinerie.

— Richard ! appela Matt.

Richard comprit aussitôt. Il leva un pied et le lança de toutes ses forces pour enfoncer la porte. Matt se précipita. Le local était rempli de compteurs électriques et de boîtes de fusibles à usage industriel, avec des manettes calées sur la position « marche ». Matt et Richard entreprirent de les mettre toutes en position « arrêt ». Ils espéraient, en coupant l'alimentation électrique, interrompre les signaux envoyés dans l'espace.

Il se produisit un bourdonnement, suivi d'un grésillement. La sirène se tut et la nuit retomba sur le centre de recherche. Ils avaient réussi à déconnecter le système de sécurité, et cela donna aux Incas l'avantage dont ils avaient besoin. Habitués à vivre dans les montagnes, l'obscurité leur était familière et ils l'utilisèrent pour neutraliser un à un les hommes de Salamanda.

— Entrons dans le centre, dit Matt.

Sans attendre la réponse de Richard, il quitta le local du générateur, passa sous le pylône, puis pénétra dans le bâtiment situé de l'autre côté.

Il s'agissait de la salle de contrôle principale. Elle était située juste à côté du pylône et de ses diverses antennes paraboliques reliées par de gros câbles suspendus. Matt ignorait qui il allait trouver à l'intérieur. Il n'était pas armé et savait qu'il prenait un gros risque. Mais il ne supportait pas de regarder les Incas mener le combat à sa place, sans rien faire. Il se disait que, si Richard et lui parvenaient à découvrir la console de commande, ils arriveraient peut-être à détourner le satellite sur une autre orbite. Ou, pourquoi pas, surprendre Salamanda. Celui-ci ne s'était pas encore montré, mais il ne devait pas être loin. C'était la nuit de son triomphe. Il n'allait tout de même pas resté chez lui !

S'efforçant de faire le moins de bruit possible, Matt se faufila dans une vaste salle entièrement aveugle, coiffée du dôme de verre qu'ils avaient aperçu de l'extérieur. Au travers du dôme, on voyait se profiler le pylône et ses antennes.

Tous les murs de la salle étaient couverts d'écrans plasma, certains affichaient des chiffres, d'autres montraient ce qui était sans doute des prises de vue instantanées du ciel nocturne. De gros ordinateurs se trouvaient dessous, ainsi qu'une vingtaine de postes de travail alignés en arrondi autour de la salle. Au centre, une douzaine de tables et de sièges étaient disposés comme dans une salle de classe. Les tables étaient surchargées de diagrammes et de papiers divers, dont certains s'étaient éparpillés sur le sol. La plupart des techniciens avaient dû fuir au début de l'attaque. Les lieux étaient désertés. Un seul homme était resté. Assis à une table, il griffonnait fébrilement sur une pile de feuillets. Quand Matt approcha, l'homme se retourna.

Un bref instant, ni l'un ni l'autre ne dit mot.

Puis Fabian rompit le silence.

— Matthew ! s'exclama-t-il. M. Cole ! Que faites-vous ici ?

— C'est plutôt à nous de vous poser cette question, rétorqua Richard.

Mais la réponse était évidente. Le chauffeur, Alberto, avait été envoyé à l'aéroport pour les accueillir et les livrer à la police qui les attendait à l'hôtel Europa. Matt avait toujours pensé qu'Alberto travaillait pour Rodriguez. En réalité, il travaillait pour Fabian. D'ailleurs, Fabian l'avait admis à demi-mot quand Matt lui avait téléphoné de Cuzco. Et c'était ce coup de téléphone qui avait causé leur perte. Dès l'instant où il avait révélé à Fabian l'endroit où il se trouvait, l'information avait été transmise à Salamanda et à la police.

C'était Fabian le traître. Depuis le début.

Or Fabian donnait l'impression d'avoir rapetissé depuis leur dernière entrevue. Comme à son habitude, il était vêtu d'un costume de luxe, mais sans cravate cette fois. Ses vêtements flottaient sur lui et il n'était pas rasé. Il avait bu. Une bouteille d'alcool largement entamée était posée près de lui et il avait le regard un peu brouillé. Il clignait nerveusement des paupières, plus embarrassé que surpris ou effrayé.

— Vous…

Richard jura entre ses dents.

Fabian regarda autour de lui.

— Où sont les autres ? Il y avait plein de gens, ici, tout à l'heure.

— Depuis quand travaillez-vous pour Salamanda ? demanda Matt.

— Oh… il y a longtemps. Avant la Porte des Ténèbres. En fait, Salamanda est mon éditeur. Il a publié deux de mes livres. Un jour, il a demandé à me voir. Mes recherches le passionnaient. Surtout ceux sur l'histoire ancienne du pays et sur Nazca.

Nexus aussi s'intéressait à mes travaux. Ils m'ont proposé de les rejoindre. Mais j'avais déjà fait mon choix...

— Pourquoi ?

— Parce que je veux être du côté des gagnants. Le monde va changer. Tout va changer. Et la question est de savoir si l'on veut passer le reste de sa vie dans la misère et la souffrance, ou compter parmi les vainqueurs. C'est ainsi que Salamanda m'a présenté les choses. Il m'a persuadé que Nexus n'avait aucune chance. Depuis toujours il est prédit que les Anciens reviendront conquérir le monde. Alors à quoi bon lutter contre eux ?

— Vous avez remis le journal du moine à Salamanda.

— Je l'ai prévenu du rendez-vous dans l'église Sainte-Meredith. Et je lui ai dit où tu étais, Matt, lorsque tu m'as téléphoné de Cuzco. Désolé. Je ne voulais pas te mettre en danger. Mais il fallait que j'aille jusqu'au bout.

Fabian se leva, but une gorgée au goulot de sa bouteille, puis se dirigea vers un des écrans les plus larges. L'écran affichait des sortes de signaux radar : une centaine de points, noirs sur fond blanc, tous statiques. Mais, dans le coin supérieur gauche, un point solitaire se déplaçait lentement, à la vitesse d'un centimètre toutes les trois ou quatre minutes.

— Le voilà, dit Fabian. Cygnus. Le cygne. Il faut admirer le génie de Salamanda. C'est une grosse tête, cet homme, c'est le moins qu'on puisse dire ! (Il éclata d'un rire bref.) Salamanda utilise une étoile artificielle pour déverrouiller la porte.

En bas de l'écran, un chronocode indiquait 22 : 19 : 58. Les chiffres des secondes s'égrenaient rapidement.

— Cygnus sera en position dans moins de deux heures et vous ne pouvez strictement rien y faire, marmonna-t-il. Ensuite, tout sera terminé…

— On peut encore l'arrêter, dit Matt.

— Non. Vois-tu…

Mais avant qu'il puisse achever sa phrase, la porte s'ouvrit avec fracas et un homme entra en titubant. Rodriguez. Visiblement, le policier s'était trouvé au cœur des combats. Il avait le visage gris, encrassé de poussière et de sueur. Il tenait son arme dans une main. De l'autre, il se comprimait un bras. Du sang imbibait sa veste. Matt ne saurait jamais si le policier était entré dans la salle pour se cacher ou pour le chercher. Quoi qu'il en soit, ce dernier l'avait débusqué.

— Toi !

Rodriguez cracha ce mot avec un mélange de haine et d'amusement. Il se redressa et pointa son arme sur Matt.

Matt ne dit rien. L'apparition du capitaine Rodriguez avait changé la donne. Richard et lui étaient sans défense. Et ce n'était pas Fabian qui allait les aider. Que faire ? Une pensée lui traversa l'esprit. Forrest Hill. Cette brute de Gavin Taylor tenant un verre dans sa main. Matt avait utilisé son pouvoir. De façon accidentelle, bien sûr, mais l'expérience était gravée dans sa mémoire. Il avait fait exploser le verre et le lustre par la seule force de sa pensée.

Était-il capable de recommencer maintenant ?

— Tu m'as échappé à Lima, reprit Rodriguez. Et aussi à Cuzco. Mais il n'y aura pas de troisième fois. C'est ici que ça se termine.

— Ne touchez pas à Matt ! intervint Richard en avançant d'un pas.

Le canon se déplaça dans sa direction. Un pas de plus et Rodriguez l'abattrait sans hésiter avant de s'occuper de Matt.

— C'est vous le... journaliste ? Vous préférez mourir en premier ou en second ? Dites-le-moi, je peux arranger ça...

Matt tentait désespérément de se concentrer sur le pistolet de Rodriguez. Pourquoi n'y arrivait-il pas ? À quoi bon posséder des pouvoirs secrets s'il ne savait pas les utiliser ? Cela aurait dû être facile. Une simple décharge d'énergie et l'arme aurait valsé à travers la salle, en même temps que Rodriguez.

Rien à faire.

Le policier visait son cœur. Matt sentit presque l'index se replier lentement sur la détente.

Mais, soudain, Fabian s'interposa dans la ligne de tir.

— Inutile de le tuer, Rodriguez.

— Écartez-vous ! rugit le policier.

Fabian continua d'avancer. Et de parlementer :

— Non, Rodriguez. Ça ne sert à rien. Vous n'avez besoin de tuer personne. Nous avons gagné ! C'est ce que Salamanda a toujours dit. Dans une heure, les Anciens seront ici et le monde nous appartiendra. Je me moque de ce que vous pensez, Rodriguez. Je ne vais pas rester les bras croisés et vous regarder tuer un enfant.

— Poussez-vous !

— Non !

Fabian était arrivé devant lui. Un peu vacillant sur ses jambes, à cause de la boisson et de la fatigue. Il se tenait entre Matt et le policier, une main posée sur le bras de celui-ci.

— Salamanda m'a promis qu'on ne ferait aucun mal au garçon.

— Salamanda a menti !

Rodriguez éclata de rire et tira. Matt sursauta. Fabian fut projeté en arrière mais resta debout. Il baissa les yeux. Du sang giclait de sa poitrine. Sa chemise et son pantalon en étaient déjà tout imbibés. Il fit un pas en arrière puis s'effondra, subitement, comme si ses nerfs et ses muscles avaient brutalement cédé.

Le chef de la police pointa de nouveau son arme sur Matt.

C'est alors que, dehors, retentit une nouvelle déflagration, bien plus violente qu'un coup de feu. Matt leva les yeux vers le dôme.

Les Incas avaient fait exploser le pylône. Ils avaient

manifestement apporté d'autres armes que les *bolas*, lances et gourdins. L'un d'eux avait dû se munir de plastic. Matt vit tout très distinctement à travers la vitre du dôme. Il y eut un immense éclair et le pylône fut sectionné à mi-hauteur. Des flammes jaillirent. Puis le haut du mât se détacha et, emportant trois des antennes dans sa chute, bascula sur le côté et se renversa, sa pointe plongeant comme un javelot lancé du ciel. Richard et Matt se jetèrent à l'abri au moment où elle perforait le dôme. Rodriguez, lui, n'avait pas quitté Matt des yeux et il comprit une seconde trop tard ce qui se passait.

Une demi-tonne de poutrelles d'acier, de câbles et d'antennes paraboliques s'effondrèrent dans la salle de contrôle. Comme Rodriguez se trouvait juste à l'aplomb du dôme, il n'eut même pas le temps de crier quand la monstrueuse masse de métal et de verre s'écrasa sur lui. Le fracas fut assourdissant. Des éclats volèrent. Une odeur de brûlé se répandit.

Silence.

Matt essaya de se relever. Ses jambes ne répondaient pas. Un instant, il resta pétrifié d'horreur. Avait-il été écrasé ? Il cria :

— Richard !

— Par ici !

La voix de Richard lui parut lointaine.

Matt réussit enfin à se relever, les jambes en coton. Hormis quelques contusions superficielles, il était indemne. Richard se redressa lentement lui aussi. Ses cheveux et ses épaules étaient couverts d'éclats de verre, il avait une entaille au front, mais aucune blessure grave.

C'est à ce moment que Pedro arriva en courant. Sa fronde à la main et, sur le visage, une expression de férocité que Matt ne lui avait jamais vue. Atoc l'accompagnait, tenant une torche. Matt fut soulagé de les voir sains et saufs.

— C'est terminé, annonça Atoc. Les hommes de Salamanda sont en fuite. Le pylône détruit. Ils ne peuvent plus rien contrôler d'ici.

— Alors... on a réussi ? s'exclama Matt.

— Oui, on a gagné, répondit Atoc avec un sourire las.

— Vous faites erreur...

La voix venait de l'éboulis d'acier et de verre. Derrière le cadavre de Rodriguez, Matt aperçut Fabian, qui tentait péniblement de s'asseoir. Il était très faible. Sans doute avait-il perdu beaucoup de sang.

— J'ai essayé de te prévenir, Matt, dit Fabian, du ton qu'il aurait employé avec un jeune enfant.

Il parlait sans détours, sachant qu'il n'en avait plus pour longtemps.

— Depuis le début, vous faites erreur. Le cygne... (Il s'interrompit, cherchant sa respiration.) Le contrôle du lancement s'est effectué d'ici. Mais, une fois sur orbite, Salamanda a repris les commandes.

— Où est-il ? demanda Matt.

— À Qolca. Il a un poste de contrôle mobile. Regardez…

Par miracle, l'écran plasma montrant les étoiles n'avait pas été endommagé. Les points noirs étaient toujours là. Et le point solitaire continuait de se mouvoir. Il avait traversé presque la moitié de l'écran. Bientôt, il serait tout en bas. Le chronocode indiquait : 22 : 24 : 00. Quatre-vingt-dix minutes encore avant minuit.

— Désolé, dit Fabian. Je vous avais prévenus. Vous ne pouviez pas gagner.

Sa tête tomba sur le côté et Matt comprit qu'il était mort.

— Qu'est-ce qu'il veut dire ? demanda Atoc.

— Ce n'est pas encore fini, répondit Matt. Salamanda est dans le désert. Il guide le satellite.

Il indiqua le point mobile sur l'écran plasma. Plus que cinquante centimètres à parcourir. Combien cela représentait-il de kilomètres ? Matt l'imaginait, se rapprochant de sa destination entre les montagnes.

— Il doit bien exister un moyen de l'arrêter, dit Richard. On n'a pas fait tout ça pour rien…

— C'est loin d'ici ? demanda Atoc.

— Je ne sais pas. Environ cent cinquante kilomètres. Pas plus.

— Il y a un hélicoptère, dehors…

À la sortie du centre de contrôle, une autre sorte de silence attendait Richard, Matt, Pedro et Atoc. Un silence de mort. Le sol était jonché de cadavres. Certains étaient des Incas, mais la plupart étaient des hommes de Salamanda. Une odeur de brûlé flottait dans l'air. Le pylône était sectionné en deux, sa carcasse enveloppée de fumée. Il y avait des morceaux de brique et de métal un peu partout. Les murs étaient piquetés de trous laissés par les balles. Toutes les lumières étaient éteintes mais les Incas avaient apporté des lampes à huile, qui leur permettaient de dénombrer les morts et les blessés.

Se forçant à ne pas regarder la dévastation, ils avaient couru jusqu'à l'aire de décollage et découvert, dépités, que l'hélicoptère était un biplace et ne pouvait transporter qu'un seul passager avec le pilote. Mais qui ? Le temps pressait.

— Moi, décida Matt.

— Matt..., protesta Richard.

— Ce combat est le mien, Richard. C'est moi qui l'ai entamé. Tout est arrivé par ma faute. Je pars avec Atoc.

Mais Pedro s'avança aussi. Il n'avait pas lâché sa fronde. Il évoquait à Richard une sorte de David péruvien prêt à combattre Goliath.

Matt hocha la tête et ajouta :

— Oui. Pedro a raison. Il doit venir aussi. Lui et moi pouvons tenir sur un seul siège.

— Mais vous n'êtes que des enfants ! s'exclama Richard, la voix rauque. Vous ne pourrez pas y arriver seuls.

— Nous avons toujours été seuls, dit Matt avec un sourire faible. Il faut qu'il en soit ainsi, Richard. L'*amauta* l'avait prédit. Il avait raison.

— Le temps presse, les alerta Atoc.

Il était onze heures moins vingt. Le satellite serait bientôt en place. Matt hocha la tête et avança vers l'hélicoptère, suivi de Pedro.

L'appareil mit cinq minutes à atteindre sa pleine puissance. Les rotors soulevaient le sable, engloutissant le centre entier dans un nuage. Richard voulait assister au décollage mais la poussière lui brûlait les yeux. Il se protégea le visage d'un bras. C'est à peine s'il pouvait respirer.

Le moteur rugit et l'hélicoptère s'éleva maladroitement. Les yeux plissés, Richard chercha à entrevoir Matt, serré contre Pedro. Il avait l'air plus grave, plus déterminé que jamais. L'hélicoptère se balança sur son axe, une fois, puis une autre.

Enfin il prit de la hauteur et survola la clôture.

Il ne restait plus qu'une heure.

# 20

# La porte s'ouvre

Ce fut Pedro qui l'aperçut le premier. Vu d'en haut, cela ressemblait à une boîte d'allumettes luisant sous la lune, isolée dans l'immensité nue du désert de Nazca. Ç'aurait pu être un mobile home, garé en plein milieu du désert, devant le site de Qolca. Il n'y avait aucun doute sur ce qu'il renfermait. C'était le poste de contrôle mobile mentionné par Fabian, d'où Salamanda guidait le satellite.

Le vol en hélicoptère avait duré une demi-heure. Il restait trente minutes avant minuit.

— Quelque chose cloche, remarqua Atoc.

À peine avait-il fini sa phrase que l'hélicoptère se mit à vibrer et s'immobilisa en plein ciel. Ils volaient à douze mille pieds et Matt eut horriblement conscience de chacun de ces douze mille pieds qui le séparaient de la terre ferme. L'appareil descendit brutalement. Matt sentit son estomac se révulser. Pedro s'agrippa au siège et poussa un cri alarmé. Atoc tira désespérément sur le manche et l'hélicoptère se stabilisa, encore un peu vacillant, comme un homme ivre.

— Qu'est-ce que c'était ? demanda Matt.

— Je ne sais pas… !

Une balle perdue avait endommagé l'un des principaux câbles hydrauliques. Celui-ci avait tenu bon quelque temps, mais jamais ils n'auraient dû décoller. Les rotors étant privés d'énergie, l'hélicoptère tombait en chute libre, comme aspiré dans un trou noir. L'univers entier tournoyait autour d'eux. Dans un flou argent, noir et jaune, Matt aperçut la surface du désert qui se précipitait vers eux. Atoc criait en quechua, peut-être une ultime prière. Tous les instruments du tableau étaient devenus fous. Les aiguilles virevoltaient, les compteurs défilaient, les lumières d'alarme clignotaient inutilement. Pedro agrippa le bras de Matt. La cabine vibrait follement. Matt voyait tout en triple. Il avait l'impression que ses yeux lui sortaient littéralement de la tête.

Atoc fit de son mieux. Même privés d'alimentation, il restait suffisamment de puissance dans les rotors pour permettre à l'appareil de descendre dans une sorte d'atterrissage contrôlé. Au dernier moment, Atoc hurla quelque chose dans sa langue. L'hélicoptère, beaucoup trop rapide, percuta le sol de travers et commença à basculer. Matt tomba sur Pedro. Les hélices mordirent brutalement dans la terre. Il y eut un horrible grincement métallique. Le support du rotor principal fut arraché et l'une des pales vola en éclats. Matt eut du mal à saisir la suite. Des pièces de métal voltigèrent dans tous les sens et l'une d'elles dut heurter le cockpit car la vitre se désintégra. Une odeur de brûlé flotta à l'intérieur. Des étincelles jaillirent du tableau de bord et une violente lumière éclata, juste au-dessus de sa tête. Matt eut la sensation de tomber en avant, comme si l'hélicoptère faisait un saut périlleux. Mais il bascula de nouveau en arrière. Il y eut un choc brutal : la queue venait de heurter le sol. Enfin, tout s'immobilisa.

Matt regarda autour de lui et ne vit rien. Ils étaient enveloppés de poussière. Comme sous un rideau. Une partie du cockpit enfoncé dans le sol, l'hélicoptère gisait sur le flanc. Matt ne pouvait pas bouger. Il se crut paralysé. Puis il comprit que c'était la ceinture qui le retenait. Lentement, il parvint à glisser une main pour la détacher. Une odeur d'essence flottait dans l'air et, dans un coin de sa tête, une idée terrifiante se mit à germer. L'hélicoptère allait exploser. Ils allaient périr carbonisés.

Matt cria : Pedro… ?

— Matt…

Pedro parvint à se dégager du poids de Matt qui l'écrasait, et à s'extraire du cockpit en rampant. Matt se traîna à sa suite. Quelque chose d'humide et poisseux avait coulé sur sa joue et son cou. Il y porta le doigt. Du sang, sans aucun doute. Mais il ne savait pas si c'était le sien.

Son corps entier était endolori. Il avait surtout très mal au cou et aux vertèbres. C'était un miracle qu'il puisse encore bouger. Le sol était frais. Les hélices, brisées et enchevêtrées, se dressaient au-dessus de lui. La queue de l'hélicoptère était coupée en deux.

Il se traîna jusqu'à Pedro.

— Il faut s'éloigner. L'hélicoptère risque d'exploser. L'essence...

— Et Atoc ?

Atoc était affaissé sur son siège. Matt vit tout de suite qu'il était mort. C'était son sang qui l'avait éclaboussé. Le jeune Inca avait lutté de toutes ses forces pour sauver les deux garçons mais n'avait pas réussi à sauver sa propre vie. Une immense tristesse envahit Matt. D'abord Micos, abattu à l'hacienda. Et maintenant Atoc. Deux frères, tués en pleine jeunesse. Pourquoi ? Croyaient-ils vraiment que Matt et Pedro valaient que l'on risque sa vie pour eux ? Matt sentit ses yeux s'embuer, mais en même temps que la tristesse, une vague de colère et de haine monta en lui, contre Salamanda, Fabian, Rodriguez et tous ces adultes rongés par l'ambition, la cupidité et leur désir de changer le monde. C'étaient eux qui l'avaient entraîné dans ce chaos. Pourquoi ne se contentaient-ils pas de vivre leur vie, pourquoi ne le laissaient-ils pas tranquille ?

Pedro l'observait d'un air interrogateur. Et maintenant ? semblait-il demander.

— On trouve Salamanda, dit Matt. Et on le neutralise.

Mais Pedro n'irait pas plus loin. En baissant les yeux, Matt découvrit l'affreuse réalité. Pedro ne s'était pas plaint mais une de ses jambes était inerte : il avait visiblement la cheville cassée. Son pied formait un angle bizarre.

Pendant un long moment, aucun d'eux ne dit mot.

— *Un garçon se dressera contre les Anciens, et un garçon, seul, tombera.*

Matt crut entendre la voix de l'*amauta* lui murmurer sa prophétie à l'oreille. Les choses se réalisaient donc telles qu'elles avaient été prévues. Un crash d'hélicoptère. Atoc tué. Pedro blessé. Matt seul. La prédiction se vérifiait.

Matt esquissa un sourire amer et soupira :

— *Adios*...

— Non, Matteo.

— Je dois y aller.

Matt se leva. La carcasse de l'hélicoptère refroidissait. Il n'y aurait pas d'explosion. Il pouvait laisser Pedro sur place.

— Richard et les autres ne vont pas tarder. Tu n'auras pas à attendre longtemps.

Pedro avait-il compris ? De toute façon, cela n'avait plus d'importance.

Matt lui tourna le dos et s'éloigna.

Il ne ressentait rien. Hormis ce traumatisme cervical, il n'avait pas été blessé. Et, malgré l'heure tardive, il n'était pas fatigué. Il ne courait pas mais marchait d'un pas rapide, attentif au contact doux de ses pieds sur la terre. La brise était tombée. Un calme extraordinaire régnait dans le désert, comme si le monde retenait son souffle. Matt leva les yeux. Le ciel noir était parsemé d'étoiles. Au loin il distinguait la découpe des montagnes, pareille à un simple trait de pinceau sur la vaste toile de la nuit. Matt songea brièvement aux condors qui les avaient attaqués la dernière fois. Qu'ils viennent ! Il était prêt. Il sentait le pouvoir monter en lui. Il n'avait pas été choisi parce qu'il était un garçon ordinaire. Il avait été choisi parce qu'il était l'un des Cinq. Il savait ce qu'il avait à faire.

Le poste de contrôle mobile apparut devant lui. À moins de cinq cents mètres de l'hélicoptère. Quelle heure était-il ? Matt n'avait toujours pas de montre. Arrivait-il trop tard ? Si tel était le cas, quelque part dans le désert de Nazca, ou dans un autre endroit du Pérou, la porte s'était déjà ouverte et les Anciens se propageaient, une fois de plus, à la surface de la Terre.

Le poste de contrôle était à la fois un camion, un conteneur et un mobile home. Il avait roulé jusqu'ici sur huit gros pneus mais, une fois sur place, on l'avait dressé sur des pieds en fer, surélevant les roues à vingt centimètres du sol. À l'avant, il y avait la cabine, vide, et une portière avec un marchepied. Le regard de Matt fut attiré vers le toit. Une antenne parabolique d'environ trois mètres de large, orientée vers le ciel, était reliée au véhicule par de gros câbles, et entourée d'autres appareils. Une échelle, à l'arrière, y montait. Les choses s'annonçaient plus faciles que Matt l'avait imaginé.

Il s'arrêta.

Il savait comment procéder. La clé était l'odeur de brûlé. Tout avait commencé avec la mort de ses parents dans un accident de voiture, quand il avait huit ans. Ce matin-là, sa mère avait fait carboniser les tartines. Et chaque fois que le pouvoir revenait en lui, c'était avec le souvenir de cet instant décisif de sa vie. Ainsi, quand Gavin Taylor l'avait fait trébucher à Forrest Hill, Matt avait senti l'odeur. Un instant plus tard, le lustre explosait. Même chose le lendemain, en classe, quand Gwenda avait foncé sur le collège au volant du camion-citerne.

Or cette même odeur de brûlé lui emplissait à présent les narines. Matt ferma les yeux et se laissa aller. Les bras croisés devant lui, il sentait le froid de la nuit dans sa nuque. Un grand calme l'envahit. Il attendit. Il n'avait plus à forcer. Le pouvoir montait en lui et, enfin, il le contrôlait...

Matt ouvrit les yeux.

L'antenne parabolique se mit à luire et à onduler comme sous l'effet d'une brume de chaleur. Il se concentra. Il avait l'impression de se projeter en avant. Une force impalpable jaillissait de lui. Il entendit une détonation mais il savait que personne n'avait tiré.

C'était simplement le claquement d'un des boulons sur le toit. Il esquissa un sourire. Aussitôt, un autre boulon sauta, puis deux autres. Même quatre hommes perchés sur le toit du camion auraient été incapables de déplacer l'antenne. Matt, lui, l'arrachait comme une simple feuille de papier.

L'antenne vibra, trépida, semblant vouloir se libérer de l'emprise du toit. Matt l'y aida. Il cligna des paupières et l'antenne fut délivrée. Les câbles et les supports sautèrent, et l'ensemble disparut en tournoyant dans la nuit. C'était fini. Salamanda n'avait plus aucun contrôle sur le satellite. Matt s'étonna que la fin fût aussi rapide, après toutes les épreuves qu'il avait traversées.

La porte du poste de contrôle mobile s'ouvrit et une silhouette se découpa.

Salamanda. Matt ne l'avait vu qu'une fois mais la tête démesurément étirée, les yeux haut perchés et la bouche minuscule, la peau tachetée, étaient inoubliables. Salamanda portait un pantalon et une chemise blanche aux manches déboutonnées. Il descendit du camion avec d'infinies précautions. Même les trois marches étaient un défi pour lui. Maintenir sa tête droite exigeait toute son attention, depuis toujours. Derrière lui, par la porte ouverte, Matt aperçut des hommes et une femme en blouse blanche. Miss Klein. Matt se rappelait l'avoir aperçue à l'hacienda. Salamanda ne pouvait manœuvrer seul le satellite. Il avait amené ses techniciens.

Matt se demanda vaguement ce qui allait se passer maintenant. Salamanda posa enfin le pied à terre et le regarda fixement. Il tenait quelque chose dans la main. Un revolver, bien sûr. Pensait-il réellement s'en servir ?

— Pourquoi es-tu ici ? gronda Salamanda, fou de rage.

La fureur aurait déformé son visage, s'il ne l'avait déjà été naturellement. Ses yeux étincelaient.

— Quelle heure est-il ? dit Matt.

Salamanda se figea. Il avait l'air d'avoir reçu une gifle.

— Quoi ?

— Quelle heure est-il ?

Cette fois, Salamanda comprit la question et pourquoi Matt l'avait posée.

— Minuit moins cinq, glapit-il. Cinq minutes… c'est tout ce dont j'ai besoin. Encore cinq minutes !

Il leva son revolver et tira.

La balle jaillit du canon et entama sa course vers la tête de Matt. Mais elle ne l'approcha pas. Matt n'avait aucune idée de la façon dont il réussit ce tour de force. Jamais encore il n'avait ressenti cela. Il se concentra, simplement, et la balle s'arrêta en plein vol. Puis, d'un mouvement de tête, il l'expédia dans la nuit. Ensuite, il poussa plus fort. Salamanda perçut les vagues d'énergie pure passer devant lui en miroitant. Il ne fut pas touché lui-même, mais, derrière lui, le camion avec son poste de contrôle fut soufflé par une explosion. On aurait dit un jouet soulevé, broyé et jeté par un enfant en colère. Après un vol plané d'une centaine de mètres, il s'écrasa lourdement à terre.

Salamanda était pétrifié, seul, exposé, sans aucune aide. Le revolver pendait mollement au bout de son bras.

— Tu crois avoir gagné, dit-il enfin. Mais tu as tort. Le monde appartenait jadis aux Anciens et il leur appartiendra à nouveau. C'est écrit dans le journal du moine…

— Le journal se trompe peut-être.

— Impossible.

Matt contempla l'homme qui lui avait causé tant de tourments et qui était responsable de la mort de ses amis.

— Pourquoi tout ça, Salamanda ? Vous êtes riche. Vous avez des tas de maisons. Un empire industriel. Ce n'est pas assez ?

Salamanda éclata de rire.

— Tu n'es qu'un enfant ! Sinon tu comprendrais. « Assez » ne veut rien dire.

Il se tut. Tout était immobile. Les techniciens étaient morts, ou inconscients. Il n'y avait pas un souffle d'air.

— As-tu la moindre idée de la haine que je te porte ?

— La haine, c'est tout ce que vous avez.

Salamanda leva son arme et tira les cinq balles restantes.

À nouveau, Matt dévia leur trajectoire. Néanmoins, toutes ne se dispersèrent pas dans le désert. Trois balles disparurent dans la nuit, mais deux allèrent se ficher dans la poitrine de Salamanda. Retour à l'envoyeur, en quelque sorte. Salamanda tomba à la renverse et son cou se brisa avec un craquement sinistre. Enfin. L'énorme tête roula sur le côté, les yeux sans vie fixés sur le ciel.

C'était terminé.

Matt poussa un long soupir. Il allait retourner auprès de Pedro et attendre l'arrivée de Richard et de leurs amis. Ils étaient probablement déjà en route. Il frissonna. Soudain, l'air était devenu glacial. Puis il remarqua une odeur de pourriture qui flottait dans l'air. Une odeur de viande avariée. Il leva les yeux, songeant aux condors. Aucun signe des oiseaux. Cependant, le ciel avait changé de couleur. Quelque chose palpitait dans le noir. Une sorte de lueur mauve sombre. Les étoiles brillaient avec une intensité inaccoutumée, anormale. On aurait dit des ampoules électriques sur le point de sauter. Matt avait mal à la tête. Il regarda au-dessus de la crête des montagnes. Elle était là.

Une lumière solitaire et éclatante se déplaçait horizontalement pour se positionner entre deux sommets. Elle était très basse dans le ciel. De l'endroit où se trouvait Matt, elle semblait à quelques mètres au-dessus du relief. Ce n'était pas une étoile. Ni un avion. C'était le satellite. Forcément. Avec une terrible sensation de vide, Matt réfléchit pour essayer de comprendre. Salamanda avait aligné le satellite. Il l'avait guidé vers sa position. Puis Matt était arrivé et avait détruit le poste de contrôle.

Mais c'était trop tard. Aussi inutile que de détruire un revolver après qu'une balle a été tirée. Il n'avait pas eu le temps de modifier la trajectoire du satellite et, même sans guidage, celui-ci avait continué sa route vers sa destination finale. Bien sûr, il ne s'y arrêterait pas. Il poursuivrait sans doute sa course et finirait pas s'écraser. Mais c'était sans importance. À la seconde précise où il atteindrait la position voulue, l'alignement des étoiles s'effectuerait, la combinaison de la serrure serait forcée et la porte s'ouvrirait.

Ce qui était précisément en train de se produire.

La porte s'ouvrait...

Matt sentit une vibration sous ses pieds. Il baissa les yeux et vit une fissure apparaître dans le sable. Elle débuta tout près de lui, puis vira et zigzagua au loin. Une autre la croisa. Et d'autres, filant dans toutes les directions. Comme si le désert entier se lézardait. En même temps, un liquide commença à suinter des profondeurs et à se répandre à la surface. De couleur sombre, entre le rouge et le brun, avec la consistance de la glu ou de la mélasse. Sauf que c'était du sang. Matt en reconnaissait l'odeur, douceâtre et écœurante, qui se répandait. Les fissures s'élargirent. Matt eut l'impression d'être pris dans une sorte de tremblement de terre, mais plus lent, plus délibéré. La lueur mauve sombre, dans le ciel, palpitait de plus en plus. Quelque part, un cri s'éleva. Le son venait de partout, strident, aigu. Matt réprima l'envie de se boucher les oreilles. Il savait que ça ne servirait à rien.

Une chose, qu'il n'avait pas comprise avant, lui apparut soudain. Il était venu au Pérou à la recherche d'une seconde porte, située quelque part dans le désert de Nazca. Mais il s'était trompé. Ils s'étaient tous trompés. Car le désert de Nazca *était* la porte. Dans sa totalité. D'où il était, Matt voyait maintenant les célèbres dessins, alors qu'on ne pouvait normalement les voir que d'en haut. Les lignes de Nazca luisaient. Les cercles, les triangles, les rectangles, les carrés, les figures à grande échelle, tous s'animaient après une attente de plus de vingt mille ans.

Le sol grondait. Ses vibrations parcouraient le corps de Matt. Il tenta de se concentrer à nouveau, d'activer son pouvoir, mais c'était sans espoir. Il était seul, comme l'avait prédit l'*amauta*, et totalement démuni. Le grondement enfla. En même temps, un vent glacé se leva, lui soufflant de la poussière dans les yeux et plaquant ses cheveux sur son front. Matt perdit l'équilibre et vacilla. L'écho d'un rire courant dans le désert lui parvint. Sa vue se brouilla et un son éclata avec violence, comme un immense claquement de fouet. Une lumière aveuglante jaillit du sol, lacéra l'air, transperça le ciel. Aveuglé, ébranlé, Matt tomba à genoux.

Silence.

Tout s'arrêta.

Alors, les créatures commencèrent à apparaître.

Dans une éruption presque volcanique, un immense oiseau jaillit des profondeurs de la terre et resta en suspens, ses ailes battant si vite qu'elles étaient à peine visibles. Tout autour, la terre bouillonnait. Le vent gifla Matt, qui se couvrit le visage de ses bras. L'oiseau était un colibri. Il avait des yeux noirs, brillants, cruels. Son bec, à demi ouvert, pouvait avaler Matt tout entier s'il lui en prenait l'envie.

Quatre pattes épaisses et velues apparurent ensuite au bord du cratère et une araignée géante se hissa des profondeurs. Matt aperçut son sac à venin sous son ventre. Deux crocs luisants sortaient de son cou. Elle se figea un instant, pivota, puis détala.

Un singe surgit en piaillant, sa queue s'enroulant et se déroulant sans cesse, ses dents découvertes dans un sourire grotesque. Une à une, les figures tracées dans le désert s'animèrent.

Et Matt, à genoux, attendit la mort.

Pendant peut-être vingt secondes, rien ne se passa. Puis il y eut un bourdonnement. D'abord sourd, distant, puis de plus en plus fort, jusqu'à devenir un vrombissement de tronçonneuse cherchant à découper le monde. Matt se plaqua les mains sur les oreilles. Un instant après, un immense nuage d'insectes bondit du cratère et virevolta en l'air. Des mouches noires, grosses et grasses, qui jaillissaient par milliers, par millions, par dizaines de millions, une invasion de mouches emplissant le ciel tout entier. Sous le regard horrifié de Matt, elles commencèrent à prendre forme, à dessiner des silhouettes d'hommes, de soldats en armes. Chaque soldat se composait d'environ dix mille mouches. En un instant, les soldats constituèrent une armée au garde-à-vous, alignée en rangs innombrables qui se déployaient dans le désert jusqu'aux montagnes.

Ce n'était que l'avant-garde. D'autres créatures émergèrent des entrailles de la terre, se libérant du monde où elles étaient retenues captives depuis tant de siècles.

Celles-ci ne présentaient aucune forme identifiable. C'étaient seulement des monstres effrayants, avec des moignons de bras et de jambes, des cornes, des dents, de gros yeux saillants. Certains étaient mi-bêtes, mi-humains. Matt vit un alligator avec des pieds, un cochon de la taille d'un cheval, un énorme crapaud à tête d'oiseau. Chacun semblait plus horrible, plus difforme que le précédent, et il en sortait sans cesse – des noirs, des gris – jusqu'à ce que le désert entier en soit envahi. Parfois, éclataient quelques taches de couleur : plumes vertes, dents blanches luisantes, jaune sale de pus suintant d'une plaie ouverte. Ils grouillaient, aspirant avidement l'air du monde qu'ils étaient venus détruire, avec les mouches-soldats en rangs derrière eux, attendant leurs ordres.

Mais le grand chef était encore à venir.

Une fourche de lumière zébra le ciel noir et le grondement s'amplifia. L'une après l'autre, treize nouvelles créatures à forme humaine apparurent à dos de cheval, revêtues d'armures et de haillons. Des géants de trois mètres. Un éclair illumina le ciel et, en une fraction de seconde, les géants se métamorphosèrent en squelettes, juchés sur des squelettes d'animaux. Un nouvel éclair, et ils se changèrent en fantômes, faits de fumée et d'air. Ils ne produisaient aucun son, se mouvaient comme des ombres, effleurant la surface du désert. Enfin, dans un miroitement, ils redevinrent des êtres solides, alignés en arc de cercle. Ils attendaient. Leur souffle formait des nuages blancs autour de leurs bouches. Il régnait un froid glacial.

Alors apparut le Roi des Anciens.

Matt fut secoué de frissons. Plus grand que toutes les autres créatures, le Roi aurait pu, d'un geste, toucher les nuages. Chacun de ses ongles était plus grand que Matt. On le distinguait difficilement, l'obscurité s'accrochait à lui comme un manteau. Le Roi des Anciens était trop gigantesque pour être vu, trop hideux pour être concevable.

Très lentement, il prit conscience de la présence de Matt. Il le détecta comme un serpent venimeux détecte sa proie. Sentant le regard du monstre se poser sur lui, Matt tenta de puiser au fond de lui le peu de pouvoir qui lui restait. Mais il savait qu'il n'en aurait jamais assez. Ils devaient être cinq. Et il était seul.

Matt se releva et hurla :

— Partez ! Votre place n'est pas ici !

Sa voix était minuscule. Il n'était rien de plus qu'un insecte.

Le Roi éclata de rire. Un rire horrible, profond et grave comme le tonnerre, dont l'écho se répercuta au loin.

À cinq cents mètres de là, près de la carcasse de l'hélicoptère, Pedro tressaillit.

— Matteo…, murmura-t-il.

Matt entendit son murmure. Finalement, la prophétie était inexacte. Il n'était pas tout à fait seul. Pedro était à proximité. À deux, leur pouvoir était double. Avec un regain de vigueur, Matt se redressa et déchargea contre le monstre toute l'énergie qui lui restait. Le désert ondula. Le Roi des Anciens poussa un hurlement et recula. Sentant sa douleur, toutes les autres créatures hurlèrent à leur tour. Plus tard, on raconterait que le hurlement avait été entendu dans tout le Pérou, mais personne ne pourrait en expliquer la provenance. Matt eut l'impression que le monstre gémissait. Il vit les Anciens qui commençaient à se trémousser, à se ratatiner comme des bouts de papier dans des flammes. Pedro l'épaulait. S'ils parvenaient à unir leurs énergies quelques secondes de plus…

Mais Matt avait épuisé toutes ses forces. Son pouvoir, poussé jusqu'à son extrême limite, le consumait. Il vit deux soleils qui lui brûlaient les yeux. Une masse gigantesque et noire, plus grande que la nuit elle-même, s'abattit sur lui. Il tomba en arrière. Du sang coula de son nez et du coin de ses yeux.

Le Roi des Anciens, gravement blessé et affaibli, jeta un dernier regard au corps inerte de Matt, puis, rappelant ses hordes, se replia dans les ténèbres.

# 21

# Le guérisseur

Le médecin, un homme soigné, de petite taille, avec des cheveux châtain clair et des lunettes, portait une sacoche de cuir usée et éraflée, trop remplie pour fermer correctement. Il s'appelait Christian Nourry. Il n'était pas péruvien mais français, et travaillait pour la Croix-Rouge dans les régions déshéritées du pays.

— Je suis désolé, professeur Chambers. Je ne peux rien faire de plus.

— Est-ce qu'il va mourir ?

Le docteur Nourry ouvrit les mains dans un geste d'impuissance.

— Je vous l'ai dit, ça dépasse mes compétences. Matthew est plongé dans un coma profond. Son pouls est beaucoup trop lent et son cerveau donne très peu de signes d'activité. Je crains qu'il ne puisse se rétablir. Cela m'aiderait si vous m'expliquiez ce qui l'a mis dans cet état.

Joanna Chambers haussa les épaules.

— Dans ce cas, reprit le médecin, je ne peux rien dire. Mais il y a une chose dont je suis sûr. Ce garçon serait mieux dans un hôpital.

— Je ne suis pas d'accord. L'hôpital local ne ferait rien qu'on ne puisse faire ici. Et nous préférons veiller sur lui.

— Vous m'avez parlé d'un autre blessé. Où est-il ?

— Pedro ? À l'hôpital. Il a une cheville cassée et ils l'ont plâtré. Il sera là cet après-midi.

— Mais enfin… qu'ont fait ces deux garçons ? La guerre ?

— Merci d'être venu, docteur Nourry.

— En cas de besoin, appelez-moi. De jour comme de nuit. Je viendrai aussitôt, promit le médecin en poussant un soupir. Je pense que vous devriez vous préparer… au pire. La vie de ce garçon me paraît suspendue à un fil, et le fil risque de rompre à tout moment.

Le professeur Chambers raccompagna le docteur Nourry, puis revint dans la maison. À l'intérieur, les ventilateurs apportaient de la fraîcheur. Elle monta l'escalier de bois et entra dans une vaste chambre carrée, avec des murs blancs et des nattes de jonc sur le sol. Deux fenêtres ouvertes donnaient sur le jardin. Dehors, un arroseur irriguait la pelouse.

Matt gisait sur le lit, les yeux fermés, recouvert d'un simple drap. Un masque à oxygène sur le visage, une perfusion dans le bras. Il était très pâle. Son torse se soulevait de façon presque imperceptible. Le professeur Chambers réfléchissait aux paroles du médecin. Matt ne semblait pas proche de la mort. Il avait déjà l'air mort.

— Que dit le docteur ? demanda Richard.

Le journaliste n'avait pas quitté le chevet de Matt depuis trente-six heures. Hormis une courte pause, tôt le matin, sur l'ordre du professeur Chambers qui l'avait obligé à prendre un peu de repos. Richard avait vieilli de dix ans depuis qu'il avait découvert Pedro étendu à côté de la carcasse de l'hélicoptère, une cheville cassée et brûlant de fièvre, et Matt gisant à plat ventre dans la poussière, les traits creusés et les yeux injectés de sang. Nul ne savait ce qui s'était passé dans le désert, mais Richard se blâmait d'avoir laissé les deux garçons partir seuls.

— Le médecin est pessimiste, avoua le professeur Chambers. Il pense que Matt a peu de chances de s'en sortir.

Richard laissa échapper un long soupir. Il constatait lui-même l'état de Matt mais il avait espéré, contre tout espoir, entendre des paroles encourageantes.

— Jamais je n'aurais dû le laisser venir au Pérou. Il ne voulait pas. Il ne voulait rien de tout ça.

— Vous devriez descendre manger quelque chose, Richard. Vous n'aideriez pas Matt en tombant malade à votre tour.

— Je suis incapable d'avaler quoi que ce soit. Je n'ai pas faim.

Richard contempla le garçon endormi.

— Que lui est-il arrivé là-bas, professeur ? Que lui ont-ils fait ?

— Pedro nous le dira peut-être. Je vais le chercher à l'hôpital cet après-midi.

— Je resterai avec Matt. (Richard se passa une main sur la joue. Il ne s'était pas rasé depuis deux jours et sa barbe commençait à pousser.) Vous savez, professeur, la première fois que j'ai vu Matt, je n'ai pas cru ce qu'il me racontait. J'ai pensé qu'il avait une imagination débordante. Et maintenant…

Un brouhaha leur parvint de l'extérieur. Une voiture venait de s'arrêter devant la maison et le chauffeur était mécontent. Il criait et l'un des jardiniers tentait de le calmer. Joanna Chambers s'approcha de la fenêtre. Elle vit un taxi, dont le chauffeur exigeait d'être payé. Elle fronça les sourcils.

— C'est Pedro, dit-elle.

Ils se ruèrent hors de la chambre pour descendre à sa rencontre. Pedro franchit la porte sur des béquilles, encore vêtu du pyjama de l'hôpital. Un plâtre lui immobilisait le pied gauche.

— *Qué estas haciendo aquí ?* s'exclama le professeur Chambers. Que fais-tu ici ? Je devais venir te prendre plus tard.

— *Dondé esta Matteo ?* demanda Pedro. Où est Matt ?

Pedro aussi avait changé depuis les événements du désert, constata Richard. Auparavant très silencieux – ce qui s'expliquait par le fait qu'il ne parlait pas anglais –, mais détaché aussi, toujours un peu en retrait, il avait acquis de l'autorité à présent. Il savait exactement ce qu'il faisait. Il avait quitté l'hôpital sans permission, pris un taxi, et persuadé le chauffeur de le conduire chez le professeur Chambers. Pedro suivait son idée et ne laisserait personne s'y opposer.

Joanna Chambers aussi avait dû percevoir cette autorité nouvelle car elle répondit : « Matt est là-haut », en indiquant l'escalier. Puis elle réalisa que Pedro ne pourrait pas monter seul et elle lui offrit son bras. Pedro prit ses béquilles d'une main et, ensemble, ils gravirent les marches tant bien que mal. En passant, Pedro jeta un regard à Richard. Aussitôt, celui-ci éprouva un sentiment de soulagement qu'il ne put s'expliquer. Tout à coup, il eut la certitude que Matt allait guérir.

Pedro se reposa un bref instant contre la porte de la chambre. Le professeur Chambers voulut entrer avec lui mais il secoua la tête et murmura un seul mot, en anglais :

— Seul.

Le professeur hésita. Mais rien ne servait de discuter. Elle regarda Pedro avancer péniblement sur ses béquilles et ferma la porte derrière lui.

Pedro s'immobilisa.

Il n'était pas très sûr de ce qui l'avait poussé à venir ici, et maintenant qu'il y était, il ne savait plus quoi faire. Le jeune Anglais paraissait mort. Mais non. Son torse se soulevait imperceptiblement et on entendait son souffle rauque sous le masque à oxygène. À l'exception de ces deux derniers jours, Pedro n'avait jamais mis les pieds dans un hôpital de sa vie. La vue du cylindre métallique qui pompait avec soin des quantités mesurées d'air, et du liquide s'écoulant goutte à goutte par un tuyau de plastique dans le bras de Matt, l'impressionnait.

Une chose, pourtant, était sûre. Il devait être là. Car Matt et lui avait parlé ensemble, bien entendu, pendant que l'un dormait dans son lit d'hôpital et que l'autre gisait, inconscient, dans cette chambre. Matt l'avait pressé de venir.

« J'ai besoin de toi, Pedro. Sans toi, je vais mourir… »

Mais pourquoi ? Comment ? Que pouvait-il faire ?

Pedro sautilla jusqu'au lit et s'assit sur le bord, posant doucement ses béquilles par terre. Il se pencha au-dessus de Matt. L'oxygène sifflait. Le masque s'embua un instant. Hormis cela, tout était silencieux et paisible.

Pedro tendit la main.

Il savait. C'était comme si quelqu'un lui avait donné un livre relatant sa vie entière, et qu'il le lisait et le comprenait pour la première fois. Un jour, il avait dit à Matt qu'il ne possédait aucun pouvoir particulier. C'était faux. Après l'inondation où avait péri sa famille, il avait eu l'impression qu'une chose étrange se produisait en lui. Et cette impression s'était renforcée au cours des années.

À *Ciudad del Veneno*, la Ville Poison, les maladies étaient innombrables et des gens y mouraient continuellement. Sauf ceux qui vivaient dans leur entourage. Ceux-là n'étaient jamais malades et Sebastian en avait souvent fait la remarque. Même devant Matt. « *Personne ne tombe malade dans cette maison, ni dans la rue. Et personne ne comprend pourquoi…* »

Le phénomène s'était reproduit après le tabassage de Matt par Rodriguez dans l'hôtel de Lima. Dès le lendemain, ses contusions avaient disparu, ses côtes cassées s'étaient remises toutes seules. Pourtant Pedro n'avait rien fait. Seule sa présence avait agi.

À présent, Pedro n'avait plus de doutes : il possédait un véritable don de guérisseur.

Doucement, il plaça une main sur la poitrine de Matt. Cette fois, il avait pleinement conscience de son pouvoir et il allait l'utiliser.

Mais réussirait-il ? N'était-il pas déjà trop tard ?

Pedro ferma les yeux et laissa son énergie s'écouler.

*

* *

Une semaine plus tard.

Le soleil commençait à se coucher sur la ville de Nazca. L'air était chaud et lourd. Le professeur Chambers sortit de la maison avec un pichet de citronnade glacée et quatre verres. Elle avait allumé le barbecue et l'odeur du charbon de bois envahissait le jardin.

Richard, Matt et Pedro l'attendaient, assis dans des fauteuils en osier autour de la table. Les béquilles de Pedro étaient posées sur l'herbe. Il en aurait encore besoin pendant deux semaines mais les os de sa cheville étaient déjà presque ressoudés. Pourtant c'était la guérison de Matt la plus spectaculaire. Il avait repris connaissance quelques heures après le retour de Pedro. Le lendemain, il pouvait boire et manger. Et maintenant, il était attablé avec les autres comme si de rien n'était.

Richard n'en revenait pas. Joanna Chambers, elle, ne paraissait pas étonnée.

— Radiesthésie, lui expliqua-t-elle.

— Radio quoi ?

— Radiesthésie. C'est l'un des nombreux termes employés pour désigner la guérison par la foi. On appelle également cela mesmérisme, autoscopie… l'imposition des mains. Bien sûr, de nos jours, peu de gens y croient encore. Mais c'était une pratique courante dans les anciennes civilisations. Chez les Incas, notamment. Il s'agit en fait de la capacité à soigner une maladie en utilisant une sorte de pouvoir psychique.

— Pedro ?

— Eh bien, nos amis incas semblaient penser qu'il était l'un des leurs. Je ne suis donc pas étonnée qu'il ait ce pouvoir. D'ailleurs, qu'importe la manière ! L'essentiel est qu'il ait sauvé la vie de Matt. C'est tout ce que nous avons besoin de savoir.

Richard observa le professeur poser le plateau sur la table et s'approcher du barbecue. Les braises rougeoyaient. Elle plaça quatre steaks sur la grille et revint s'asseoir.

Personne ne parla pendant que la viande grillait. Au cours des jours qui avaient suivi le rétablissement de Matt, tous s'étaient habitués à ces longs silences. Matt ne leur avait toujours pas raconté ce qui s'était passé à Qolca et ils ne l'avaient pas interrogé. Tout serait dit en temps utile. Parfois, pourtant, Richard s'inquiétait. Matt n'était plus tout à fait lui-même. La souffrance l'avait transformé. Elle se lisait dans ses yeux.

Matt lisait un journal qui datait de plusieurs jours. Susan Ashwood le lui avait envoyé d'Angleterre. Un article était surligné, page cinq.

## L'ÉGLISE CONTESTE LA DISPARITION DE L'ADOLESCENT

Était-ce un miracle, ainsi que le suggèrent certains, où existe-t-il une explication rationnelle à la disparition du garçon de San Galgano, comme on l'a surnommé dans l'ancienne ville toscane de Lucca ?

Les faits sont les suivants. San Galgano est une ancienne abbaye du XIIe siècle, située juste à la sortie de Lucca. Elle abrite un ordre de moines cisterciens, peu habitués aux projecteurs de la publicité moderne. Mais, au début de cette semaine, l'un des moines a rencontré dans le cloître un adolescent qui s'est adressé à lui en anglais. Le garçon a cueilli une fleur, puis il a franchi une porte et a disparu.

L'histoire peut sembler assez banale, jusqu'à ce qu'on entre dans les détails. Tout d'abord, l'abbaye n'est pas ouverte au public et il est impossible d'y pénétrer sans se faire remarquer. Plus étrange encore est la porte par laquelle le garçon est entré et sorti. Non seulement elle est fermée à clé en permanence, mais elle a été condamnée par un mur de brique il y a cent ans, par le Père supérieur.

Il semble qu'une malédiction ait pesé sur cette porte. Selon la légende locale, l'apparition du garçon annoncerait rien de moins que le commencement du Jugement dernier ! Toutefois, un porte-parole de l'Église, s'exprimant au nom du Vatican, a déclaré que l'intrus était plus vraisemblablement un touriste égaré...

Matt replia le journal. Il savait qu'il était le garçon croisé par le moine. Il avait ouvert une porte dans une église de Londres et, apparemment, avait débouché dans un cloître italien. William Morton, l'antiquaire et propriétaire temporaire du journal de Joseph de Cordoba, était probablement au courant de ce « passage ». Et il avait mis Matt à l'épreuve en lui demandant d'ouvrir la porte dans Sainte-Meredith. En revenant avec la fleur cueillie dans un autre pays, Matt lui avait donné la preuve qu'il était bien l'un des Cinq.

Mais comment fonctionnait ce passage ? Avait-il été aménagé par ceux-là mêmes qui avaient construit les portes ? Et, dans ce cas, pourquoi ? Certaines choses échappaient encore à Matt.

Les steaks étaient cuits. Le professeur Chambers les servit avec une salade de son jardin. Matt attendit la fin du repas pour prendre la parole.

— Nous devons parler de ce qui s'est passé, commença-t-il.

Sa voix était douce, différente. Richard l'observa, s'efforçant de dissimuler sa tristesse. Matt était sorti de l'enfance.

— Les Incas m'ont dit que la porte s'ouvrirait et que les Anciens envahiraient le monde, poursuivit Matt. C'était leur prophétie. Ils avaient raison. Salamanda le savait, lui aussi. Je suppose que c'était écrit dans le journal du moine…

— Au fait, où est-il, ce journal ? demanda Richard.

— Maintenant que Salamanda est mort, on ne le retrouvera sans doute jamais.

— Crois-tu vraiment que les Incas avaient raison, Matt ? demanda le professeur Chambers.

— Oui. Je pensais que Pedro et moi pourrions empêcher la porte de s'ouvrir, mais je m'aperçois qu'on ne peut pas changer certaines choses. Elles arrivent toujours comme elles doivent arriver.

Il s'interrompit pour reprendre son souffle et continua :

— La première fois, en Angleterre, nous avons gagné. Nous avons réussi à fermer la Porte des Ténèbres. Mais, ici, nous avons perdu.

— Non, objecta Richard.

— Si. Je regrette, mais c'est la vérité. J'ai vu les Anciens et, malgré tous mes efforts et l'aide de Pedro, je n'ai pas eu assez de force. Nous devons affronter l'idée que les Anciens sont ici, dans notre monde…

— Mais où ? demanda Richard, sceptique. Ça s'est passé il y a une semaine. Le monde n'a pas changé. Rien ne s'est produit. Moi je pense que tu les as vaincus !

— Blessés, seulement. Ils se reposent peut-être en attendant de reprendre des forces. Mais je les sens, Richard. Il y a une froideur dans l'air. Ils se répandent déjà, préparent leurs plans. Ils sont partout. Et bientôt…

— Génial ! s'écria Richard, sans pouvoir dissimuler son amertume. Dans ce cas, pourquoi sommes-nous venus ici ? À quoi bon tout ça ?

— Il le fallait, Richard. C'est très difficile, mais je crois que je commence à comprendre… Nous sommes cinq. Quatre garçons et une fille. Tous du même âge, et tous nés pour la même raison. Une fois que nous serons réunis, le vrai combat aura lieu.

— Mais où sont les autres ? Ils peuvent être n'importe où dans le monde.

— Pedro est le deuxième, dit Matt. C'est pour ça que je suis venu au Pérou. Pour le trouver. Les autres, je ne les ai vus que dans mon sommeil. Nos rêves peuvent nous aider. Ce ne sont pas des rêves ordinaires. Ils font partie de l'histoire. Et ce sera moins difficile que tu l'imagines, Richard. Pedro et moi nous sommes rencontrés alors que nous menions des vies totalement différentes, à des milliers de kilomètres. Je pense que les autres nous recherchent déjà. Ce n'est qu'une question de temps…

— Peut-être, mais les Anciens sont déjà là, observa le professeur Chambers. Combien de temps avons-nous ?

Matt ne répondit pas.

Un nuage passa devant le Soleil et une ombre tomba sur le jardin. Et ailleurs, à travers le monde, d'autres ombres s'étiraient.

L'étoile maléfique s'était levée.

L'obscurité gagnait.

# Table

TABLE

« Pour l'éditeur, le principe est d'utiliser des papiers composés de fibres naturelles, renouvelables, recyclables et fabriquées à partir de bois issus de forêts qui adoptent un système d'aménagement durable. En outre, l'éditeur attend de ses fournisseurs de papier qu'ils s'inscrivent dans une démarche de certification environnementale reconnue. »

**Composition PCA – 44400 Rezé**

Achevé d'imprimer en Italie par G. Canale & C. S.p.A
32.03.2568.7/01 – ISBN : 978-2-01-322568-7
*Loi n° 49-956 du 16 juillet 1949 sur les publications destinées à la jeunesse*
*Dépôt légal : septembre 2010*